A PINTORA de HENNA

ALKA JOSHI

A PINTORA de HENNA

Tradução
Cecília Camargo Bartalotti

1ª edição
Rio de Janeiro-RJ / Campinas-SP, 2022

VERUS
EDITORA

Editora Raïssa Castro	**Copidesque** Lígia Alves
Coordenadora editorial Ana Paula Gomes	**Revisão** Ana Paula Gomes
Equipe editorial Raquel Tersi Júlia Lopes	**Diagramação** Mayara Kelly (estagiária)

Título original:
The Henna Artist

ISBN: 978-65-5924-061-6

Copyright © Alka Joshi, 2020

Todos os direitos reservados, incluindo o direito de reproduzir em todo ou em parte, em qualquer meio ou forma. Edição publicada mediante acordo com Harlequin Books S.A.

Esta é uma obra de ficção. Nomes, personagens, lugares e acontecimentos são produto da imaginação da autora ou usados de forma ficcional. Qualquer semelhança com pessoas reais, vivas ou mortas, instituições comerciais, eventos ou locais é coincidência.

Tradução © Verus Editora, 2022
Direitos reservados em língua portuguesa, no Brasil, por Verus Editora.
Nenhuma parte desta obra pode ser reproduzida ou transmitida por qualquer forma e/ou quaisquer meios (eletrônico ou mecânico, incluindo fotocópia e gravação) ou arquivada em qualquer sistema ou banco de dados sem permissão escrita da editora.

Verus Editora Ltda.
Rua Benedicto Aristides Ribeiro, 41, Jd. Santa Genebra II, Campinas/SP, 13084-753
Fone/Fax: (19) 3249-0001 | www.veruseditora.com.br

CIP-BRASIL. CATALOGAÇÃO NA PUBLICAÇÃO
SINDICATO NACIONAL DOS EDITORES DE LIVROS, RJ

J72p

Joshi, Alka
  A pintora de henna / Alka Joshi ; tradução Cecília Camargo Bartalotti. – 1. ed. – Campinas [SP] : Verus, 2022.

Tradução de: The henna artist
ISBN 978-65-5924-061-6

1. Ficção indiana. I. Bartalotti, Cecília Camargo. II. Título.

22-75743
CDD: 828.99353
CDU: 82-3(540)

Camila Donis Hartmann – Bibliotecária – CRB-7/6472

Revisado conforme o novo acordo ortográfico.

Seja um leitor preferencial Record.
Cadastre-se no site www.record.com.br e receba informações sobre nossos lançamentos e nossas promoções.

Atendimento e venda direta ao leitor:
sac@record.com.br

*Para minha mãe, Sudha Latika Joshi,
que apoiou minha independência.*

*Para meu pai, Ramesh Chandra Joshi,
que cantava para mim as mais doces canções de ninar.*

*O viajante tem que bater
em cada porta estrangeira para chegar à sua,
e tem que percorrer todos os mundos exteriores
para alcançar o santuário mais íntimo no fim.*
　— Do poema "Viagem para casa", de Rabindranath Tagore

*Quando a Deusa da Riqueza vem lhe dar a sua bênção,
não saia da sala para lavar o rosto.*
　— Provérbio hindu

Personagens

Lakshmi Shastri: artista de henna de trinta anos, moradora da cidade de Jaipur.
Radha: irmã de treze anos de Lakshmi, nascida depois que esta saiu de sua aldeia.
Malik: criado de Lakshmi, um menino de sete ou oito anos (ele não sabe ao certo); mora no centro superpovoado da cidade com a tia e os primos muçulmanos.
Parvati Singh: dama da sociedade de trinta e cinco anos, esposa de Samir Singh, mãe de Ravi e Govind Singh, prima distante da família real de Jaipur.
Samir Singh: arquiteto renomado de uma família rajapute de casta elevada, marido de Parvati Singh e pai de Ravi e Govind Singh.
Ravi Singh: filho de dezessete anos de Parvati e Samir Singh, estuda no internato Mayo College (a poucas horas de Jaipur).
Lala: criada solteira de longa data na casa dos Singh.
Sheela Sharma: filha de quinze anos do sr. e sra. V. M. Sharma, um casal brâmane rico de origem humilde.
Sr. V. M. Sharma: empreiteiro oficial da família real de Jaipur, marido da sra. Sharma, pai de quatro filhos, sendo a mais nova Sheela Sharma.
Jay Kumar: amigo solteiro de Samir Singh dos tempos de Oxford, médico atuante em Shimla (nos contrafortes dos Himalaias, a onze horas de viagem de Jaipur).
Sra. Iyengar: proprietária do imóvel onde Lakshmi mora em Jaipur.

Sr. Pandey: vizinho de Lakshmi e outro inquilino da sra. Iyengar, professor de música de Sheela Sharma.

Hari Shastri: marido separado de Lakshmi.

Sra. Joyce Harris: jovem inglesa, esposa de um oficial do exército britânico que é parte da equipe de transição em Jaipur para a saída do Raj britânico.

Sra. Jeremy Harris: sogra de Joyce Harris.

Pitaji: "pai" em híndi.

Maa: "mãe" em híndi.

Munchi: velho da aldeia de Lakshmi que a ensinou a desenhar e ensinou Radha a misturar tintas.

Kanta Agarwal: esposa de vinte e seis anos de Manu Agarwal, educada na Inglaterra, originalmente de uma família culta de Calcutá.

Manu Agarwal: diretor de manutenção da família real de Jaipur, marido de Kanta, educado na Inglaterra; tem parentesco com a família Sharma.

Baju: velho criado familiar de Kanta e Manu Agarwal.

Marajá de Jaipur: título representativo pós-independência, a mais alta posição de realeza na cidade, rico em terras e em dinheiro e dono de vários palácios em Jaipur.

Naraya: construtor da nova casa de Lakshmi em Jaipur.

Marani Indira: madrasta do atual marajá, viúva do marajá de Jaipur, sem filhos, também chamada de rainha viúva.

Marani Latika: esposa do atual marajá, trinta e um anos, educada na Suíça.

Madho Singh: periquito da marani Indira.

Geeta: viúva, amante de Samir Singh.

Sra. Patel: uma das clientes de henna fiéis de Lakshmi, proprietária de um hotel.

Prólogo

Ajar, estado de Uttar Pradesh, Índia
Setembro de 1955

Seus pés pisam de leve a terra dura, as solas calosas insensíveis aos pequenos seixos e ao barro endurecido ao longo da margem do rio. Sobre a cabeça, ela equilibra um *mutki*, o mesmo jarro de argila que usa para carregar água do poço todos os dias. Hoje, em vez de água, a menina está carregando tudo que possui: um segundo conjunto de anágua e blusa, o sári* de casamento de sua mãe, *Os contos de Krishna* que seu pai lia para ela, com as páginas gastas por anos de manuseio, e a carta que chegou de Jaipur mais cedo nessa manhã.

Quando ouve as vozes das mulheres da aldeia a distância, a menina hesita. As fofoqueiras estão conversando, contando histórias, rindo, enquanto lavam sáris, coletes, anáguas e *dhotis*.** Mas, quando a avistarem, ela sabe que vão parar e

---

* Sári: traje drapeado feminino comum, feito com um tecido de quatro a oito metros de comprimento.
** *Dhoti*: tecido retangular, sem costuras, geralmente branco, com quatro a seis metros de comprimento, enrolado em volta da cintura e das pernas, usado por homens. Depois que

encarar, ou cuspir no chão, implorando para Deus protegê-las da Menina do Mau Agouro. Ela lembra a si mesma da carta, segura dentro do *mutki*, e pensa: *Tudo bem. Será a última vez.*

Ontem as mulheres estavam enchendo os ouvidos do líder da aldeia: *Por que a Menina do Mau Agouro continua morando na casa do professor quando precisamos do lugar para o novo mestre?* Em total silêncio por medo de que elas entrassem e a arrastassem para fora pelos cabelos, a menina ficou imóvel dentro das quatro paredes de barro. Não havia ninguém para protegê-la agora. Na semana passada, o corpo de sua mãe tinha sido queimado com os ossos de outros animais mortos, a pira funerária dos pobres. Seu pai, que era o professor da aldeia, abandonara as duas havia seis meses e pouco depois se afogou em uma poça rasa na margem do rio, tão bêbado que provavelmente nem sentiu o ferrão da morte.

Todos os dias na última semana, a menina ficou esperando nos limites da aldeia pelo carteiro, que esporadicamente vinha de bicicleta da aldeia vizinha. Nessa manhã, assim que o avistou, ela correu de seu esconderijo, assustando-o, e perguntou se havia alguma carta para sua família. Ele franziu a testa e mordeu a bochecha, os olhos reumosos a examinando atrás das lentes grossas dos óculos. Ela percebeu que ele sentia pena dela, mas também parecia zangado; a menina estava lhe pedindo algo que só o chefe da família deveria receber. Mas ela enfrentou o olhar dele sem piscar. Depois que finalmente lhe entregou o gordo envelope de papel vegetal endereçado a seus pais, partiu com muita pressa, evitando seus olhos e pedalando para longe o mais rápido possível.

Agora, com o corpo ereto, os ombros para trás, ela passa pelas mulheres na margem do rio, que a encaram. Ela sente o coração acelerado dentro do peito, mas continua, reta como uma cana-de-açúcar, o *mutki* na cabeça, como se estivesse indo para o poço dos agricultores, a três quilômetros da aldeia, o único poço que tem permissão para usar.

As fofoqueiras não sussurram mais; elas gritam umas para as outras: *Lá vai a Menina do Mau Agouro! No ano em que ela nasceu, os gafanhotos comeram o trigo! A irmã mais velha largou o marido e nunca mais ninguém a viu! Sem-vergonha! No mesmo ano a mãe ficou cega! E o pai começou a beber! Desgraçada! Até a cor da menina é suspeita. Só* Angreji*-walli *têm olhos azuis. Será que ela é mesmo uma de nós? Será que é mesmo desta aldeia?*

---

parou de usar ternos, Mahatma Gandhi sempre usava um *dhoti*, para incentivar os costumes indianos em vez dos britânicos.

* *Angreji*: a língua inglesa.

A menina muitas vezes se perguntou sobre essa irmã mais velha de quem elas falam. Aquela cujo rosto ela vê apenas como uma sombra em seus sonhos, cuja existência seus pais nunca reconheceram. As fofoqueiras dizem que ela deixou a aldeia treze anos atrás. Por quê? Para onde ela foi? Como escapou de um lugar onde as fofoqueiras estão de olho em cada movimento seu? Será que partiu na calada da noite, quando as vacas e as cabras estão dormindo? Dizem que roubou dinheiro, mas ninguém na aldeia tem dinheiro. Como conseguiu se alimentar? Alguns dizem que ela se vestiu como homem para não ser parada na estrada. Outros, que fugiu com um rapaz de um circo e agora vive como dançarina de *nautch*,* dançando no Distrito do Prazer a quilômetros de distância, em Agra.

Três dias atrás, o velho Munchi coxo de uma perna, seu único amigo ali, a alertou de que, se ela não desocupasse a casa, o líder da aldeia insistiria que se casasse com um agricultor viúvo ou a mandaria embora.

— Não há mais nada aqui para você — Munchi-*ji*** falou. Mas como ela poderia ir embora, uma menina órfã de treze anos sem família nem dinheiro?

Munchi-*ji* disse:

— Tenha coragem, *bheti*.*** — Ele lhe contou onde ela poderia encontrar o cunhado, o marido que sua irmã mais velha tinha abandonado havia tantos anos, em uma aldeia próxima. Talvez ele pudesse ajudá-la a localizar a irmã.

— Por que eu não posso ficar com você? — ela perguntou.

— Isso não seria apropriado — o velho respondeu gentilmente. Ele ganhava a vida pintando desenhos em folhas secas de *peepal*. Para consolá-la, lhe deu uma pintura. Irritada, ela quase jogou a folha de volta nele, até ver que a imagem era do Senhor Krishna dando de comer uma manga à consorte, Radha, sua xará. Era o presente mais belo que ela já havia recebido.

Radha diminui o passo quando se aproxima da eira. Quatro bois em cangas andam em círculos em volta de uma grande pedra plana, debulhando trigo. Prem, que cuida dos bois, está sentado com as costas apoiadas na parede, dormindo. Sem fazer barulho, ela passa depressa por ele e segue a trilha estreita que leva ao templo de Ganesh-*ji*. O santuário tem uma passagem pequena e, dentro,

---

* *Nautch*: dança.
** *Ji*: tratamento respeitoso. O acréscimo de *ji* ao nome de uma pessoa (por exemplo, Ganesh-*ji*, Gandhi-*ji*) indica respeito e reverência.
*** *Bheti*: filha; também tratamento afetuoso para uma menina ou moça.

uma estátua do Senhor Ganesh. Há presentes dispostos em volta dos pés do Deus Elefante: um coco-verde, cravos-de-defunto, um pequeno pote de *ghee*,* fatias de manga. Um cone de incenso de sândalo solta uma espiral lânguida de fumaça.

A menina deposita a pintura de Krishna feita por Munchi-*ji* na frente de Ganesh-*ji*, o Removedor de Todos os Obstáculos, e implora que ele remova a maldição da Menina do Mau Agouro.

Quando ela chega à aldeia do cunhado, dezesseis quilômetros a oeste, a tarde está quase no fim e o sol se moveu para mais perto do horizonte. Ela está suando através da blusa de algodão. Seus pés e tornozelos estão sujos de terra, a boca seca.

Ela entra na aldeia, cautelosa. Agacha em moitas e se esconde atrás de árvores. Sabe que uma menina sozinha não será tratada com gentileza. Procura por um homem que seja como o que Munchi-*ji* descreveu.

Ela o vê. Ali. De cócoras sob a árvore banyan, de frente para ela. Seu cunhado.

Ele tem o cabelo grosso, oleoso, preto como carvão. Uma cicatriz longa e irregular serpenteia do lábio inferior até o queixo. Ele não é jovem, mas também não é velho. A camisa está manchada de curry e seu *dhoti* está sujo de pó.

Então ela nota a mulher agachada na terra na frente do homem. Ela está com o cotovelo apoiado em uma das mãos, o antebraço pendendo em um ângulo estranho. Sua cabeça está completamente coberta com o *pallu*** e ela conversa com o homem em voz baixa. Radha observa, imaginando se o cunhado tem uma nova esposa.

Ela pega uma pedrinha, joga nele e erra. Na segunda vez, acerta na coxa, mas ele só balança a mão, como se estivesse espantando um inseto. Ele está escutando a mulher atentamente. Radha joga mais pedrinhas e consegue acertá-lo várias vezes. Por fim, ele levanta a cabeça e olha em volta.

Radha avança para a clareira, para que ele possa vê-la.

Os olhos dele se arregalam, como se ele estivesse vendo um fantasma.

— Lakshmi?

---

* *Ghee*: manteiga clarificada ou manteiga da qual a água foi removida.
** *Pallu*: a ponta decorada de um sári, usada sobre o ombro.

PARTE UM

Um

Jaipur, estado do Rajastão, Índia
15 de novembro de 1955

A independência mudou tudo. A independência não mudou nada. Oito anos depois que os britânicos se retiraram, tínhamos agora escolas governamentais gratuitas, água corrente e estradas pavimentadas. Mas Jaipur ainda me parecia igual ao que era dez anos atrás, na primeira vez que pus os pés naquele solo poeirento. No caminho para nosso primeiro compromisso da manhã, Malik e eu quase colidimos com um homem carregando sacos de cimento sobre a cabeça quando uma bicicleta cortou entre nós. O ciclista, que segurava uma escada de dois metros embaixo do braço, fez uma carroça puxada por um cavalo bater de lado em um porco, que correu guinchando para uma viela próxima. Em certo ponto, paramos para esperar a passagem de um grupo barulhento de *hijras*. Os homens de batom vestidos com sári foram cantar e dançar na frente de uma casa para abençoar o nascimento de um menino. Estávamos tão acostumados com os odores da cidade — cocô de vaca, fogo de cozinha, óleo de coco para os cabelos, incenso de sândalo, urina — que mal os notávamos.

O que a independência *mudou* foi o nosso povo. Isso era visível na postura das pessoas, o peito estufado, como se finalmente pudessem se permitir respirar.

Via-se isso no modo como elas andavam, com decisão e orgulho, para seus templos. No modo como pechinchavam, mais vigorosamente do que antes, com os vendedores no bazar.

Malik assobiou chamando uma *tonga*. Ele era um menino pequeno, magro como um caniço. Seu assobio, alto o suficiente para ser ouvido até Bombaim, sempre me pegava de surpresa. Ele colocou nossos pesados *tiffins*,* os recipientes de metal para comida, dentro da charrete e o *tonga-walla*** nos levou de má vontade pelos cinco curtos quarteirões até a propriedade dos Singh. O porteiro ficou observando enquanto descíamos da *tonga*.

Antes da independência, a maior parte das famílias de Jaipur morava em conjuntos residenciais superlotados no centro da velha Cidade Rosa. Mas gerações de Singh sempre haviam morado em uma extensa propriedade fora dos muros da cidade. Eles eram da classe governante — rajás e príncipes menores, oficiais comissionados do exército —, havia muito acostumados com privilégios, antes, durante e mesmo depois do domínio britânico. A propriedade dos Singh ficava em uma larga avenida margeada por árvores *peepal*. Muros de dois metros e meio de altura com cacos de vidro no alto protegiam da vista a mansão de dois andares. Uma varanda de mármore adornada de buganvílias e jasmins se estendia pela frente e pelas laterais de cada andar e refrescava a casa no verão, quando Jaipur podia ficar tão quente quanto um forno tandoor.

Depois de o *chowkidar**** dos Singh testemunhar nossa chegada de *tonga*, descarregamos nossas coisas. Malik ficou de papo com o porteiro enquanto eu seguia pelo caminho pavimentado de pedras no meio do amplo gramado bem cuidado e subia os degraus também de pedra para a varanda de Parvati Singh.

Naquela tarde de novembro, o ar estava frio, mas úmido. Lala, a criada mais antiga de Parvati Singh e babá de seus filhos, me recebeu à porta. Ela puxou o sári sobre o cabelo em sinal de respeito.

Eu sorri e uni as mãos em um *namastê*.****

— Você tem usado o óleo de magnólia, Lala? — Em minha última visita, eu havia entregado discretamente a ela um frasco do meu remédio para calos na sola dos pés.

---

* *Tiffin*: porta-mantimentos de inox com vários recipientes encaixados um sobre o outro.

** *Tonga-walla*: homem que conduz uma charrete puxada a cavalo.

*** *Chowkidar*: porteiro, vigia.

**** *Namastê*: o cumprimento popular indiano, feito pela união da palma das mãos logo abaixo da altura do pescoço.

Ela escondeu um sorriso por trás do *pallu* enquanto estendia o pé descalço e o virava para mostrar o calcanhar liso.

— *Hahn*-ji* — riu de leve.

— *Shabash*** — eu a parabenizei. — E como vai sua sobrinha? — Lala trouxera a sobrinha de quinze anos para trabalhar na casa dos Singh havia seis meses.

A velha senhora franziu a testa e o sorriso desapareceu. Mas, quando abriu a boca para responder, a patroa chamou lá de dentro.

— Lakshmi, é você?

Rapidamente, Lala se recompôs, sorriu tensa e assentiu com a cabeça: *Ela está bem*. Depois se virou para a cozinha e se afastou, deixando-me seguir sozinha para o quarto de Parvati, onde eu já havia estado muitas vezes.

Parvati estava sentada junto à escrivaninha de jacarandá. Ela conferiu o delicado relógio de pulso dourado antes de voltar para a carta que estava escrevendo. Rigorosa com a pontualidade, ela detestava atrasos. Eu, no entanto, estava acostumada a esperar enquanto ela rabiscava um bilhete para Nehruji ou terminava um telefonema com um membro da Liga Indo-Soviética.

Pus meus *tiffins* no chão e arrumei as almofadas no divã de seda creme de Parvati enquanto ela selava a carta e chamava Lala.

Em vez da velha criada, quem apareceu foi a sobrinha de Lala. Ela manteve baixos os olhos grandes e escuros, as mãos apertadas na frente do corpo.

Parvati franziu a testa. Examinou a menina e, após a mais breve das pausas, lhe disse:

— Teremos um convidado para o almoço. Vamos servir *boondi raita*.***

A menina empalideceu e pareceu estar passando mal.

— Não temos iogurte fresco, *MemSahib*.****

— Por que não?

A menina oscilou, constrangida. Seus olhos buscaram uma resposta no tapete turco, na foto emoldurada do primeiro-ministro, no bar com fundo de espelho.

---

* *Hahn*: sim.
** *Shabash*: Bravo! Muito bem!
*** *Raita*: molho de iogurte e pepino, feito para refrescar o palato quando alimentos apimentados são servidos.
**** *MemSahib*: tratamento respeitoso, equivalente a "madame".

Quando Parvati falou, as palavras foram como vidro, claras e afiadas.

— Vamos servir *boondi raita* no almoço.

O lábio inferior da menina tremeu. Ela lançou um olhar suplicante para mim. Eu me virei para as janelas que davam para o jardim dos fundos. Parvati era minha patroa também, e eu tinha tanta condição de ajudar a menina quanto a pele de tigre pendurada na parede.

— Hoje peça para Lala trazer o chá. — Parvati dispensou a menina e se acomodou no divã. Agora eu podia começar sua henna. Ocupei meu lugar costumeiro na outra ponta e segurei as mãos dela.

Antes de eu vir para Jaipur, minhas senhoras contratavam mulheres da casta* sudra para fazer os desenhos de henna em suas mãos e pés. Mas as mulheres dessa baixa casta pintavam o que suas mães haviam pintado antes delas: pontos, traços, triângulos simples. Apenas o suficiente para ganhar um pagamento modesto. Meus desenhos eram mais complexos; eles contavam histórias das mulheres a quem eu servia. Minha pasta de henna era mais fina e fluida que a mistura que as sudras usavam. Eu tinha o cuidado de esfregar uma loção de limão e açúcar na pele das minhas senhoras antes de aplicar a henna, o que fazia a pintura durar semanas. Quanto mais escura a henna, mais uma mulher era amada pelo marido — ou pelo menos era o que minhas clientes acreditavam —, e meus desenhos elaborados cor de canela nunca decepcionavam. Com o tempo, minhas clientes passaram a acreditar que minha henna podia trazer maridos desgarrados de volta para sua cama ou um bebê para seu útero. Por causa disso, eu podia pedir um preço dez vezes mais alto que o das mulheres sudras. E o recebia.

Até mesmo Parvati creditava o nascimento de seu filho mais novo à minha habilidade com a henna. Ela havia sido minha primeira cliente em Jaipur. Quando engravidou, vi as páginas da minha agenda serem preenchidas com mulheres conhecidas dela, a elite de Jaipur.

Agora, enquanto a henna em suas mãos secava e eu fazia o desenho nos pés, Parvati se inclinou para a frente para observar, até nossas cabeças quase se tocarem, seu hálito doce com o perfume da noz de betel.** Seu suspiro quente roçou minha face.

---

* Casta: durante séculos, os indianos seguiram uma estrutura rígida de classes socioeconômicas que dividia as pessoas de acordo com seu nascimento em quatro ou cinco grupos (o número é discutível): brâmanes (sacerdotes e professores), xátrias (guerreiros), vaixás (comerciantes), sudras (classe operária) e intocáveis.

** Noz de betel: o mesmo que noz-de-areca, um estimulante suave, da palmeira-areca.

— Você me disse que nunca esteve fora da Índia, mas eu só vi essa folha de figo em Istambul.

Prendi a respiração e, por um instante, senti de novo o velho medo. Nos pés de Parvati, eu havia desenhado folhas de figueira turca, tão diferente de sua prima rajastani, a banyan ou figueira-de-bengala, cujo fruto acanhado só servia para os passarinhos. Na sola dos pés dela, destinadas apenas aos olhos do marido, eu estava pintando um grande figo, carnudo e sensual, partido ao meio.

Eu sorri enquanto levantava os olhos para os dela e empurrei seus ombros, gentilmente, de volta para as almofadas do divã.

— É isso que seu marido vai notar? Que os figos são turcos? — respondi, erguendo uma sobrancelha.

Peguei um espelho em minha bolsa e o segurei junto ao arco de seu pé direito, para que ela pudesse ver a pequenina vespa que eu havia pintado ao lado do figo.

— Seu marido com certeza sabe que cada figo precisa de uma vespa especial para fertilizar a flor lá no fundo.

Suas sobrancelhas se elevaram em surpresa. Os lábios, pintados de uma cor de ameixa escura, se separaram. Ela riu, uma risada com gosto, que sacudiu o divã. Parvati era uma mulher bonita, com belos olhos e uma boca generosa, o lábio superior mais cheio que o inferior. Os sáris com cores de pedras preciosas, como o de seda fúcsia que ela usava naquele dia, iluminavam sua pele.

Ela enxugou o canto dos olhos com a ponta do sári.

— *Shabash*, Lakshmi! — disse. — Nos dias em que você faz a henna, Samir não consegue ficar longe da minha cama. — A voz dela trazia a sugestão de tardes passadas em lençóis frescos de algodão, as coxas do marido quentes junto às dela.

Com esforço, expulsei a imagem da mente.

— É como deve ser — murmurei, antes de retomar o trabalho no arco de seu pé, um ponto sensível na maioria das mulheres. Mas ela estava acostumada com a aplicação e nunca balançava meu palito de bambu.

Ela riu.

— Quer dizer que as folhas de figo turco permanecem um mistério, assim como seus olhos azuis e sua pele clara.

Nos dez anos em que eu a servia, Parvati nunca havia deixado esse assunto de lado. A Índia era uma terra de íris pretas como carvão. Olhos azuis exigiam uma explicação. Haveria um passado sórdido? Um pai europeu? Ou, pior ainda, uma mãe anglo-indiana? Eu tinha trinta anos, nascida durante o domínio britânico e acostumada a ouvir insinuações sobre minha ascendência. Nunca deixei os comentários de Parvati me provocarem.

Coloquei um pano úmido sobre a pasta de henna e despejei um pouco de óleo de cravo na palma da minha mão. Esfreguei as mãos para aquecer o óleo e peguei as mãos dela para remover a pasta de henna seca.

— Considere, *Ji*, que uma ancestral minha pode ter sido seduzida por Marco Polo. Ou por Alexandre, o Grande. — Enquanto eu massageava seus dedos, flocos de pasta de henna seca caíam na toalha, embaixo. O desenho que eu havia pintado em suas mãos começou a surgir. — Quem sabe eu também tenha sangue de guerreiro, como o seu, correndo pelas minhas veias.

— Ah, Lakshmi, fale sério! — Seus brincos de ouro e pérola em forma de sinos dançaram alegremente quando ela soltou outra risada. Parvati e eu havíamos nascido nas duas castas hindus mais altas, ela xátria, eu brâmane. Mas ela jamais poderia me tratar como igual, porque eu tocava os pés das senhoras quando fazia as pinturas de henna. Pés eram considerados impuros e só deviam ser manipulados pela casta inferior, os sudras. Então, embora a casta dela havia séculos confiasse à minha a educação de seus filhos e a realização dos ritos espirituais, aos olhos da elite de Jaipur eu era uma brâmane decaída.

Mas mulheres como Parvati pagavam bem. Não dei atenção à alfinetada enquanto removia o resto da pasta de suas mãos. Com o tempo, eu havia poupado bastante e estava muito perto de conseguir o que queria: minha própria casa. Teria piso de mármore para refrescar meus pés depois de um dia inteiro atravessando a cidade. Tanta água corrente quanto eu quisesse, em vez de precisar implorar à proprietária para encher meu *mutki*. Uma porta cuja chave só eu teria. Uma casa que ninguém poderia me forçar a deixar. Aos quinze anos, eu tinha sido tirada da minha aldeia para me casar quando meus pais não tiveram mais condições de me sustentar. Agora *eu* podia sustentar a *eles*, cuidar deles. Eles não haviam respondido a nenhuma das cartas ou presentes em dinheiro que eu lhes mandara ao longo dos anos, mas certamente mudariam de ideia e viriam para Jaipur quando eu lhes oferecesse uma cama em minha própria casa, não? Meus pais finalmente veriam que tudo acabara dando certo. Até que pudéssemos estar juntos de novo, eu manteria meu orgulho sob controle. Afinal Gandhi-*ji* não havia dito *Olho por olho e o mundo acabará cego*?

O som de vidro quebrado nos assustou. Vi uma bola de críquete rolar pelo tapete e vir parar na frente do divã. Um momento depois, Ravi, o filho mais velho de Parvati, entrou pelas portas da varanda, trazendo com ele o frio de novembro.

— *Bheta!** Feche logo essa porta!

Ravi sorriu.

— Eu lancei a bola com efeito e o Govind não estava preparado. — Ele viu a bola perto do divã e a pegou.

— Ele é tão mais novo que você, Ravi. — Parvati era muito tolerante com seus filhos, especialmente com o menino mais novo, Govind, a criança que, em sua opinião, era com certeza produto das minhas aplicações de henna (eu não fazia nada para desestimular essa ideia).

Desde a última vez que eu o vira, Ravi estava mais alto e com os ombros mais largos. O queixo e o maxilar quadrados, tão parecidos com os do pai, tinham uma tonalidade mais escura. Ele devia ter começado a se barbear. Com a pele rosada e os cílios longos que herdara da mãe, era quase bonito.

Ele jogou a bola no ar e a pegou com uma mão atrás das costas.

— Está na hora do chá? — Poderia ser seu pai falando, tão semelhante era o inglês de internato.

Parvati tocou o sininho de prata que deixava ao lado do divã.

— Você e Govind tomem o de vocês no gramado. E diga ao *chowkidar* que precisamos de um *walla* para trocar a vidraça.

Ravi sorriu e piscou para mim ao sair. Ele fechou a porta com tanta falta de cuidado que outro fragmento de vidro caiu. Eu o observei correr graciosamente pelo gramado. Três jardineiros, com panos enrolados na cabeça, estavam capinando, regando e aparando os arbustos de hibiscos e as trepadeiras de madressilva no jardim dos fundos.

O aparecimento de Ravi foi a transição perfeita para o que eu queria fazer ali. Mesmo assim, era preciso avançar com cuidado.

— Ele veio do internato para casa?

— *Hahn*. Eu queria que Ravi me ajudasse a cortar a fita de inauguração do novo *gymkhana*.** Você sabe como é Nehru-*ji*, como ele deseja modernizar a Índia. — Ela suspirou e pousou a cabeça na almofada, como se estivesse sendo assediada por telefonemas diários do primeiro-ministro. E, até onde eu sabia, ela estava.

---

* *Bheta*: filho; também tratamento afetuoso para um menino ou rapaz.

** *Gymkhana*: lugar onde são realizados jogos competitivos.

Lala entrou com uma bandeja de prata. Enquanto eu tirava de um *tiffin* os petiscos salgados que havia feito especialmente para Parvati, a ouvi falar para a velha senhora:

— Eu já não lhe disse para mandá-la embora? — Sua voz era de repreensão.

A criada uniu as mãos em oração e tocou-as nos lábios.

— Minha sobrinha não tem para onde ir. Eu sou a única família dela agora. Por favor, *Ji*. Nós estamos nas suas mãos. Não poderia reconsiderar?

Eu nunca tinha visto Lala tão aflita. Desviei o olhar, com receio de que ela estivesse prestes a cair de joelhos. Havia um altar para o Senhor Ganesh em uma mesinha ao lado da cama de dossel. Uma guirlanda de gardênias e outra de folhas de *tulsi** estavam enroladas em volta da estátua, atrás de uma *diya*** acesa. Por mais moderna que gostasse de se mostrar, Parvati passava todas as manhãs orando para os deuses. Houve um tempo em que eu rezava para a deusa de meu nome, Lakshmi, a Deusa da Beleza e da Fortuna. Maa adorava contar a história do agricultor brâmane que ofereceu sua foice, seu único bem, à deusa. Em gratidão, ela lhe deu um cesto mágico que produzia comida sempre que ele desejasse. Mas essa era apenas uma história, tão verdadeira quanto qualquer outra que Maa me contava, e, aos dezessete anos, eu dei as costas para os deuses, do mesmo jeito que agora desviava o olhar do altar de Ganesh.

Parvati ainda estava falando com Lala.

— Eu não gostaria de perder você também, Lala. Providencie para que a menina vá embora ainda hoje. — Ela olhou firme para Lala, até que a criada baixou a cabeça, com os ombros caídos.

Observei Lala sair do quarto. Ela não levantou a cabeça. Eu me perguntei o que sua sobrinha teria feito para deixar a patroa tão brava.

Parvati pegou sua xícara e seu pires, um sinal para eu pegar os meus também. O jogo de chá era do tipo que os ingleses adoravam, com desenhos de mulheres com vestidos de espartilho, homens de calças justas, meninas de cabelos encaracolados com vestidos rodados. Antes da independência, esses objetos significavam a admiração das minhas senhoras pelos britânicos. Agora, significavam seu desdém. Elas não haviam mudado nada a não ser as razões de seu comportamento. Se eu havia aprendido alguma coisa com elas, fora isso: só um tolo vive na água e fica inimigo do crocodilo.

---

* *Tulsi*: erva sagrada que se acredita ter propriedades curativas para uma variedade de problemas de saúde.

** *Diya*: lamparina a óleo feita de argila.

Tomei um gole de chá e ergui as sobrancelhas.

— Seu filho se tornou um rapaz bonito.

— Ao contrário do menino Rao, que acha que é o *Devdas** rajastani.

Parvati, como minhas outras senhoras, dizia coisas para mim que jamais diria a um de seus iguais. Eu não tinha filhos, portanto era motivo de pena, alguém a quem elas podiam se sentir superiores. Aos trinta anos, eu não era nem uma garotinha tola, nem uma matrona fofoqueira. Minhas senhoras haviam assumido desde sempre que meu marido tinha me abandonado — uma suposição que não me preocupei em contradizer. Eu ainda usava o *bindi*** vermelho na testa, anunciando para o mundo que era casada. Sem esse tipo de credencial, nunca teria conquistado a confiança delas, ou permissão para entrar em quartos como aquele em que estava agora, com os pés repousando em mármore rosa de Salumbar, minha senhora sentada ao meu lado em um divã de jacarandá.

Tomei mais um gole do chai.***

— Como encontrar um casamento perfeito para um filho tão perfeito! Ah, eu não a invejo.

— Ele só tem dezessete anos. Aos doze eu o perdi para o Mayo College. Daqui a um ano vou perdê-lo de novo para Oxford. Perdê-lo para uma esposa? Não suporto nem pensar nisso agora.

Ajustei meu sári.

— É uma atitude inteligente. Receio que os Dutt tenham sido muito apressados.

Percebi um brilho no olhar dela.

— Como assim?

— Ah — continuei —, é que eles acabaram de acertar para seu filho se casar com a menina Kumar. A senhora a conhece, a que tem uma pinta na face? Claro que o casamento será adiado até ele se formar. — Olhei pela janela, para seus filhos em suas roupas brancas de críquete. — As melhores estão indo embora como *jalebis***** quentes. Depois que um filho parte para a Grã-Bretanha ou os Estados Unidos, a preocupação dos pais é que ele volte para casa com uma esposa que não fale uma palavra de híndi.

---

* *Devdas*: um playboy.

** *Bindi*: pequeno ponto redondo feito na testa usando pó de vermelhão, que representa o estado civil.

*** *Chai*: chá quente.

**** *Jalebi*: doce frito cor de laranja com uma cobertura espessa de açúcar com água.

— É verdade. Os casamentos mais felizes são quando os pais escolhem a moça. Olhe só para Samir e eu.

Eu poderia ter dito alguma coisa, mas não disse. Em vez disso, disfarcei soprando meu chá.

— Eu também soube que a menina Akbar foi prometida para o filho de Muhammad Ismail. É um dos colegas de classe de Ravi, não é?

Tomei outro gole, sem desviar o olhar de Parvati.

Ela endireitou um pouco mais o corpo e olhou pela janela. No gramado, a sobrinha de Lala estava servindo o chá para os meninos. Ravi falou com a menina e deu uma batidinha brincalhona no nariz dela, o que a fez responder com risinhos.

Parvati franziu a testa. Sem tirar os olhos da cena do lado de fora, ela se inclinou lentamente em minha direção, como um filhote de passarinho, em um sinal para que eu a alimentasse. Coloquei em sua boca um *namkeen*,* que eu havia feito naquela manhã, temperado com salsinha. Como todas as minhas senhoras, ela nunca desconfiara de que os ingredientes dos meus petiscos, combinados com o que eu desenhava em suas mãos e seus pés, estimulavam seu desejo e o do marido.

Depois de um momento, ela se virou da janela e pousou a xícara delicadamente sobre a mesa.

— *Se* eu quisesse acertar um casamento, e não estou dizendo que quero... — Ela tocou a boca com um guardanapo. — Você teria alguém em mente?

— Há muitas boas candidatas em Jaipur, como sabe. — Eu sorri para ela sobre a borda da minha xícara. — Mas Ravi não é qualquer rapaz.

Quando ela se virou para olhar para seus filhos de novo, a sobrinha de Lala tinha ido embora. O rosto de Parvati relaxou.

— Sempre que peço, Ravi vem da escola. De que adianta mandá-lo estudar fora desse jeito, Samir diz. — Ela riu de leve. — Mas eu sinto falta dele. Govind também. Ele tinha só três anos quando Ravi foi para o internato.

Ela levantou o bule e se serviu de mais uma xícara de chai.

— Você ouviu alguma coisa sobre a filha de Rai Singh? — perguntou. — Dizem que é muito bonita.

— Que pena. Ontem mesmo ela foi reservada para o filho da sra. Rathore. — Soltei um suspiro. Era delicada a conversa que estávamos tendo, e nem Parvati nem eu podíamos mostrar nossas cartas.

Ela me examinou com os olhos estreitados.

---

* *Namkeen*: petisco salgado, geralmente frito.

— Algo me diz que você tem uma moça em mente.

— Ah, eu tenho receio de que a senhora ache minha escolha inadequada.

— Por quê?

— Bem... não convencional, talvez.

— Não convencional? Você me conhece, Lakshmi. Eu fui não uma vez, mas duas vezes para a União Soviética no ano passado. Nehru-*ji* insistiu que eu fosse com a Liga Indo-Soviética. Vamos, diga o que está pensando.

— Bem... — Fingi prender um fio solto de cabelo em meu coque. — A moça não é rajapute.

Ela levantou uma sobrancelha bem delineada, mas não desviou os olhos dos meus. Eu também não desviei.

— Ela é brâmane.

Parvati piscou. Ela podia até se ver como uma mulher moderna, mas a possibilidade de Ravi se casar fora de sua casta era algo que não havia cogitado. Fazia séculos que cada uma das quatro castas hindus, mesmo as castas de mercadores e operários, se casava basicamente dentro de seu próprio grupo.

Dei mais um petisco na boca de Parvati.

— Não posso imaginar alguém melhor para a família Singh — prossegui. — A menina é linda. Pele clara. Bem-educada. Alegre. O tipo de que Ravi gostaria. E a família dela é bem relacionada. O seu chá esfriou? Porque o meu já está frio.

— Nós conhecemos a moça?

— Desde criança, na verdade. Devo pedir mais chá? — Pus minha xícara na mesa e estendi a mão para o sininho de prata, mas Parvati me segurou pelo braço.

— Esqueça o chá, Lakshmi! Fale sobre a moça, ou eu vou esfregar os pés nessa toalha e arruinar o seu trabalho de uma hora.

Em vez de olhar para ela, toquei a henna em seus pés para ver se já estava seca.

— O nome dela é Sheela Sharma. Filha do sr. V. M. Sharma.

Parvati conhecia os Sharma, claro. As duas famílias frequentavam os mesmos círculos profissionais. A empresa de construção do sr. Sharma, a maior do Rajastão, tinha acabado de ganhar o contrato para reformar o Palácio Rambagh, do marajá.* O marido de Parvati era dono de uma firma de arquitetura que havia projetado muitos dos prédios residenciais e comerciais da cidade. Seria uma união inesperada de duas famílias proeminentes. Se eu conseguisse realizá-la,

---

* Marajá: o mais poderoso de todos os reis em uma região.

a elite de Jaipur correria atrás dos meus serviços de agenciadora de casamentos, uma perspectiva bem mais lucrativa do que ser uma artista de henna.

Ela inclinou a cabeça.

— Mas... Sheela ainda é uma criança.

Durante o último ano, tigelas de arroz-doce e porções extras de *chapatti** com *ghee* haviam acrescentado uma camada de carne ao corpo de Sheela. Agora, ela parecia menos uma menina e mais uma jovem mulher.

— Sheela tem quinze anos — respondi. — E é muito bonita. Ela frequenta a Escola para Meninas da Marani.** Na semana passada mesmo o professor de música da escola me disse que ouvi-la cantar o fez lembrar de Lata Mangeshkar.

Peguei minha xícara de chá. Podia imaginar a lista que Parvati estava fazendo em sua mente, a mesma que eu tinha feito na minha na semana anterior. No lado positivo: as duas empresas — Sharma Construções e Singh Arquitetos —, se aliadas, seriam mais lucrativas que cada uma delas isoladamente; e Parvati teria uma nora falante de inglês para entreter políticos e *nawabs*.*** No lado negativo: Sheela era de uma casta elevada, mas da casta errada. Havia mais, que eu não iria revelar: o modo grotesco como Sheela torcia os lábios antes de puxar as tranças de sua prima, o jeito como ela dava ordens para a babá e a preguiça que deixava o professor de música desesperado. Eu havia passado anos na casa das minhas senhoras, observando sua prole amadurecer. Conhecia a personalidade de seus filhos, as peculiaridades que nem mesmo um agenciador de casamentos profissional perceberia. Mas esses eram defeitos para um marido descobrir, não para eu revelar.

Parvati ficou em silêncio, brincando com a franja de uma das almofadas pequenas.

— Você se lembra do casamento da Gupta?

Sorri, confirmando.

— No momento em que vi o desenho da donzela no jardim que você fez para a henna de casamento, eu soube que ela ia ter um menino antes do fim do ano. E ela teve mesmo.

O casamento da menina Gupta tinha sido por amor, mas não comentei isso com Parvati.

---

* *Chapatti*: pão ázimo, redondo e achatado.
** Marani: esposa de um marajá; a rainha mais poderosa da região.
*** *Nawab*: nobre muçulmano.

— Seu trabalho faz milagres mesmo. — Ela deu um sorriso inocente. — Acho que você poderia ajudar alguém muito querido para nós.

Inclinei a cabeça educadamente, sem entender aonde ela queria chegar.

— Ontem à noite, Samir e eu fomos ao Palácio Rambagh. Um evento de arrecadação de fundos para a parte final do *gymkhana* — disse ela, para deixar bem claro. Queria que eu soubesse com certeza como ela era progressista. — O marajá nos disse que vai transformar o palácio em um hotel. Dá para acreditar? Nós lutamos pela independência e expulsamos os ingleses para agora eles virem de volta para os nossos palácios? — Ela sacudiu a cabeça, inconformada.

Eu compreendi: apenas europeus ricos, principalmente britânicos, poderiam pagar as diárias.

— A marani não estava no evento ontem à noite, o que foi bastante fora do comum. Latika adora festas. — Parvati baixou a voz. — Eu soube que ela anda... com o humor ruim.

Esperei.

Ela esfregou a palma das mãos e inalou a fragrância da henna.

— Será que seus talentos poderiam ajudá-la?

Eu tinha esperado por tanto tempo que Parvati me apresentasse no palácio! Diante desse pensamento, pousei a xícara na mesa, com medo de que minha mão tremesse. Um trabalho com a marani inevitavelmente levaria a outros. Eu teria minha casa paga em um instante! Já estava fazendo os cálculos na cabeça, mal escutando o que Parvati dizia.

Ela se inclinou para mais um petisco e eu o coloquei em sua língua, com cuidado para não olhar em seus olhos. Estava com medo de que ela visse minha ansiedade. Ela talvez já tivesse notado meus dedos tremerem.

— Eu contei a Sua Alteza que a henna que você aplica me ajudou a conceber meu Govind. Discretamente, claro. Caso eu a recomendasse ao palácio...

Entendi então o que ela estava fazendo. Parvati queria que eu arranjasse o casamento para Ravi, mas não queria pagar por isso. Que cara de pau! Um arranjo de casamento requeria habilidade e esforço. Ela teria facilmente pagado a um homem de alta casta com um título duas ou três vezes o que pagaria a mim. Mesmo que eu tivesse concordado em receber meras dez mil rúpias,* meus serviços ainda seriam uma pechincha. Eu poderia ter que investir semanas ou meses de trabalho até que todas as partes estivessem satisfeitas. E não era impossível que o arranjo fosse rejeitado e todo o trabalho desse em nada.

---

* Rúpia: a moeda indiana.

E ali estava Parvati, esperando que eu fizesse o serviço *em troca de* uma apresentação no palácio. Antes de me contrapor, eu precisava pensar. Sua relação de sangue com a família real (seu pai era primo de uma das maranis) me garantiria, no mínimo, uma audiência no palácio. Mas que mulher indiana, por mais rica que fosse, não tentaria barganhar? Se não o fizesse, ficaria parecendo uma tola, uma presa fácil. Então, se eu aceitasse logo o que Parvati estava oferecendo, selaria minha reputação de mulher que podia ser manipulada com facilidade. O risco para mim era que eu poderia acabar não trabalhando para o palácio de uma maneira ou de outra. Uma audiência não me garantia nada.

Sentindo minha hesitação, Parvati se inclinou para a frente e olhou para mim, até que fui forçada a encontrar seu olhar.

— Se eu tivesse o seu talento para desenhar, Lakshmi, talvez tivesse entrado na sua profissão. — Para as minhas senhoras, a palavra *profissão* era uma blasfêmia, não um elogio.

Engoli em seco.

— Ah, *Ji*, sua vida estava destinada a coisas maiores. Quem mais poderia **organizar festas tão suntuosas para os políticos?** Alguém tem que se encarregar de fazê-los se sentir bem-vindos.

Ela riu de satisfação com meu comentário. E agora estávamos de volta a uma posição confortável: eu, a subordinada; ela, a *MemSahib*.

Mas eu iria dar minha última cartada.

— Sua confiança é justificada, mas eu devo avisá-la: Sua Alteza provavelmente vai esperar os melhores suprimentos possíveis.

Parvati apertou os lábios e pareceu pensativa.

— Seis mil rúpias cobririam o custo?

Ajeitei o tecido de veludo sob os pés de Parvati e testei a pasta, depois peguei o óleo de cravo para remover a henna seca.

— Alguns dos produtos podem ter que vir de longe. As folhas de limão kaffir, por exemplo. As mais potentes vêm da Tailândia.

Parvati ficou em silêncio. Eu teria forçado a mão? Sentia as batidas do meu coração nas têmporas enquanto massageava seus pés.

Ela apertou os olhos para o calendário da Pan Am na parede oposta.

— Nossa festa de fim de ano está chegando — disse, por fim. — Dia 20 de dezembro. Nessa mesma tarde, eu poderia fazer uma festa de henna especial para as meninas do círculo de Ravi. — Parvati bateu com o dedo na face rosada. — Estou pensando em chamar aquele grupo shakespeariano. A garotada adora as encenações deles. — Seria sua oportunidade de examinar as meninas adequadas para Ravi. Sheela Sharma certamente estaria entre elas.

Ela estendeu os pés e virou-os de um lado para outro, como se examinasse meu trabalho.

— Mas talvez sua agenda já esteja cheia. Você poderia verificar?

Uma festa de henna seria bastante trabalho, mas valeria a promessa de uma apresentação no palácio.

Dei a ela meu sorriso mais simpático.

— Para a senhora, *MemSahib*, minha agenda está sempre aberta.

Ela sorriu, mostrando seus pequenos dentes regulares, os olhos brilhantes.

— Então está combinado. Nove mil para os suprimentos da marani Latika?

Soltei o ar que estava segurando. Eu havia conseguido minha primeira comissão de casamento, e, embora não tenha sido tão lucrativo quanto esperava, ia me ajudar a dar mais um passo para terminar e pagar a casa que eu dividiria com meus pais — seria meu pedido de perdão por tudo que eu os havia feito passar. Agora, o que me cabia era fazer esse casamento acontecer.

Enquanto recolocava suas pesadas tornozeleiras douradas, eu disse:

— E a festa de henna será meu presente para a senhora.

Na varanda dos Singh, calcei de novo minhas sandálias. Vi Malik rindo com o jardineiro-chefe no gramado da frente, sob a enorme macieira, cujos galhos nus se projetavam contra o céu sem nuvens.

Eu o chamei.

Ele veio correndo até mim com suas pernas finas. Poderia ter tanto seis como dez anos. Quantas refeições ele devia ter perdido antes que eu finalmente o notasse, um menino de rua semidespido, de short sujo, me seguindo pela cidade? Eu lhe dei alguns *tiffins* para carregar e ele sorriu, um vão onde os dois dentes da frente deveriam estar. Desde esse dia, três anos antes, nós trabalhávamos juntos, quase sempre em silêncio. Nunca lhe perguntei onde ele morava ou se dormia no chão duro.

— Alguma novidade? — indaguei. Enquanto eu trabalhava com minhas senhoras, Malik com frequência cumpria tarefas que eu lhe dava. Todos os dias nos últimos meses, ele ia até a estação de trem para ver se meus pais tinham chegado. Eles já deviam ter recebido o dinheiro para as passagens que eu enviara com a última carta. Mas, até o momento, não havia nenhuma resposta.

Ele sacudiu a cabeça e franziu a testa; Malik detestava me decepcionar. Suspirei.

— Chame a *tonga*, por favor.

Ele correu para o portão da frente. Hoje estava com a camiseta de algodão amarela que eu havia lhe dado para substituir a branca antiga. A bermuda azul-marinho também era nova. Mas ele se recusava a usar sapatos, preferindo sandálias baratas de borracha, que sempre eram roubadas pelas outras crianças em seu bairro. As sandálias eram mais fáceis de substituir; ele sempre podia roubar de alguma outra pessoa. O par de hoje, notei, era um número maior que o seu.

Malik teria que ir até uma rua movimentada para chamar um riquixá, então eu me sentei sobre a mureta da varanda para esperar, sentindo a fragrância calmante das flores de frangipani.* Tirei duas flores da trepadeira e as enfiei atrás da orelha. À noite eu as colocaria em um copo de água e lavaria minha blusa com a água perfumada de manhã.

Peguei uma pequena caderneta de um bolso que eu havia costurado do lado de dentro da minha anágua. Meu pai, o professor da aldeia, batia nos dedos dos alunos com uma régua se eles não dessem as respostas corretas. Para evitar esse castigo, eu mantinha cadernos em que registrava diligentemente (e memorizava) tabuadas de multiplicação, nomes de vice-reis britânicos e verbos em híndi. Isso se tornou um hábito, e agora eu usava cadernetas para anotar datas e horários de compromissos, resumos de conversas, suprimentos que eu precisava comprar.

Na página com o título *Parvati Singh*, escrevi *15 de novembro: 40 rúpias por mãos/pés*. Em seguida, anotei a data da festa de henna na casa de Parvati e as nove mil rúpias que receberia como comissão pelo casamento. Eu sabia que a sra. Sharma, outra cliente minha, era bastante esperta e perceberia os benefícios de uma união Singh-Sharma. Ela era cega para a natureza petulante da filha, mas eu não tinha dúvida de que os encantos de Ravi Singh conseguiriam superar isso.

Virei para uma página em branco. Com a mão trêmula, escrevi *Marani Sawai Mohinder Singh e marani Latika — trabalho no palácio?* Minha mente estava cheia de possibilidades. Uma conexão dessas faria todas as mulheres de Jaipur procurarem meus serviços. Eu poderia, talvez, aposentar o palito de

---

* Frangipani: flor muito cheirosa, de perfume doce; conhecida como pluméria ou jasmim-manga em outras partes do mundo.

henna mais cedo que o planejado. Nesse momento, as palavras da minha mãe ecoaram em minha mente: *Não dê o passo maior que a perna.* Eu estava sendo muito precipitada.

Fechei a caderneta e os olhos. Treze anos antes, meu único desejo era ir para o mais longe possível do marido a que meus pais tinham me entregado. Eu nunca teria imaginado que, um dia, seria livre para ir e vir, para negociar os termos da minha vida. Como meus pais reagiriam quando vissem tudo que eu havia realizado? Quantas vezes eu pensara no dia em que os levaria para minha casa, mostraria a eles o belo piso de mosaico que eu havia desenhado, o ventilador elétrico no teto, o pátio onde eu cultivaria minhas ervas, o banheiro ocidental que ninguém na aldeia deles tinha condições financeiras de ter? Eu esperava que o construtor já tivesse terminado tudo quando eles chegassem, mas ficava toda hora acrescentando pequenos luxos. E, quando meus pais vissem o que eu havia projetado, com certeza não se importariam de dormir no meu alojamento até que a casa estivesse terminada.

Eu imaginava o espanto no rosto deles quando vissem tudo aquilo. Podia ouvir meu pai dizendo: Bheti, *tudo isso é seu?* Como eles se orgulhariam da vida que eu construí para mim. Eu lhes daria deliciosos *kheers*,* *subji*** e tandoori *rotis**** para comer até eles não aguentarem mais. Eu lhes compraria camas tão novas que os cordões de juta rangeriam sob seu peso. Contrataria uma *malish***** para massagear os pés cansados de Pitaji. Já podia ver Maa recostada em um divã de jacarandá como o de Parvati! E — por que não? — almofadas de seda! Com enchimento de penas! Eu estava me deixando levar a tal ponto, mesmo sabendo, claro, que ainda não tinha condições para tudo isso, que não pude deixar de rir sozinha.

— Eu sou assim *tão* engraçado, Lakshmi?

Quando abri os olhos, vi Samir Singh subindo os degraus, e meu mundo de repente ficou mais luminoso. Enquanto Parvati era curvilínea, seu marido era anguloso: nariz reto, queixo ossudo, faces salientes. Eram seus olhos que eu achava mais atraentes: um castanho intenso com os traços estriados de uma bola de gude, vivos de curiosidade, prontos para se divertir. Mesmo quando seu rosto estava imóvel, os olhos podiam flertar, provocar, seduzir. Nos dez anos

---

* *Kheer*: sobremesa semelhante ao arroz-doce.
** *Subji*: qualquer tipo de prato de legumes ou verduras com curry.
*** *Roti*: pão redondo e achatado feito com trigo integral ou milho.
**** *Malish*: massagista.

desde que eu o conhecera, as olheiras haviam aumentado e a linha do cabelo tinha recuado, mas ele nunca perdera sua energia inquieta.

— *Em terra de cego, quem tem um olho é rei* — respondi, sorrindo.

Ele riu enquanto tirava os sapatos. Samir era aquela mistura peculiar da nova Índia com a antiga: usava ternos ingleses de alfaiate, mas seguia os costumes indianos.

— *Arré!** *De que adianta jogar pérolas aos porcos?*

— *Quem desdenha quer comprar.*

Esse era um jogo que fazíamos sempre, respondendo um provérbio com outro. Eu tinha aprendido os meus por intermédio da língua prudente da minha mãe; os dele tinham vindo dos anos de escola interna e de Oxford.

Eu me levantei, prendi o lápis no coque e guardei a caderneta no bolso da anágua.

Ele franziu a testa enquanto caminhava até mim.

— Está escondendo a prata dos Singh aí dentro?

Sorri timidamente.

— Entre outras coisas.

— Vejo que você já se serviu da minha flora. — Os olhos dele estavam voltados para as flores enfiadas atrás da minha orelha. Ele se inclinou, para bem perto, e inalou. — *Bilkul*** inebriante — sussurrou, sua respiração morna no meu lóbulo, fazendo algo estremecer dentro de mim, logo abaixo da barriga.

Treze anos haviam se passado desde que eu sentira pela última vez o calor de um homem em minha pele, o peso sobre meus seios. Se eu virasse a cabeça só um pouquinho, meus lábios poderiam ter roçado os de Samir; eu poderia ter deixado minha respiração aquecer o espaço entre seu pescoço e o colarinho. Mas Samir era um sedutor por natureza. E eu ainda era uma mulher casada. Um passo em falso e eu poderia perder meu meio de vida, minha independência, meus planos para o futuro. Eu estava alerta ao som dos criados se aproximando — o raspar de uma vassoura, o tamborilar de pés descalços sobre a pedra. Relutante, dei um passo para trás.

— Você tem uma esposa inebriante, como logo vai ver por si mesmo.

Samir sorriu.

— Nos dias em que Lakshmi Shastri a atende, a sra. Singh sempre se sente muito... amorosa. Por falar nisso... — Ele estendeu a mão.

---

* *Arré* ou *Arré baap*: Caramba! Opa!

** *Bilkul*: extremamente ou totalmente.

— Ah. — Tirei três sachês de musselina das dobras do meu sári e os coloquei em sua palma. — Você é um homem de sorte, *Sahib*.* Uma esposa esperando no quarto e liberdade fora dele.

Ele pesou os sachês na mão, como se pesasse rubis.

— A liberdade é relativa, Lakshmi. — Com um movimento ágil e discreto, ele colocou várias notas de cem rúpias e um pedaço de papel em minha mão. — Antes os britânicos estavam em cima de nós. Agora, eles estão na sola dos nossos pés.

Desdobrei o papel e li o bilhete.

— Uma mulher *angrej*?**

— Até os ingleses precisam dos seus serviços. Ela vai estar à sua espera amanhã. Em casa. — Ele guardou os sachês no bolso. — E a sua casa, como está indo?

Agora seria a hora de eu lhe dizer que o construtor havia sugerido, muito rudemente, que eu quitasse minha dívida. Eu ainda devia quatro mil rúpias. Mas o excedente era culpa apenas minha. Eu era ávida pelo tipo de coisas que minhas senhoras tinham: piso de mármore com mosaicos, banheiro ocidental, paredes grossas para amenizar o calor do meio-dia. O problema tinha sido criado por mim e eu o resolveria sozinha. Uma comissão por um arranjo de casamento bem-sucedido ajudaria a me colocar de volta nos trilhos.

— Amanhã vão fazer a selagem do piso de mosaico com leite de cabra. Você tinha que ver.

Os olhos dele baixaram para os meus lábios.

— Está me oferecendo um tour particular?

Eu ri.

— Você já desorganizou minha agenda e acha que eu deveria recompensá-lo por isso?

De trás de mim veio outra voz:

— *Quem ri por último ri melhor!*

Samir e eu nos viramos para ver quem tinha falado. Um homem alto, vestido elegantemente com um terno de lã cinza e gravata vermelha, subia saltitante os degraus da varanda. Apenas seus cachos escuros estavam fora do lugar.

Samir se afastou de mim para abraçar o recém-chegado.

— Kumar! — disse ele. — Fico feliz em vê-lo, meu amigo! Finalmente veio para Jaipur!

---

* *Sahib*: tratamento respeitoso para "senhor".
** *Angrej*: uma pessoa inglesa, significando uma pessoa branca.

— Eu não confiava que o serviço ferroviário de Shimla fosse me trazer até aqui a tempo para o almoço, ou mesmo para o jantar — respondeu Kumar, olhando para mim com um sorriso acanhado que revelava dois dentes encavalados na frente. — É um prazer conhecê-la, sra. Singh.

Será que Samir e eu estávamos assim *tão* perto um do outro?

Samir deu uma batida vigorosa nas costas de Kumar.

— *Nahee-nahee*. Deixe-me lhe apresentar a sra. Lakshmi Shastri, fornecedora de beleza para toda Jaipur.

— Vejo que ela ainda não começou com você, Sammy.

Samir riu. Kumar olhou para mim, para Samir, a varanda, seus sapatos, depois de volta para mim. Olhos como aqueles pertenciam aos cautelosos.

— Lakshmi, este é um velho amigo de Oxford. Jay Kumar. *Dr.* Kumar.

Uni as mãos em um *namastê* no mesmo momento em que o médico estendia a sua para apertar a minha, batendo-a em meu pulso.

Samir riu.

— Perdoe o meu amigo, Lakshmi. Muito tempo no exterior. Sem uma esposa para lhe ensinar os costumes indianos.

O dr. Kumar enrubesceu e seu olhar se apressou de Samir para mim.

— Desculpe, sra. Shastri.

— Não se preocupe, doutor. — Sobre seu ombro, vi Malik nos observando dos degraus da varanda. — *Tonga?* — perguntei.

Ele confirmou balançando a cabeça. A alguns quarteirões da casa dos Singh, íamos sair da charrete puxada a cavalo e prosseguir em um riquixá, mais barato, para nosso próximo compromisso de henna.

— Foi um prazer conhecê-lo, dr. Kumar. Até a próxima, *Sammy*. — Vindo de mim, o velho apelido deve ter soado tão ridículo aos ouvidos deles como aos meus. Os dois riram.

Peguei os *tiffins* e minha sacola de vinil e lembrei Malik de recolher as outras duas malas que estavam sob a macieira. Enquanto acenava com a cabeça para os homens em despedida, pensei que precisava me lembrar de anotar o pagamento de Samir pelos sachês em minha caderneta.

Desci os degraus e ouvi Samir dizer:

— Vamos entrar. Parvati está ansiosa para conhecer você!

No último degrau, minha sandália enroscou e eu me virei para recolocá-la no pé. Levantei os olhos bem a tempo de ver o médico me observando enquanto a porta da frente se fechava.

Lala estava no canto da varanda, mordendo o lábio, as mãos se enrolando nervosamente nas pontas de seu *pallu*. Achei ter visto uma súplica em seus olhos e quase subi de novo para falar com ela, mas ela se virou rapidamente e desapareceu.

O dia movimentado de trabalhos de henna havia se estendido até a noite mais uma vez, e Malik e eu estávamos ambos exaustos. Paramos na frente do Bazar da Cidade Rosa, que estava se enchendo de vida àquela hora tardia: mulheres de sári estampado escolhendo prendedores de cabelo, homens de *kurta** mastigando *chaat*** condimentados, velhos fazendo hora, seus *beedis**** acesos formando arcos cor de laranja na noite escura. Invejei sua tranquila camaradagem, a liberdade com que as castas de operários e mercadores se moviam pela noite.

Desde a Partição, as calçadas de pedestres nas ruas da velha Cidade Rosa haviam ficado mais estreitas, abarrotadas como estavam de ambos os lados por comércios improvisados, às vezes cobertos apenas por um velho sári ou uma lona gasta. Os antigos vendedores do bazar tinham aberto espaço para que os refugiados punjabis e sindis do Paquistão Ocidental montassem barracas que vendiam de tudo, de temperos a pulseiras. Afinal, brincavam os mercadores de Jaipur, havia um motivo para a Cidade Rosa ter sido pintada com a cor da hospitalidade.

Malik morava em algum lugar em um dos muitos prédios que compunham a Cidade Rosa. Nunca perguntei se ele tinha irmãos, mãe ou pai. Era suficiente eu e ele ficarmos juntos dez horas por dia e ele carregar meus *tiffins*, chamar riquixás e *tongas*, pechinchar com fornecedores. Nós trocávamos confidências, claro, como o olhar de impaciência que ele me dirigira hoje quando nossa última cliente nos deixara esperando por uma hora.

Pus três moedas de uma rúpia em sua mão, depois de fazê-lo prometer que compraria comida de verdade para o jantar em vez de petiscos gordurosos.

— Você é um menino em fase de crescimento — lembrei a ele, como se ele não tivesse consciência disso.

---

* *Kurta*: túnica larga de mangas longas usada sobre uma calça de *pyjama*.
** *Chaat*: petiscos salgados, feitos na hora, encontrados em barracas de rua.
*** *Beedi*: cigarro indiano, marrom, de ponta cônica, muito mais barato que as marcas inglesas.

Ele sorriu e partiu como um pião, serpenteando entre os compradores em direção às luzes brilhantes.

Gritei atrás dele:

— *Chapatti* e *subji*, está bem?

Ele se virou e sacudiu a mão livre no ar.

— E *chaat*. Você não pode esperar que um menino em fase de crescimento passe fome — disse depressa e desapareceu entre a multidão compacta.

Enquanto subia no riquixá que me esperava, pensei em visitar minha casa, tão perto de ser terminada, para conferir o progresso. Se eu não inspecionasse dia sim, dia não, o construtor, Naraya, aproveitava para relaxar o trabalho, o que me obrigava a discutir com ele e insistir que desmanchasse algumas partes e fizesse de novo (e tive que fazer isso mais de uma vez). Mas era tarde e eu estava cansada demais para brigar. Pedi ao riquixá-*walla** que me levasse ao meu alojamento.

Quando tranquei o portão e atravessei depressa o pátio interno da casa da sra. Iyengar, eram oito horas. Meu estômago roncava. Deixei meus *tiffins* vazios ao lado do cano de água. Eu os limparia mais tarde, depois que a criada da sra. Iyengar tivesse terminado de lavar os pratos. Já ia subir a escada para meu quarto alugado quando a proprietária me chamou de uma porta aberta.

— Boa noite, *Ji*. — Uni as mãos em um *namastê*.

— Boa noite, sra. Shastri.

A sra. Iyengar enxugou as mãos em uma pequena toalha. O aroma forte de *mirch*** ameaçou me fazer espirrar. Os Iyengar eram do sul e gostavam da comida tão apimentada que minha garganta ardia só com o cheiro.

A sra. Iyengar, uma mulher baixa e troncuda, olhou firme para mim. Sua expressão era séria.

— Você teve visita hoje.

Ninguém me visitava ali exceto Malik, que a sra. Iyengar chamava de "aquele delinquente".

Seus braceletes dourados tilintavam enquanto ela esfregava os dedos para remover a *atta**** seca.

— Ele pediu para esperar em seu quarto. Mas você sabe que eu não permito esse tipo de coisa aqui. — Ela me lançou um olhar de advertência.

---

* Riquixá-*walla*: condutor de riquixá.

** *Mirch*: pimenta.

*** *Atta*: massa de farinha.

Respondi em uma voz tranquilizadora:

— Fez muito bem, sra. Iyengar. Ele disse o que queria?

— Perguntou se você era a moça da aldeia de Ajar. Eu disse que não sabia. — Ela examinou meu rosto para ver se eu acrescentaria algo aos detalhes vagos do meu passado. — Tinha uma cicatriz muito grande. — Desceu o dedo do canto da boca até o queixo. — Daqui até aqui. — Balançando o mesmo dedo para mim, ela franziu a testa. — Não é sinal de bom caráter, na minha opinião.

Meu coração batia forte quando estendi o braço para pegar a mão dela, numa tentativa de acalmar tanto a ela quanto a mim mesma.

— A cozinha deixa as mãos tão secas, não acha? Se quiser, posso esfregar um pouco de óleo de gerânio nelas amanhã.

Uma prega se formou entre suas sobrancelhas e ela baixou os olhos para as mãos, como se nunca as tivesse visto antes.

— Não quero lhe dar trabalho.

— Não é trabalho nenhum. E, na próxima vez que seu marido a procurar, vai se lembrar da senhora como sua jovem noiva. — Ri despreocupadamente e me virei para ir embora. Mantendo o tom tranquilo, perguntei: — Esse visitante por acaso disse quando ia voltar?

A sra. Iyengar estava ocupada tirando a massa grudenta de debaixo das unhas.

— Ele não disse — respondeu.

Sua criada, que havia começado a limpar as panelas no pátio, interveio:

— Eu acabei de ver esse homem do outro lado da rua, quando fui jogar os restos de verdura para as vacas.

Enquanto a sra. Iyengar repreendia a criada por se meter no assunto dos outros, escapei para o segundo andar e para meu quarto e tranquei a porta. Meu coração batia como louco, e tentei acalmar a respiração. Eu não esperava que Hari fosse aparecer um dia? Sempre havia ficado atenta para as sobrancelhas grossas e aquela cicatriz horrível. Só que, conforme os anos foram se passando sem incidentes, eu me iludi pensando que meu marido nunca me encontraria.

Como ele havia me encontrado? Em minhas cartas para Maa e Pitaji, implorando perdão por minha fuga, eu tivera o cuidado de nunca revelar meu endereço. Mesmo quando mandei dinheiro para as passagens de trem para Jaipur, eu os instruí a perguntar por Malik na estação, para que ele os trouxesse até mim. Mas, até agora, Malik havia dito que ninguém perguntara por ele na estação. Será que meus pais tinham mandado Hari me levar de volta para casa, em vez de eles virem? Ainda estariam assim tão ressentidos? Será que nunca me perdoariam?

Sem acender a luz do teto, fui até a janela e olhei para fora. Ali, quase escondida pela mangueira do outro lado da rua, estava a metade inferior de um *dhoti* branco, refulgindo na escuridão. Depois, o arco vermelho de um *beedi*. Ninguém ficava na rua à toa naquela área residencial àquela hora da noite. A criada da sra. Iyengar disse que o tinha visto alguns minutos antes. Tinha que ser Hari. Eu precisava pensar, pensar em um jeito de encontrá-lo longe dali.

Ouvi os passos leves de outro inquilino da sra. Iyengar, o sr. Pandey, na escada e abri a porta. Ele estava perdido em pensamentos e levantou os olhos com um sobressalto.

— Sra. Shastri, boa noite. — Seus lábios cheios se separaram em um sorriso lento e gradual. Tinha os olhos inclinados para baixo nos cantos, fazendo-o parecer gentil e paciente, qualidades desejáveis para um professor de música. Ele usava os cabelos longos; as pontas encaracolavam agradavelmente em volta dos ombros. Às vezes eu o imaginava na cama com a esposa, seu cabelo entrelaçado ao dela sobre o travesseiro.

— *Namastê, Sahib*. — Uni as mãos em um cumprimento, para evitar que elas tremessem. — Como vão as aulas?

— Tudo depende da aluna. — Ele sorriu.

— Sheela Sharma cantou lindamente na festa das mulheres para o casamento da menina Gupta. Graças ao senhor.

— *Nahee-nahee*. — Ele riu baixinho, tocando o lóbulo das orelhas para afastar espíritos invejosos. — Ainda temos muito caminho a percorrer antes de transformar Sheela em Lata Mangeshkar. — Ele vinha dando aulas a Sheela Sharma desde que ela era pequena, e, pelo pouco que me contara, entendi que o talento natural da menina a fizera arrogante e bastante preguiçosa. A não ser que ela se dedicasse mais, parecia improvável que viesse a igualar o gênio musical da lendária cantora. Bem o oposto do que eu dissera a Parvati.

— E a saúde da sra. Pandey?

— Excelente. Obrigado por perguntar.

— Sr. Pandey, poderia me fazer uma gentileza?

Eu estava falando tão baixo que ele se aproximou para escutar. Peguei a caderneta no bolso interno da anágua, arranquei uma página e escrevi rapidamente. Dobrei o bilhete e o entreguei a ele, que o pegou sem tirar os olhos dos meus.

— Há um homem do outro lado da rua. Ele está fumando um *beedi*. O senhor poderia, por favor, entregar isso a ele? Não seria apropriado eu encontrá-lo sozinha... — Deixei a frase no ar, baixando os olhos e me afastando um passo.

Ele pigarreou.

— Claro, claro. Agora?

— Se o senhor não se importa.

Ele levantou a mão e sacudiu a cabeça.

— Não é problema nenhum. — E tornou a descer a escada.

Corri para a janela do quarto. Minha luz ainda estava apagada, então eu podia olhar para fora sem ser vista. Reconheci o *kurta pyjama** branco do sr. Pandey. Ele atravessou a rua e hesitou. Alguns passos à sua esquerda, um fósforo se acendeu e ele virou nessa direção. Soltei o ar, aliviada.

---

* *Pyjama*: metade inferior (calça) de um *kurta pyjama* para homens.

Dois

Reboco úmido, cimento, pedra. Esse era o cheiro da minha nova casa. Mais cedo nessa noite, eu tinha resistido à vontade de ir até ali conferir o progresso do construtor. Às dez horas, quando eu deveria estar fazendo minha contabilidade e me preparando para o dia seguinte, encontrava-me em minha casa inacabada esperando por Hari, a mão apertando com força a faca que eu usava para cortar plantas e separar sementes.

De fora, a luz da rua iluminava meu belo piso, revelando um mosaico de flores de açafrão na parte redonda, com espirais de folhas *boteh** e vasos com curvas femininas. Pensei em Hazi e Nasreen e nas outras cortesãs da cidade de Agra que haviam me apresentado aos desenhos de sua terra natal, Isfahan, Marrakesh, Cabul, Calcutá, Madras, Cairo. Na cidade do Taj Mahal, onde trabalhei por três anos depois de deixar Hari e antes de vir para Jaipur, eu decorava os braços, quadris e costas das cortesãs com henna. Meus desenhos ficaram mais elaborados com o tempo. Eu punha um pavão persa dentro de uma concha turca, transformava uma ave das montanhas afegãs em um leque marroquino. Assim, quando chegou a hora de desenhar o piso da minha casa, criei um

---

* *Boteh*: da palavra persa que significa "folha", refere-se à estampa caxemira.

padrão tão complexo quanto a henna que eu pintava no corpo dessas mulheres, com o prazer de saber que apenas eu conhecia o significado.

As flores de açafrão representavam esterilidade. Incapazes de produzir sementes, como eu havia me mostrado incapaz de produzir filhos. O leão de Ashoka, como o emblema da nossa nova República, era um símbolo da minha ambição. Eu queria mais, sempre, para o que minhas mãos podiam realizar e o que minha inteligência podia alcançar — mais do que meus pais haviam achado possível. A bela obra sob meus pés exigira a habilidade de artesãos que trabalhavam exclusivamente para o palácio. Tudo financiado pelas meticulosas preparações dos meus milagrosos óleos, loções, pasta de henna e, mais importante, os sachês de ervas que eu fornecia para Samir.

Hari teria vindo para tirar tudo isso de mim?

Crunch, crunch. Passos no cascalho lá fora. Deslizei o polegar cautelosamente pelo gume afiado da faca.

Houve uma pausa. Então os passos continuaram, parando diante da porta da frente. Eu estava ao lado dessa porta, no escuro, com a respiração curta e ofegante.

A porta se abriu e Hari entrou na sala. Ficou ali parado, iluminado pela luz da rua, como se estivesse em um palco. Seu cabelo era grosso e ondulado, caindo sobre os olhos. O perfil duro, mas a linha do queixo suave. As faces altas o faziam quase bonito. Observei seus olhos percorrerem a sala até pousarem em mim.

Por um longo momento, ficamos olhando um para o outro. Seu olhar desceu lentamente do meu rosto para o sári de algodão de boa qualidade, até as sandálias prateadas. Resisti à tentação de apertar mais o sári em volta do corpo.

Sua boca abriu. Ele tentou um sorriso, tímido.

— Você está muito bem.

Ele estaria falando sério? Ou emendaria o comentário gentil com outro mordaz, como costumava fazer?

A camisa dele estava rasgada sob uma axila e com manchas de curry. O *dhoti* estava sujo. Havia pele flácida sob o queixo. Ele parecia mais magro do que eu me lembrava. O cheiro de suor e de cigarro barato encheu o espaço entre nós.

Não respondi, então ele foi até a parede rebocada e deslizou a palma da mão ali. Pareceu impressionado. Estremeci; não queria que ele tocasse no que era meu.

Ele examinou o mosaico no chão.

— Isto é...? Quem mora aqui? Eu pensei... Você não mora naquele outro lugar? Com os indianos do sul?

— É meu. Eu construí. — Ouvi o orgulho em minha própria voz.

Ele franziu a testa e inclinou a cabeça, como se estivesse tentando entender. Nós morávamos em uma casinha de um único cômodo; a mãe dele dormia na frente, com os utensílios de cozinha, e nós dois na parte de trás. Uma cortina separava as duas áreas.

Ele cobriu a boca com a mão e a deixou lá, como se estivesse imerso em pensamentos.

— *Você* construiu isto?

Esse era o Hari que eu conhecia. O que nunca acreditou que eu servisse para algo além de cuidar de plantas e de filhos.

— Eu fiz por merecer. Tudo isto. — E então, antes que eu pudesse me controlar: — Mais do que *você* jamais fez.

Um brilho duro atravessou seus olhos e ele torceu os lábios.

— *Eu...? Você* me largou, lembra? — Ele fechou os olhos e sacudiu a cabeça, como se para dissipar a raiva. — Não quero começar do jeito errado, Lakshmi. O que passou passou, certo? Eu perdoo você. Vamos recomeçar do zero.

A princípio, ao ver suas roupas e seu estado maltrapilho, fiquei tentada a sentir compaixão. Que idiotice a minha! Era verdade que ele tinha por que se ressentir: uma esposa estéril era motivo de vergonha. Um peso que justificava devolvê-la para a família. Aos quinze anos, eu ainda era muito tímida, muito ingênua para lidar com as grosserias de Hari. Nos anos que se seguiram, eu tinha aprendido a não baixar a cabeça facilmente. Não pediria desculpas.

— Você me perdoa? Depois do jeito que *você* me tratou?

Ele pareceu confuso.

— Mas sua irmã disse...

— *Irmã?* — Do que ele estava falando? — Eu não tenho irmã.

Ele franziu a testa e se virou para a porta.

— Você mentiu para mim?

Segui seu olhar. Uma menina, magricela como um galho de *neem*,* estava parada na escuridão ao lado da porta. Como eu não a havia notado?

Como em um transe, ela caminhou para o centro da sala, os olhos presos nos meus. Era meia cabeça mais baixa que eu. Seu cabelo castanho-escuro, sujo e solto, repartido de lado e trançado nas costas, ia quase até a cintura. Um xale de algodão cor de laranja cobria metade de sua anágua gasta e se enrolava nas

---

* *Neem*: árvore perene usada para uma variedade de fins relacionados à saúde.

costas e em volta dos ombros. Ela usava uma blusa azul desbotada. Sem adornos, sem sapatos.

Ela levantou a mão, como se fosse tocar meu ombro.

— Jiji?* — disse.

Eu não era irmã mais velha de ninguém! Dei um passo para trás. A faca em minha mão cintilou sob a luz da rua. Ela ofegou.

Hari se colocou entre nós e apontou o dedo para ela.

— Me responda!

A menina estremeceu e abraçou o próprio corpo.

Olhei para Hari, para a menina, para Hari outra vez.

— O que está acontecendo?

Ele puxou uma caixa de fósforos do bolso e a jogou aos meus pés.

— Veja por si mesma.

Seria um truque? Para acender um fósforo, eu precisaria largar a faca. Eu me movi devagar, mantendo os olhos em Hari. Os punhos dele abriram e fecharam, mas ele continuou onde estava. Acendi um fósforo e o segurei diante do rosto da menina. Seus olhos verde-azulados, da cor de penas de pavão, iridescentes, eram enormes. O nariz era fino e reto, com uma pequena elevação no meio. Tinha lábios como botões de rosa, cheios e rosados. Levantei o fósforo de novo para os olhos, que não haviam piscado nem uma vez.

O sangue pulsava em meus ouvidos. Sacudi a cabeça.

— Como poderia...? Depois de mim, Maa teve duas meninas, mas nenhuma sobreviveu ao primeiro ano.

Hari também parecia confuso.

— Ela me disse que nasceu no ano em que você me deixou. Disse que você sabia.

Maa estava grávida quando deixei Hari? De outra menina? E eu nunca soube? Tantos pensamentos giravam pela minha cabeça. A despesa de mais um dote deve tê-la desesperado! Como muitas mulheres pobres, minha mãe sentia que filhas meninas eram um fardo. Mas por que meus pais não tinham vindo com ela para Jaipur se eu havia lhes mandado o dinheiro para isso? Por que ela veio com Hari?

Olhei para o corpo da menina, usando a luz da chama. Vi hematomas em seus braços.

---

* *Jiji*: irmã mais velha.

— Como é seu nome?

Ela deu uma olhada para Hari antes de responder.

— Radha.

O fósforo queimou meus dedos. Eu o larguei no chão e acendi outro. Minhas mãos tremiam.

— Onde está Maa? — perguntei.

Seus olhos se encheram de lágrimas.

— Ela morreu, Jiji. — A voz dela era muito miúda.

As palavras penetraram em minha mente. Minhas pernas ficaram moles.

— E Pitaji?

A menina moveu a cabeça para indicar que meu pai também tinha morrido.

Ambos mortos?

— Quando?

— Pitaji, oito meses atrás. Nossa Maa, dois meses.

Senti que haviam me tirado o ar. Todo esse tempo eu ficara sonhando com um reencontro com meus pais e jamais passara pela minha cabeça que poderia nunca mais vê-los. Será que minha mãe e meu pai tinham ido para a pira funerária envoltos em uma mortalha de vergonha? Cercados de murmúrios sobre a filha leviana que abandonara o marido?

Meus pais nunca imaginaram quantas vezes eu tinha pensado em deixar Hari nos dois anos em que ficara casada com ele. Só o que me segurava era o medo do que minha fuga faria com a reputação deles, até o dia em que não pude mais suportar meu marido me batendo, os ferimentos que me faziam sangrar, as palavras que me cortavam. As manhãs em que eu mal conseguia sair do chão. E tudo por quê? Por causa do filho que eu não podia lhe dar. No primeiro ano do nosso casamento, a mãe dele, aquela mulher tão querida, esperava que chás de inhame selvagem e infusões de trevo-vermelho e hortelã estimulassem meu corpo a produzir um bebê. Ela preparava tônicos com folhas de urtiga para fortalecer meus órgãos. Mastiguei tantas sementes de abóbora para umedecer as partes femininas que o interior da minha boca ficou cheio de bolhas.

Minha sogra cuidava do meu corpo tão diligentemente quanto eu cuidava do seu jardim medicinal, nutrindo o solo, plantando sementes, alimentando as plantas frágeis. Mas toda a atenção paciente da minha *saas** não deu ao seu

---

* *Saas*: "sogra" em híndi. Quando Lakshmi se refere à sua *saas*, está falando da mãe de Hari. Ao falar diretamente com a sogra, a mulher a chama pelo termo respeitoso "Saasuji".

filho o que ele mais queria. Para um homem indiano, um filho — ou uma filha — era a prova da sua virilidade. Significava que ele podia ocupar com orgulho seu lugar de direito entre as legiões de homens que levariam a próxima geração adiante. Hari sentia, como muitos homens em sua posição teriam sentido, que eu lhe havia roubado esse direito.

Eu poderia ter explicado isso, tudo isso, a Maa e Pitaji se eles tivessem vindo para Jaipur. Eles poderiam ter concordado que eu estava certa em deixar Hari para construir a promissora nova vida que eu havia criado. Mas eles nunca vieram.

Eu não queria perguntar a ele, mas precisava saber.

— E a sua mãe? Ela ainda... está conosco?

Hari engoliu em seco e virou o rosto.

Meus olhos se encheram de lágrimas. A mãe dele, minha *saas*, também tinha partido? Eu amava aquela mulher bondosa tanto quanto à minha própria mãe. Ela passava horas me mostrando como colher as flores de chama-da--floresta para regular a menstruação, como moer gervão na granulação correta para aliviar uma bolha sem queimar a pele. Eu tinha transformado os ensinamentos dela no trabalho da minha vida. Ela era a razão de eu ter sobrevivido. E, agora, ela nunca saberia que eu havia conseguido.

Quando encontrei minha voz de novo, perguntei:

— Mas, se Maa se foi há dois meses... por que você levou tanto tempo para vir para cá?

A menina arriscou uma olhada rápida para Hari e baixou os olhos.

Ele esfregou a mão na cicatriz em seu queixo.

— Nós precisamos nos preparar. Para a viagem.

Eu sabia que ele estava mentindo pelo jeito como escondeu a cicatriz. Ele havia feito o mesmo quando disse ao meu pai que poderia me sustentar puxando um riquixá.

Uma vez mais, levantei a chama do fósforo até o rosto da menina. Seria aquilo um hematoma em seu pescoço, ou apenas uma sombra? Ela cheirava a estrume de vaca. Hari também. Eles certamente não haviam usado o dinheiro que eu enviara aos meus pais para comprar as passagens de trem.

Olhei para Hari.

— O que você fez com o dinheiro que eu mandei?

Ele apertou os lábios e me encarou, com ar desafiador agora.

O fósforo apagou e eu acendi outro, virando-me para a menina mais uma vez. Minha respiração saiu ofegante quando eu disse:

— *Rundo Rani?*

Ela apertou as mãos.

Tentei de novo.

— *Rundo Rani?*

Seus lábios se separaram.

— *Rundo Rani* — repeti, mais alto dessa vez.

As palavras dela saíram em uma torrente.

— *Rundo Rani, burri sayani. Peethi tunda, tunda pani. Lakin kurthi heh munmani.* — Ela pôs a mão sobre a boca para esconder o sorriso.

Meu pai tinha inventado essa rima e cantado para todas as suas filhas pequenas, inclusive eu. *Pequena rainha, se acha tão grande. Só bebe água fria, fria. Mas faz tantas travessuras!*

Prendi a respiração por um instante, depois deixei o ar sair lentamente. Ela confirmou o que eu já tinha visto: os olhos da minha mãe no rosto de Radha.

A menina baixou a mão. Estava sorrindo abertamente agora, sua face transformada: um rosto de mulher em um corpo de menina.

Eu tinha uma *irmã*. Ela crescera enquanto eu fugia do meu passado. Por que meus pais não tinham me contado? *Mas como poderiam, se eu não escrevia meu endereço nas cartas que mandava?*

Eu tinha me esquecido de que Hari estava ali até ele falar.

— Nós ainda somos casados. Você ainda é minha mulher.

Meus ombros estremeceram.

— Nós podemos tentar de novo, Lakshmi.

Não! Joguei a caixa de fósforos de volta aos pés dele.

— Vamos nos divorciar.

As narinas dele se dilataram de raiva. Aquele era o Hari que eu conhecia.

— Estou percebendo agora. — Ele virou a cabeça para Radha. — Vocês são mesmo irmãs. As *duas* mentem.

O que ele queria dizer com aquilo? Voltei-me para Radha em busca de uma resposta, mas ela estava olhando fixamente para o chão.

Hari se virou para mim com o maxilar apertado e falou entre dentes cerrados.

— Até o seu nome é mentira, Lakshmi. Você não é uma Deusa da Fortuna, não é mesmo? Não pode ter ganhado tudo isto por si mesma. — Ele acenou em volta para indicar a casa. Seus olhos se estreitaram. — Quem mantém você?

Claro que ele ia pensar que eu era amante de um homem rico. Era típico de Hari achar que uma mulher nunca poderia ter sucesso por conta própria!

Com esforço, mantive a voz sob controle.

— Aprovaram uma lei este ano, Hari. Nós podemos nos divorciar agora.

Ele mordeu o lábio e pegou a caixa de fósforos. Olhou em volta da sala outra vez, para meu piso, meu sári. Por alguns momentos, permanecemos em silêncio.

Então, de repente, a ideia me veio.

— Você quer dinheiro — eu disse. Claro que ele queria! Em vez de ir para as cidades maiores puxar um riquixá durante a semana, então voltar para casa e me dar o que havia ganhado, Hari passava a maior parte do tempo na aldeia, dormindo, comendo ou tentando me levar para a cama. Se sua mãe não ganhasse uma pequena renda de suas ervas e tratamentos medicinais, não teríamos o suficiente para comer.

Subitamente, a expressão dele amoleceu.

— É só até... — Ele parecia pesaroso.

— Quanto? — interrompi.

Ele coçou a testa, mudou os pés de lugar.

— Quanto você pode me dar?

— Eu trabalho muito, Hari. Tudo que você está vendo aqui veio de anos de trabalho. E ainda nem sequer é meu. — Estreitei os olhos. — Eu tenho dívidas e, ao contrário de você, eu as pago.

Ele estava mexendo o maxilar de um lado para o outro de novo.

— Quer que eu conte às pessoas a verdade sobre você? O que suas *MemSahibs* iriam dizer se soubessem?

Meu coração acelerou. Em seu estado atual, nenhum *chowkidar* o deixaria passar pelos portões das grandes casas que eles protegiam. Mas Hari sabia tão bem quanto eu que porteiros, como qualquer pessoa com bocas para alimentar e dotes para arrumar, podiam ser subornados.

Radha nos observava atentamente.

— Quanto tempo você vai ficar em Jaipur? — perguntei para Hari.

Ele deu de ombros.

Inalei profundamente uma, duas, três vezes. Peguei o rolo de rúpias no bolso da minha anágua. Rúpias que eu estava guardando para pagar a próxima prestação ao construtor. Joguei as notas no chão de mosaico, do jeito que ele jogava seus parcos ganhos no chão da nossa pequena casa tantos anos atrás.

Ele ficou olhando para as notas. Provavelmente era mais dinheiro do que jamais tinha visto na vida. Após uma pausa, ele avançou e recolheu as rúpias.

Depois coçou a barba rala no queixo. Levantou os olhos para os meus. Abriu a boca, como se quisesse dizer mais alguma coisa.

Eu esperei.

Mas ele fechou a boca outra vez. Virou-se para Radha, que mantinha os olhos baixos. Então sacudiu a cabeça e saiu.

Fiquei parada, com uma sensação ruim, sem saber por quê. Durante anos eu havia imaginado o que faria se visse Hari de novo. Eu bateria nele com os punhos. Daria um tapa em sua cara com a mão aberta. Eu o chutaria. Por todas as vezes que ele havia me machucado, todas as vezes que me fizera sentir diminuída. No entanto, quando o encarei pela primeira vez em treze anos, senti mais pena que raiva.

A voz de Radha se intrometeu em meus pensamentos.

— Jiji, você esteve em Jaipur todo esse tempo? As suas roupas...

Eu a silenciei com um gesto da mão. Corri para a janela e vi Hari se afastando pela rua. Quando ele sumiu de vista, levei os dedos à boca e assobiei. Em questão de segundos, Malik estava diante da janela, com dois rapazes duas vezes maiores que ele, todos ali para me proteger.

— Foi embora, Tia* Chefe. O riquixá está esperando você na esquina.

Contei cinco rúpias. Malik deu uma moeda para cada um de seus colegas e guardou as outras três. Ele era um empresário nato.

No trajeto para casa no riquixá, percebi Radha examinando minhas roupas, meu cabelo, minhas sandálias. Imaginei suas perguntas, as que eu não a deixara fazer. *Onde você esteve todos esses anos? Por que fugiu? Como veio parar em Jaipur?* Eu ainda estava tentando me recuperar do choque de ver Hari, de saber que as três pessoas que haviam sido tão queridas para mim não existiam mais. E estava me acostumando à ideia de ter uma irmã, sentada ali ao meu lado, tão sólida quanto a dor de cabeça em minhas têmporas.

Lentamente, deliberadamente, arrumei o sári sobre o ombro e pigarreei.

— Número um: não é educado ficar olhando fixamente para os outros.

Ela desviou o olhar, mas, como se não conseguisse se controlar, virou a cabeça para mim outra vez.

— Jiji...

---

* Tia: tratamento respeitoso e afetuoso dado a uma mulher mais velha.

Levantei a mão entre nós.

— Número dois: vamos conversar em casa. — Como pássaros que semeavam a terra com as sementes que comiam, condutores de riquixás e *tongas* espalhavam as notícias que consumiam. Eu tinha como princípio não alimentá-los. Senti o olhar de Radha outra vez e fechei os olhos para ignorá-la. A pressão em minhas têmporas estava pior agora. Poderia essa menina realmente ser minha irmã? Que suja ela estava! Tão suja quanto um touro brahman que tivesse ficado no pasto por uma semana. Na idade dela, eu arrumava meu próprio cabelo, lavava minhas anáguas no rio, limpava os pés antes de me deitar em minha esteira. Será que Maa não lhe ensinara nada? Ela cheirava a feno, o que significava que Hari tinha convencido agricultores de passagem a lhes dar carona para Jaipur. E embolsado o dinheiro que eu enviara para casa.

Dei uma olhada de lado para as mãos dela apertadas sobre o colo. Suas unhas escuras não pareciam mais limpas que as de um mendigo. Como eu iria explicar uma irmã que nunca soube que tinha? Minhas clientes não conheciam nenhum detalhe da minha vida familiar, mas a sra. Iyengar... O que eu diria a ela? Fiz um acréscimo à lista, muito a sério. *Número três: nunca mencionar Hari para ninguém.* A julgar por sua aparência, ele continuava incapaz de ganhar dinheiro. Era possível que pretendesse ficar em Jaipur e viver às minhas custas por um tempo. Por que, no momento em que eu finalmente estava colhendo os frutos do meu esforço, foram me aparecer mais duas bocas para alimentar?

Mas como eu estava sendo injusta! Eu teria aceitado alegremente a responsabilidade de alimentar as duas pessoas que vinha esperando: minha mãe e meu pai. Talvez Radha fosse minha penitência pela desgraça que eu trouxera a eles. Meus pais, minha sogra e Hari, todos deviam ter sido excluídos e ignorados depois da minha fuga. Mantidos longe de cerimônias sagradas, casamentos, nascimentos, funerais. Talvez até cuspissem neles. Senti o rosto esquentar com a culpa.

A cabeça de Radha pendeu para a frente e eu percebi que ela tinha adormecido com o movimento rítmico do riquixá. Estava começando a se inclinar em minha direção, e fiquei incomodada com a proximidade. Mudei de posição no meu lado do assento e o corpo dela se inclinou para o outro lado, a cabeça se apoiando na cobertura de lona gasta da carroça.

Agora eu estava livre para examinar seu rosto, que tinha o mesmo formato que o de Maa, mais oval que o meu. O meu tinha forma de coração, o queixo mais afilado, como o de Pitaji. Se ela havia nascido no ano em que eu fugi, Radha devia ter agora treze anos, mas parecia mais velha. Para uma menina tão nova, ela já tinha uma ruga profunda entre as sobrancelhas. E linhas de preocupação em volta dos cantos da boca.

Examinei as marcas escuras e redondas em seus braços, onde imaginava que as mãos de Hari haviam estado. Será que eu escapara da crueldade dele para depois fazê-lo descarregá-la em Radha? O pensamento me fez estremecer.

Como em resposta, Radha tremeu. Removi meu xale de lã e o coloquei em volta de seu corpo magro. Duvidava que ela tivesse um casaco. Devia ter congelado na viagem até lá!

A pele dela era um pouco mais escura que a minha. Sem dúvida havia passado mais tempo ao sol, tirando água do poço da aldeia ou coletando esterco de vaca ao meio-dia, como eu havia feito tantos anos antes. A sola de seus pés estavam rachadas. Um banho teria que esperar até a manhã seguinte. Eu não podia me arriscar a acordar toda a família da sra. Iyengar e a do sr. Pandey.

Se ela tinha treze anos, devia estar na sexta série agora. Eu teria que procurar uma escola do governo para ela. Sabia pelas filhas das minhas senhoras que o próximo período escolar começaria em janeiro. Até lá, o quê? Eu não podia deixar Radha em casa, em nosso alojamento, enquanto atendia minhas clientes. A sra. Iyengar era curiosa e faria uma centena de perguntas a ela. Será que eu poderia levar Radha comigo em minhas sessões de henna? Roupas! Ela precisaria de roupas novas antes que eu pudesse apresentá-la à sociedade.

Minha cabeça parecia pequena demais para conter todos os pensamentos que giravam dentro dela. Eu não ousava pensar para além daquela noite. Se o fizesse, talvez nunca mais conseguisse dormir.

Sacudi o ombro de Radha para acordá-la. Havia muito que eu precisava ensinar a ela, e logo.

Três

16 de novembro de 1955

A sra. Iyengar me cobrava uma pequena quantia pelo aluguel de seu *almirah*.*
Em uma prateleira do armário, eu guardava dobrados meus sáris em tons pastel. As estampas eram delicadas: bolinhas, listras finas ou flores bordadas do tamanho de joaninhas. Na prateleira seguinte ficavam as blusas, arrumadas em colunas por cor: azul-claras, verde-folha, rosa-chiclete, brancas e marfins impecáveis. Os conjuntos de *salwaar-kameez*,** que eu costumava usar com mais frequência quando era mais nova, estavam na prateleira de baixo, com seus *chunnis*** combinando.

— Isso é tudo seu, Jiji? — Radha, com o corpo enrolado em uma toalha, recém-saída do banho, espiou dentro do *almirah*. Ela esfregou os dedos uns nos

---

* *Almirah*: armário de madeira para roupas.

** *Salwaar-kameez*: conjunto de túnica e calça usado principalmente por meninas e mulheres jovens na década de 1950. Atualmente é mais um traje étnico intencional usado tanto por jovens como por idosas.

*** *Chunni*: cobertura de cabeça feminina.

outros, como se estivesse louca para tocar os algodões finos, as sedas. Na noite anterior, no riquixá, eu havia lhe contado sobre as mulheres para as quais eu trabalhava e advertido: "Número quatro: não toque em nada que não seja seu. As senhoras a acusarão de roubo tão rápido que você nem terá tempo de negar".

Escolhi um sári cor-de-rosa bordado com pequenos brincos-de-princesa e, com dedos experientes, fiz as pregas antes de enfiá-las na anágua.

— A maioria das minhas senhoras não usa algodão, apenas sedas tão finas que dá para passá-las por um anel. Em ocasiões especiais, elas usam sáris pesados de tantos bordados. Principalmente fios de ouro e prata. — Olhei para minha irmã. — Eu fiz a henna de uma noiva recentemente. Havia tanto ouro no sári dela que três de suas irmãs tiveram que ajudá-la a subir os degraus para o *mandap*.*

— Como ela conseguiu andar em volta do fogo?

Levantei uma sobrancelha.

— Muito, muito devagar.

A risada de Radha foi surpreendentemente alegre. Vibrou como o som das cartas de baralho que os meninos prendiam nas rodas de suas bicicletas.

Joguei um par de sandálias marrons no chão de pedra e pedi que ela as calçasse. Não tinham salto, as tiras eram simples. A julgar pelas solas calosas, eu podia deduzir que Radha estava acostumada a andar descalça. Essas sandálias facilitariam sua transição para sapatos.

Quando ela abriu a toalha, meus olhos pousaram em seus hematomas outra vez. A cor havia desbotado do vermelho vivo da véspera. Quando nossos olhares se encontraram, ela cruzou os braços sobre o peito para escondê-los.

— Um carneiro no caminhão. Ele me deu uma cabeçada nas costelas. Amanhã não vai mais ter marca nenhuma.

Havia tanto que permanecia não dito entre nós. Tinha acontecido o mesmo no terraço quando dei banho nela, ao amanhecer, antes que as varredoras de rua passassem e que a criada da sra. Iyengar tirasse os sáris de ontem dos varais. Radha recusou-se a falar sobre algumas coisas, enquanto eu permaneci reticente sobre outras. Eu me sentia dividida: parte de mim queria saber se Hari a havia machucado (como machucara a mim), mas outra parte tinha medo de descobrir. Qualquer que fosse a resposta, teria sido minha culpa. Ele teria feito isso para se vingar de mim.

---

* *Mandap*: plataforma coberta construída para a noiva, o noivo e o *pandit* que os está casando.

Enfiei uma túnica de algodão verde-folha pela cabeça dela e ajeitei o tecido sobre seus ombros magros. O *kameez* ficou largo em seu busto pequeno e eu segurei o tecido extra para ver quanto precisava ser ajustado. O *salwaar* de algodão branco também precisava de alguns centímetros de bainha; a calça se espalhava em volta dos pés dela e a cintura tinha uns doze centímetros de sobra. Por fim, enrolei frouxamente um *chunni* de chiffon branco em seus ombros. Dei um passo para trás para avaliar meu trabalho.

O verde da túnica intensificava o verde-lagoa de seus olhos e fazia seu cabelo parecer mais preto. Minhas esfregadas vigorosas haviam deixado sua pele rosada, e o óleo de coco dera a seus braços um belo brilho. Com o cabelo preso no alto da cabeça, um adorno ou dois no pescoço e um pouco mais de carne nos ossos, ela poderia ter sido confundida com uma das filhas das minhas senhoras.

Ela percebeu que o efeito me agradava e apertou os lábios em um sorriso tímido.

— Jiji, você tem alguma coisa de uma cor mais alegre?

— Cores berrantes vão marcar você como uma menina da aldeia — respondi. — O único modo de usar cores vibrantes é em seda, como minhas senhoras fazem. E esqueça esses espelhinhos cafonas costurados nas roupas como uma lavadeira qualquer.

Ela abriu a boca e seus lábios tremeram.

Será que eu tinha sido muito dura?

Seu olhar pousou no *mutki** que ela havia trazido da nossa aldeia. Da boca do recipiente, centenas de minúsculos espelhinhos do sári de casamento de Maa piscavam para nós.

Tarde demais, percebi que a havia magoado, do mesmo modo como fizera no terraço, enquanto tirava os carrapatos de seu cabelo.

— Você nunca toma banho? — eu havia perguntado.

— Passamos dez dias viajando em uma carroça de cana-de-açúcar, depois fomos pegos por um caminhão transportando carneiros para Jaipur.

A voz dela tinha soado miúda, quase que se desculpando, e eu me arrependi imediatamente do meu tom de voz. Se Hari quis gastar meu dinheiro de outras maneiras, o que ela poderia ter feito? Além disso, eu também não ficara com carrapatos em Ajar quando perambulara entre cabras e cachorros sarnentos? Eu ia precisar ser mais gentil com ela.

---

* *Mutki*: recipiente de argila em que a água é mantida fresca.

Clang-clang. O tilintar de recipientes de metal anunciou a chegada do leiteiro no pátio da sra. Iyengar. Aliviada pela distração, calcei depressa as sandálias.

— Tenho que alcançar o *doodh-walla*.* Nós vamos precisar de mais um litro para fazer *burfi*.**

Abri a porta no instante em que Malik ia bater. Seu cabelo grosso estava despenteado, mas a camisa e a bermuda pareciam limpas. Ele estava mastigando alguma coisa.

— *Arré*, Malik! Chegou cedo.

Ele projetou o queixo na direção de Radha.

— Quem é ela?

— Essa é Radha, minha irmã. Ela veio para ficar. — Eu não daria mais nenhuma explicação, e, com Malik, mais nenhuma era necessária. — Mascar *paan**** vai deixar seus dentes pretos.

O menino não se perturbou.

— Hoje é dia de mercado, Tia Chefe. Não vai ter nenhuma madame para desmaiar por mim. — Ele sorriu, os dentes manchados com pasta de tabaco.

Da minha anágua, puxei uma lista de compras e a entreguei a ele. Malik passou os olhos por ela.

— Mais nada?

Olhei para a fileira de frascos em minha mesa de trabalho.

— Óleo de lavanda. — Nós tínhamos usado o que restava dele nos hematomas de Radha naquela manhã. — E extrato de magnólia. — Os pés dela estavam bem mais ressecados que os de Lala. Eu me perguntava se Radha já havia usado sapatos alguma vez na vida.

Malik concordou com a cabeça. Ele estava olhando de novo para minha irmã.

Do chão, peguei as roupas de viagem sujas de Radha.

— Quando você voltar do mercado, queime isto.

Ela soltou um gritinho.

Eu me virei para ela. Talvez fossem suas únicas roupas.

— Estão infestadas, Radha. Vamos arranjar roupas novas para você.

Ela enrubesceu, deu uma olhada para Malik e baixou rapidamente a cabeça. Será que eu a havia constrangido ao dizer isso na frente dele? Olhei para Malik

---

* *Doodh-walla*: leiteiro.

** *Burfi*: doce feito de leite, às vezes com nozes variadas.

*** *Paan*: folha de betel enrolada com tabaco e pasta de noz de betel, vendida em toda parte.

para ver sua reação, mas o rosto dele era neutro. Eu o mandei ir andando e nós descemos a escada para nossas tarefas distintas.

Quando voltei para o quarto com a jarra metálica de leite, parei à porta, consciente de que algo havia mudado. Radha estava ao lado da longa mesa onde eu mantinha minhas ervas, com as mãos nas costas. Seu olhar tinha o ar alerta de um animal selvagem. O que ela havia feito? O que quer que fosse, deve ter achado que eu ia castigá-la. Meu olhar passou pelos frascos de óleos e loções, o almofariz e o pilão, a tábua de mármore onde eu cortava as plantas e sementes. Todos estavam ligeiramente tortos e não na ordem em que eu os havia deixado. O jarro de ervas frescas também tinha sido movido. Então eu vi. Na vasilha onde eu havia mergulhado minha blusa com as flores de frangipani, uma delas havia sumido. Olhei para Radha, cujas mãos voaram para o cabelo. Ali, no alto do coque que eu tinha feito, estava a outra flor.

Ela me deu um sorriso tímido.

— Número dez: sempre cheire a flores se quiser que as damas a convidem para a casa delas.

Na noite anterior, depois dos números um, dois, três e quatro, eu lhe ensinara o cinco: *sente direito* (ela estava toda curvada, como se estivesse acostumada a se agachar no chão para lavar roupas ou cozinhar); o seis: *não fique de boca aberta* (ela estava olhando espantada para as lambretas, como se estivesse vendo macacos cantando em híndi); o sete: *coma com a boca fechada* (ela mal terminava de mastigar um pedaço de *chapatti* e já estava mordendo de novo, como se não comesse havia semanas); e o oito: *sorria quando eu a apresentar à sra. Iyengar de manhã* (a expressão habitual de Radha parecia ser a testa franzida de preocupação). Quando cheguei ao número nove, Radha havia terminado o jantar e suas pálpebras começavam a baixar. Estendi uma colcha na frente do *almirah*. Reparei que ela andava coçando a cabeça e lhe disse que, depois que tirássemos as *juey** de seu cabelo, ela poderia dormir na cama comigo. Ela não discutiu. Ou estava acostumada a dormir no chão, ou exausta demais para protestar.

Eu vivia sozinha fazia muito tempo e não tinha a experiência de criar um filho. Será que deveria lembrá-la de pedir antes de pegar as coisas ou deixar para lá, levando em conta que ela era uma menina de aldeia, encantada com todos os modestos refinamentos que para mim eram normais? Uma flor era algo tão pequeno, afinal.

---

* *Juey*: pulgas.

Entrei no quarto e coloquei a jarra de leite sobre a mesa. Sorri para ela e apontei a vasilha com a flor restante e minha blusa.

— Você penduraria minha blusa no terraço para secar enquanto eu arrumo o cabelo? — pedi.

Seu corpo relaxou, como se ela estivesse prendendo a respiração. Ela pegou um dos frascos na mesa e perguntou:

— Jiji, para que serve isto?

— Isso é óleo de *bawchi** — respondi. — Faz o cabelo crescer. Você não precisa. O seu é bem volumoso.

Ela apontou para uma tigela de argila sobre um quadrado de veludo vermelho. A borda estava manchada de uma cor escura como canela.

— Tem alguma coisa especial nessa tigela?

Antes que ela pusesse as mãos na velha tigela da minha *saas*, eu a afastei da mesa.

— Eu misturo a pasta de henna nela. Agora vá logo com a blusa. — Olhei para o meu relógio de pulso. — Vamos até a costureira. Se a pegarmos bem cedo, ela vai estar barganhando de estômago vazio.

Os cabelos ralos da costureira estavam repartidos no meio e puxados para cima em um coque malfeito. Partes de seu couro cabeludo marrom-amarelado apareciam. Após marcar com alfinetes os três conjuntos de *salwaar-kameez* que levamos, ela se inclinou para fora da janela do segundo andar e gritou pedindo chá. Cinco minutos depois, um menino entrou trazendo três pequenos copos de chai fumegante. Aceitei um copo, mas a camada de gordura flutuando no líquido me impediu de tomar um gole. Radha, por outro lado, engoliu o dela em menos de um minuto. E fez o mesmo com o meu quando o passei a ela. Eu teria que lhe ensinar a beber sem parecer sedenta.

— Quanto é? — perguntei à costureira.

A mulher tirou uma grande lata de tabaco Scorpion de uma prateleira e pegou uma pitada de fumo entre o polegar e o indicador. Ela o inalou com vontade, primeiro uma narina, depois a outra, do jeito que Maa costumava fazer, em seguida bufou, com a boca aberta.

---

* *Bawchi*: semente prensada a frio para produzir um óleo aiurvédico usado na pele e no cabelo.

— Você nunca disse que tinha uma irmã — falou.

— Você nunca disse que tinha seda crua cor de laranja quando eu pedi. Imagine minha surpresa ao ver Parvati Singh usando uma blusa que você fez com esse tecido.

Os lábios dela se apertaram.

Notei Radha nos observando, o olhar passando da costureira para mim.

Fazer inimizades não era o meu estilo, e com certeza não com uma das melhores costureiras de Jaipur. Tirei um pequeno frasco da sacola.

— Deixe-me lhe dar isto antes que eu esqueça.

Ela pegou o frasco e nós o vimos desaparecer entre as pregas de seu sári.

— Ficará pronto em dois dias — disse ela.

Eu não cedi.

— Amanhã.

Assim que saímos da casa da costureira, Radha me perguntou o que havia no frasco.

— Quer tentar adivinhar?

Caminhamos em silêncio. De repente, ela parou.

— Óleo de *bawchi*?

Sorrindo, segurei o braço dela e continuamos andando.

— Antes de começar a usar o meu óleo, a pobre mulher era quase careca de um lado.

Radha riu.

— Tia Chefe!

Um riquixá parou ao nosso lado, Malik no estribo.

Estreitei os olhos para ele.

— Você está gastando meu dinheiro em um riquixá?

Ele levou a mão ao coração e inclinou a cabeça.

— Tia Chefe, estou cuidando das minhas senhoras. — E me deu a mão para me ajudar a subir, depois se virou para ajudar Radha. Sua boca estava ocupada chupando um doce de tamarindo e ele ofereceu um a ela, que o enfiou avidamente na boca.

Número treze: *comer doces acaba com os dentes*, acrescentei mentalmente à lista de Radha. Voltando-me para as compras, comecei a abrir os pacotes embrulhados em folhas de jornal.

— Você comprou o óleo de lavanda da marca Moonstar?

Malik, que havia se espremido no banco ao lado de Radha, inclinou-se para a frente para olhar para mim.

— *Quem não chora não mama*. Madame, não *só* Moonstar, mas com desconto na melhor marca que o dinheiro pode comprar.

— Então eu devo ter troco, certo?

Ele estendeu as mãos, palmas para cima, na direção do condutor do riquixá.

— O condutor por acaso trabalha de graça?

Tive vontade de rir, mas parei quando o vi levantar as sobrancelhas e fazer um *salaam*** formal para Radha, a mão em concha descendo graciosa da testa para a boca e o coração. Ela sorriu e eu voltei a atenção para os pacotes.

— Jiji! Olhe! É como a coroa de Krishna! — gritou Radha, apontando para o outro lado da rua.

Gentilmente, puxei seu braço para baixo.

— Número seis, Radha?

Ela franziu a testa, pensando.

— Não ficar de boca aberta?

— Muito bem. Esse prédio é o Hawa Mahal. Tem quase mil janelas. As senhoras do palácio podem estar olhando por essas janelas, e elas não querem ser vistas.

Conforme deixávamos o Palácio dos Ventos para trás, eu sabia que Radha estava lutando contra a vontade de se virar para ver se as senhoras estavam nos observando das janelas. Eu teria que ficar de olho nela. Minha irmã mais nova era animada e curiosa, o que era bom, mas também era espontânea — e essa poderia ser uma combinação perigosa.

Vinte minutos mais tarde, pedi para o riquixá-*walla* parar.

— Tenho um compromisso, então vou descer aqui. Quando chegar em casa, Malik, mostre a Radha como eu faço o *laddus*.** Mas não deixe a sra. Iyengar pegar você na cozinha dela.

— Deixa comigo, Tia Chefe. Mas...

— O quê?

Ele encolheu os ombros exageradamente.

— *Laddus* não é comida, como você sempre me diz, madame.

Senti as faces quentes. Claro! Eu tinha esquecido completamente que, tirando o chá na costureira e um doce de tamarindo, Radha ainda não havia comido nada.

---

* *Salaam*: cumprimento árabe.

** *Laddus*: bolinhos redondos de lentilha rosa, grão-de-bico moído ou farinha de trigo integral.

Malik percebera. Eu também não tinha comido, mas estava acostumada. Radha, porém, era uma menina em fase de crescimento. Eu precisava ficar mais atenta.

— Em casa tem *aloo*,* *gobi*,** *piyaj*.*** Radha, você sabe fazer *subji* e *chapatti*? Ela inclinou a cabeça de um lado e de outro, com ar sério. *Sim*.

— Ótimo. — Saí do riquixá e os instruí: — Lavem as mãos primeiro. E desta vez, Malik, não esqueça de usar sabão.

Dez anos atrás, eu ganhava a vida em Agra, fazendo chás contraceptivos para as cortesãs se manterem sem filhos, e elas me pagavam bem. Madames como Hazi e Nasreen foram especialmente boas para mim, oferecendo-me alojamento em suas propriedades em troca dos meus chás. Em seu tempo livre, elas me ensinavam a arte da henna. Deslizar um palito de bambu sobre a pele era apenas um pouco diferente de passar tinta em uma folha seca de *peepal*, como eu fazia com Munchi-*ji* em minha aldeia. Aprendi rapidamente a pintar com henna. Não demorou para eu estar decorando braços, pernas, barrigas, costas e seios das cortesãs com desenhos que elas me ensinavam das terras nativas de cada uma delas: Isfahan, Marrakesh, Cabul, Calcutá, Madras, Cairo.

Samir Singh frequentava as casas de prazer de Hazi e Nasreen sempre que estava em Agra a negócios. Lá, nobres muçulmanos, empresários bengalis, médicos e advogados hindus fumavam narguilés e comiam e bebiam enquanto as cortesãs recitavam poesia antiga, cantavam *ghazals* doces e nostálgicas e apresentavam danças *kathak***** clássicas ao ritmo de músicos talentosos. Quando Samir ouviu falar das minhas habilidades com a henna, ele me procurou. "Há muitos cavalheiros em Jaipur que gostariam de prevenir para não ter que remediar, se você entende o que eu quero dizer. E eles lhe pagariam o triplo do que as casas de prazer pagam." O que Samir propôs foi uma mudança para Jaipur e mais dinheiro do que eu poderia ter imaginado para evitar gravidezes indesejadas para homens como ele, homens que davam suas escapadas fora do casamento. Ele explicou que, embora gostasse de visitar as casas de prazer, pessoalmente preferia viúvas jovens e sem filhos. Essas mulheres, por mais novas

---

* *Aloo*: batata.
** *Gobi*: couve-flor.
*** *Piyaj*: cebola.
**** *Kathak*: forma popular de dança muito enérgica, com raízes antigas.

que fossem ao perder o marido, estavam com frequência fadadas a uma vida de solidão; era assim que a sociedade preferia. (Não para os viúvos, que podiam se casar sem nenhuma repercussão.) Samir cobria as viúvas de elogios, presentes e de seu charme considerável, e elas respondiam com bastante gratidão.

Foi o disfarce respeitável que Samir me propôs que selou o acordo. Eu poderia oferecer minha henna a mulheres de alta casta como sua esposa *enquanto*, discretamente, vendia meus sachês de chá contraceptivo para seus amigos e conhecidos. Quando Parvati se lamentou por não conseguir engravidar, eu a tratei como minha *saas* teria feito, com trevo-vermelho, óleo de prímula e inhame selvagem na forma de doces ou salgados, até que ela engravidou de Govind. Satisfeita, Parvati me apresentou às senhoras cujos nomes agora preenchiam minha agenda de clientes.

Quando conheci Samir, em 1945, eu já havia criado minha vida de independência. Podia pagar meu alojamento, comer bem e mandar algum dinheiro para os meus pais. O que Samir me ofereceu foi uma chance de ampliar meu negócio, e eu a agarrei da maneira como uma criança agarra um vaga-lume: pega-o no ar, rápido!, antes que ele desapareça.

Agora, parada diante da fila bem cuidada de bangalôs, conferi o bilhete que Samir tinha me passado no dia anterior: *Sra. J. Harris. 30-N Tulsi Marg*. A mulher de cabelos grisalhos penteados com rolinhos de ambos os lados da cabeça, que podava as flores murchas de uma trepadeira de rosas no terraço da frente, parecia já ter passado da fase de gerar filhos. Confirmei novamente o endereço, intrigada. Em todo o tempo em que vinha preparando meus sachês de ervas, não havia encontrado nenhuma mulher com mais de cinquenta anos que precisasse deles. Mas, com mulheres inglesas, quem poderia saber? O sol de Jaipur era tão impiedoso sobre a pele sardenta delas quanto sobre as mãos das minhas senhoras indianas.

— Sra. J. Harris? — perguntei.

A mulher inglesa se virou e abriu um amplo sorriso, cheio de dentes acinzentados.

— A própria! O jardineiro nunca faz isto direito. Se eu quiser o trabalho bem-feito, tenho que fazer eu mesma. Você deve ser a governanta que veio para a entrevista. Boa com bebês, não é? Bem, devo dizer que você parece um pouquinho mais limpa que as que o exército mandava. Mas, como meu marido Jeremy costumava dizer, como elas podem se limpar se não têm um lugar adequado para tomar banho? Major do Exército Britânico, ele era. Depois que ele morreu, continuei aqui. Eu não poderia pagar uma casa em Bristol com a pensão do exército, não é mesmo? Vou pedir um chá, o que acha? Já vou avisando que não é nada daquele chai condimentado de que vocês tanto gostam. Aquilo é ruim para o estômago. Para mim tem que ser o bom e velho chá inglês. Venha, entre. Você deve estar congelando aí, minha querida. Eu acho vinte e um graus divino, mas vocês, indianos, pegam as roupas de lã no instante em que sopra a menor brisa. Eu nunca entendi isso. Ar fresco é o que há de melhor! — Seu inglês rápido engolia o *r* e amenizava o *d*, consoantes que nós, indianos, tomávamos tanto cuidado para pronunciar.

Murmurando um pedido de desculpas, eu me virei, já pronta para uma fuga rápida, quando uma mulher mais jovem veio correndo pela porta da frente para me resgatar.

— Ah, já está aqui, sra. Shastri. Trouxe seus produtos para me mostrar, não é? Minhas amigas falam maravilhas dos seus cremes para as mãos!

Nós nos sentamos no quarto da jovem inglesa com a porta fechada, as vozes baixas.

— Eu peço desculpas por minha sogra, sra. Shastri — ela sussurrou.

Tive a sensação de que ela estava se desculpando por mais do que a presença de sua *saas*.

— Ela é a sra. Jeremy Harris. Eu também sou sra. Harris, mas meu primeiro nome é Joyce. — Suas faces enrubesceram. — Minha sogra tinha um jogo de bridge marcado para hoje, mas foi cancelado. Achei que estaríamos sozinhas.

— Sra. Harris, não quero ser intrometida, mas sua sogra pareceu achar que eu estava me candidatando para uma vaga de governanta. A senhora tem outro filho?

Joyce Harris sacudiu a cabeça, baixando os olhos para a barriga.

— Mas a senhora está grávida? E sua gravidez não é segredo?

Ela sacudiu a cabeça outra vez.

— Eu preciso saber de quanto tempo a senhora está — falei gentilmente.

Seus olhos umedeceram. Duas lágrimas caíram sobre o corpete de seu alegre vestido de náilon. Ela ficou olhando a água descer por toda a extensão do tecido florido, mas não fez nenhum movimento para enxugá-la.

— Sra. Harris?

Ela hesitou.

— Q-Quatro meses.

Não era seguro expulsar o bebê com a gravidez muito avançada; quatro meses era o limite máximo. Quando vinham pedir ajuda à minha sogra, ela me dizia: *Temos que deixar as mulheres tão saudáveis quanto as encontramos.*

— Tem certeza?

Uma pausa, então ela confirmou.

— Nesse estágio seria arriscado, tanto para a senhora como para o bebê. E minha principal preocupação é com a sua segurança. Eu preciso que tenha certeza de que não é mais do que quatro...

Ela me interrompeu com um sussurro aflito:

— Eu quero este bebê de todo o meu coração. Mas, se eu for jogada na rua...

As mulheres que eu ajudava sempre queriam confessar sua culpa, mas seria mais fácil para mim e para elas não fazer de mim uma confidente. Umedeci os lábios. Eu precisava ter certeza de que ela estava falando a verdade.

— Se a senhora puder me garantir que não está com mais de quatro meses e seguir minhas instruções precisamente como eu lhe disser, deve ficar tudo bem, mas...

— Eu não consigo dormir. Minha dor de cabeça é constante. Se pudesse ter este bebê, eu teria. Mas não sei se ele é... do meu marido.

Muitas das mulheres que eu atendia a pedido de Samir estavam tendo um caso extraconjugal.

— Madame, não há necessidade de explicar.

Joyce Harris inclinou-se para mim e segurou minha mão, me surpreendendo. Olhei para a pele pálida esticada sobre os nós dos dedos, a aliança de casamento larga, o esmalte vermelho-vivo. Ela esperava de mim o que não me cabia lhe dar. Perdão. Absolvição. Eu era uma estranha.

Olhei para seu rosto, molhado, inchado, marcado de riscos rosados. O branco de seus olhos estava vermelho.

— Ele joga squash no clube com John, meu marido. Foi onde o conheci. No clube. Ele também é casado. O bebê pode ser de John, mas também pode ser... dele. — Ela soltou minha mão e pegou um lenço no cinto para enxugar os olhos. — Ele é indiano.

Por um brevíssimo instante, imaginei se esse amante indiano seria Samir. Mas Samir era cauteloso demais; ele nunca deixava de suprir cada uma de suas amantes com meus sachês de chá, para poder se mover para a mulher seguinte com a consciência limpa. Se Joyce Harris fosse uma de suas amantes, ele teria me contado. Ele nunca fez segredo das outras. Além disso, preferia viúvas, e Joyce Harris era claramente casada.

— O que meu marido diria se eu lhe entregasse um bebê indiano? Não preciso nem imaginar o que a sra. Letty diria. E eu não poderia levar um bebê de pele marrom para casa em Surrey. Não há lugar na sociedade inglesa para tal criança. Não há nenhum l-lugar em que meu bebê estaria seguro.

Esperei até que seus soluços diminuíssem.

— Sra. Harris, tenho certeza de que está fazendo o que é melhor para as suas circunstâncias e para... aqueles à sua volta. Mas, de novo, eu preciso alertá-la de que não pode esperar mais. Ferva um sachê de chá por meia hora em um litro de água. Beba uma xícara por hora até terminar. O gosto é amargo. Pode pôr mel para melhorar o sabor. Repita o processo uma segunda vez. Depois de algumas horas, a senhora vai sentir cólicas. Ponha um forro de algodão em sua roupa íntima para absorver o fluxo de sangue quando começar. No estágio da gestação em que a senhora está, seu corpo vai expelir grandes pedaços de tecido também. Vai doer, mas não entre em pânico. Deixe as ervas fazerem seu trabalho.

Joyce Harris fechou os olhos e mais lágrimas caíram. Fiz uma pausa para que ela assimilasse as instruções.

— Vou deixar três sachês com a senhora, mas não devem ser necessários mais que dois. Para ajudar com a dor, pode pôr uma bolsa de água quente sobre a barriga ou molhar toalhas em água quente e aplicá-las em suas partes femininas. Só depois que tiver terminado a senhora deve chamar seu médico. Ele vai achar que foi um aborto espontâneo. Se o chamar cedo demais, ele vai tentar salvar o bebê, o que, acredito, não seja o que a senhora quer.

Dei uma batidinha em seu braço pálido.

— Funciona quase sempre, mas não há garantia. Se estiver perdendo muito sangue, a senhora deve chamar o médico imediatamente. Vou alertá-la mais uma vez de que haverá muita dor. — Coloquei um frasquinho sobre a mesa de chá e lhe disse para aplicar essa loção que eu havia preparado para aliviar suas partes femininas, que ficariam muito doloridas depois que o corpo tivesse expelido o feto. — Entendeu tudo que eu lhe disse?

Ela confirmou com a cabeça. Ficamos ali sentadas um pouco mais, em silêncio.

— A senhora tem alguma dúvida?

— Só aquelas que nenhuma de nós pode responder — ela me disse, em uma voz tão baixa que tive que me esforçar para ouvir.

Assim que entrei em meu quarto, Radha levantou-se de um pulo do chão, onde Malik estava recolhendo as pedrinhas do jogo de cinco-marias. Ela correu para as panelas e voltou com um prato de comida, enquanto pegava minha sacola.

— Para você, Jiji.

Algo estava estranho. Meu olhar percorreu o ambiente.

Malik se levantou e guardou as pedrinhas no bolso. Ele olhava para o chão, taciturno, sem me encarar. Radha correu para o jarro de água e voltou com um copo cheio.

Agora eu estava ali parada com um prato de bolinhos assados em uma das mãos e um copo de água na outra, dois rostos ansiosos me observando.

— *Dal baati?** Eu não lhe disse para fazer *laddus*?

Ela me ofereceu um sorriso nervoso.

— Malik disse que *dal baati* é uma especialidade rajastani. Eu tirei as partes queimadas. Experimente, Jiji. — Ela estava ansiosa para agradar.

Eu a ignorei.

— Malik?

Radha deu um passo à frente, como se quisesse protegê-lo.

— Não é culpa dele, Jiji. Ele só estava apagando o fogo. Aí a sra. Iyengar começou a gritar...

Fogo? Sra. Iyengar gritando?

— *Chup-chup!*** — Deixei o prato e o copo sobre minha mesa de trabalho e respirei fundo. — Comece do começo.

Ela me contou que estava fazendo *dal baati* quando seu *chunni* pegou fogo. Malik desceu correndo para ajudar e a sra. Iyengar gritou com ele por poluir sua cozinha.

Malik fez círculos no chão com a ponta do pé.

— Desculpe, Tia Chefe.

Radha franziu a testa e olhou dele para mim.

— Malik não tem nenhum motivo para pedir desculpas. Ele me salvou de me queimar! Aquela velha horrorosa...

Se não fosse por sua insolência, eu poderia ter sido mais compreensiva. Mas sua atitude precisava ser corrigida de imediato, ou iria afetar minha relação com a proprietária.

---

* *Dal baati*: bolas de farinha de trigo assadas, geralmente comidas com *dal* (sopa de lentilhas).

** *Chup-chup*: shhh, silêncio.

Levantei um dedo.

— Aquela velha é a proprietária daqui. — Levantei mais um dedo. — Esta casa é dela, não nossa. Ela tem o direito de nos dizer o que fazer.

— Isso não é justo! Por que a gente não se muda agora para a sua casa nova? E se livra dela?

A veia em minha têmpora começou a pulsar. Eu a pressionei de leve com os dedos, resistindo à vontade de levantar a voz.

— Eu já lhe disse, Radha. Vamos nos mudar para a nossa casa quando estiver pronta. Não antes.

Olhei para Malik.

— Foi assim mesmo que aconteceu?

Ele confirmou.

Pus a mão sobre sua cabeça.

— Obrigada por ter evitado que Radha pusesse fogo na casa.

Ele me deu um sorrisinho sem vontade.

— Quanto a você, Radha, precisa ser mais cuidadosa daqui em diante...

— Mas...

— Especialmente no que se refere à cozinha da sra. Iyengar.

— Jiji...

Estendi a mão para o ombro de Radha para tranquilizá-la. Ela recuou, como se eu fosse bater nela. Era isso que Maa costumava fazer? Ou que Hari fez?

Baixei a mão. Ela evitou me encarar.

Soltei um suspiro. Aplacar a religiosa sra. Iyengar iria me custar bastante. Na última (e única) vez que Malik atravessara sem querer sua cozinha, ela insistira em um *pandit** brâmane para purificá-la. (Muçulmanos como Malik comiam carne; os Iyengar não comiam. Eles teriam protestado mesmo que os Singh tivessem entrado em sua cozinha. Rajaputes também comiam carne.) A primeira purificação me custara quarenta rúpias. Primeiro minha dívida com o construtor, depois Hari. Agora isso.

Prendi a ponta do sári na anágua, preparando-me para uma conversa com a proprietária.

— Vou ver qual será nosso castigo.

Malik correu para a mesa de ervas, pegou dois frascos e os entregou a mim.

— Eu já deixei preparados.

---

* *Pandit*: mestre, sacerdote.

Olhei para os rótulos: um tônico para cabelos e uma loção para a pele. Sorri para ele.

— Muito bem. — Ele sabia tão bem quanto eu que suborno era a maneira de ganhar o coração da proprietária. A sra. Iyengar nos deixara em um impasse: não poderíamos cozinhar os petiscos para as clientes do dia seguinte até que o *pandit* tivesse terminado sua cerimônia de purificação, que levava de uma a três horas. Seria uma longa noite.

Como se tivesse lido meus pensamentos, Malik disse:

— *Pandit-ji* vai vir daqui a uma hora.

Era meia-noite, por fim. Minha hora favorita. A lua estava na janela. Um *koyal** gritou seu canto de amor; as rolas-da-china juntaram-se ao coro. O calor e o pó do dia estavam repousando, como os habitantes de Jaipur. O quarto tinha o perfume dos doces e salgados que havíamos cozinhado (*pakoras*** com folhas de dente-de-leão para a artrite da sra. Patel, *laddus* de amêndoas para as dores de cabeça da sra. Gupta) e das loções que tínhamos preparado (óleo de sândalo fresco para os pés doloridos da sra. Rai).

Malik tinha ido embora horas atrás. Radha estava dormindo na cama. Eu me sentei junto à mesa de ervas com uma pequena *diya* acesa para me dar luz. Abri a caderneta, lambi a ponta do lápis.

Abluções do pandit (ele tinha levado uma hora para purificar a cozinha da sra. Iyengar): *débito.*

Óleos de lavanda e cravo, cúrcuma e açafrão que Malik comprou hoje: débito.

Dinheiro que recebi de Samir por seus sachês de chá: crédito.

Dinheiro pago por Joyce Harris por seus sachês: crédito.

A fatura do construtor: débito.

Pagamento para Hari: débito.

O saldo era negativo. Fechei a caderneta e comecei a tirar os grampos do cabelo. Pensei em quanto tempo levaria para finalizar a união Singh-Sharma. E

---

* *Koyal*: ave da família dos cucos, conhecida por seu belo canto; chamada com frequência de rouxinol da Índia.

** *Pakora*: salgado frito, com frequência recheado com um legume, como cebola ou batata.

se o construtor ia me dar um prazo extra para pagar o que eu lhe devia. Quanto mais Hari exigiria por seu silêncio? Eu realmente precisava do trabalho no palácio, mas quanto teria que esperar para que Parvati falasse com a marani?

Passei os dedos pelos meus cabelos. Saasuji uma vez me disse que há três tipos de karma: o karma acumulado de todas as nossas vidas passadas; o karma que criamos nesta vida; e o karma que armazenamos para brotar em nossas vidas futuras. Eu me perguntei qual karma teria levado ao meu casamento com Hari. E abandonar minha família: seria esse um novo karma que eu havia criado ou um karma de uma vida anterior que brotara nesta?

Em seu sono, Radha gritou, como se estivesse pedindo ajuda com a boca fechada. Corri para a cama antes que ela acordasse a casa inteira.

— Radha. É só um sonho. — Massageei seu ombro.

Mas ela não despertou. Estava encolhida de lado do jeito que um bebê fica dentro do útero. Seus punhos estavam fechados com força sob o queixo. As lágrimas pingavam no travesseiro. Ela parecia tão frágil. Um flash de memória me veio: eu chorando até dormir todas as noites da minha vida de casada com Hari.

Deitei atrás dela e pressionei o peito em suas costas, minha face em sua face, minha perna em sua perna. Enrolei meu corpo no dela até que não houvesse mais nenhum espaço entre nós. Eu tocava a pele das minhas senhoras todos os dias no trabalho, mas estar *tão* perto de outro corpo era uma sensação nova.

— *Shh*. Pronto, pronto. *Shh* — sussurrei.

Com a mão livre, afaguei seu cabelo, ainda perfumado do frangipani daquela manhã.

— *Rundo Rani, burri sayani. Peethi tunda, tunda pani. Lakin kurthi heh munmani* — cantei baixinho junto à borda dos lábios dela, a voz do meu pai me guiando.

Sua respiração se acalmou. Os músculos relaxaram. Ela estava acordada agora. Procurou minha mão e a abraçou junto ao peito. Eu sentia suas costelas subindo, depois descendo a cada respiração.

Enxuguei seu rosto e pescoço com a barra do meu sári.

— Conte para mim. Sobre o sonho, Radha.

Ela fungou.

— Estava escuro. Pitaji estava em um poço. E só tinha eu ali para ele se segurar. As fofoqueiras já tinham ido para casa há muito tempo. Eu estava tentando ajudar nosso pai. Mas ele era tão mais pesado do que eu. — Ela soltou um gritinho aflito. — E eu deixei Pitaji cair. Jiji, eu deixei Pitaji cair. Não consegui segurar. Não consegui. Eu procurei você, mas você não estava lá! — Ela inspirou fundo. — Tantas vezes eu desejei que você viesse me ajudar. Uma vez eu saí de Ajar para encontrar você, mas Mala, nossa vizinha, me viu e me mandou de volta para casa. — Uma nova onda de lágrimas banhou minha mão, a que ela estava segurando. — Quando Maa morreu, eu não contei para ninguém. Por dois dias. Ela ficou ali deitada. Na cama. Eu estava com tanto medo. Não sabia o que ia acontecer comigo. Eu estava tão sozinha. Onde você estava todo esse tempo, Jiji? Por que você nos deixou? Por que deixou *Hari*?

Afrouxei meu abraço. Claro que ela queria saber. Por treze anos, eu havia guardado a resposta para mim mesma.

Engoli em seco e comecei:

— Eu teria morrido se tivesse ficado. Hari teria garantido isso. E eu não podia voltar para Maa e Pitaji. — Ela sabia tão bem quanto eu que, uma vez casada, a mulher era propriedade do marido. Esposas infelizes não podiam simplesmente voltar para a casa dos pais, esperando compaixão. Algumas famílias até mudavam o primeiro nome da nora assim que ela entrava para o seu círculo, como se o seu eu anterior nunca tivesse existido.

Contei a Radha sobre a única coisa boa do meu casamento: a mãe de Hari. Como ela me ensinou a curar mulheres que vinham à sua procura das aldeias vizinhas. Na maior parte, elas reclamavam de problemas de estômago, queimaduras de cozinha, dores de mulher e útero estéril. Não contei a Radha sobre os úteros que elas queriam esvaziar sem o conhecimento do marido.

Contei a ela que Hari me espancava, e sobre o dia em que saí de seu casebre uma tarde e fui para Agra a pé, me escondendo atrás de um arbusto ou em uma vala sempre que via alguém. Levei uma semana. Comia qualquer coisa que conseguisse encontrar pelo caminho, quase sempre à noite, quando ninguém podia me ver, certificando-me de que não houvesse nenhum javali por perto. Eu lhe contei que, na cidade do Taj Mahal, ajudei mulheres mais ou menos como minha sogra fazia. O que deixei de fora foram os detalhes: que a maior parte da minha renda vinha de embrulhar algumas colheres de casca de raiz de algodão moída em bolsinhas de musselina, como minha *saas* havia feito para as mulheres das aldeias, e vendê-las. Não era que eu tivesse vergonha do meu trabalho — se não fosse eu, muitas cortesãs e dançarinas teriam buscado maneiras mais violentas e perigosas de interromper a gravidez: fazendo duchas com detergente, jogando-se de escadas ou furando o feto com uma agulha de tricô. Mas os ouvidos de uma menina de aldeia de treze anos eram muito puros para escutar essas coisas.

Expliquei a ela que foi em Agra que aprendi a pintar com henna. Sorri quando pensei em Hazi e Nasreen me ensinando a pintar o corpo de uma mulher para inflamar o desejo, mas não disse isso a Radha. Contei a ela sobre a oferta que recebi de fazer pinturas de henna por mais dinheiro em Jaipur, e que eu havia abraçado a oportunidade.

— Isso me possibilitou mandar mais dinheiro para casa.

— Mas trabalho de henna é para sudras, não para brâmanes — disse ela. — Pitaji nunca teria permitido que você tocasse os pés de outras pessoas.

Soltei sua mão e deitei de costas na cama.

— Antes isso que ser prostituta, Radha. — Eu queria que aquilo soasse duro, e foi o que aconteceu.

Ficamos em silêncio por um tempo.

— Como Pitaji morreu? — perguntei.

— Ele se afogou. Mas estava doente também. Do estômago.

— Como assim?

— Ele gostava do seu *sharab** — ela murmurou. — E pensava que podia esconder da gente, mas de noite ele nem conseguia andar de tão bêbado. No outro dia, eu tinha que ir para a escola dar aula no lugar dele.

Eu sabia que Pitaji tinha começado a beber mais ou menos na época em que fomos morar em Ajar, mas ele nunca havia ficado tão bêbado a ponto de eu ter que assumir as aulas dele.

— Maa conseguiu perdoá-lo?

Radha virou o rosto para mim.

— Pelo quê?

Naquele momento, ela se pareceu tanto com Maa que era quase como se eu estivesse deitada ao lado da minha mãe na noite em que lhe perguntei onde estavam suas pulseiras de ouro. Eu era só uma criança e, até onde podia me lembrar, ela nunca as tirava, nem quando tomava banho, cozinhava ou dormia. Eu adorava brincar com elas quando estávamos deitadas juntas, daquele jeito. Os olhos de Maa se encheram de lágrimas com minha pergunta, e eu senti medo pela primeira vez na vida.

Acariciei o rosto de Radha.

---

* *Sharab*: álcool.

— Nós não moramos sempre em Ajar. Maa não lhe contou? Viemos de Lucknow. Pitaji estava obcecado com o movimento de independência. Ele faltava ao trabalho para participar das marchas pela liberdade. Discursava contra o domínio britânico nas manifestações. Então, quando o movimento precisou de dinheiro, ele vendeu o ouro de Maa, as joias de seu dote, as pulseiras, colares e brincos de casamento, contra a vontade dela. Maa ficou furiosa. Os britânicos, que administravam o sistema escolar, não aprovavam a luta dele pela liberdade. Então ele foi transferido para Ajar, aquele lugar minúsculo e distante. Eu devia ter uns dez anos. De uma só vez, cortaram seu salário e seu orgulho.

— Mas Pitaji estava certo, não estava? A Índia venceu no fim. — Radha queria acreditar em nosso pai, queria defendê-lo, como eu havia feito.

— Claro que ele estava certo — respondi. Foram pessoas como nosso pai, milhões delas, que deixaram claro para os britânicos que os indianos não aceitariam mais ser reféns em seu próprio país.

Porém eu também entendia por que Maa desaprovava. Tantos indianos tinham sido feridos ou presos por se posicionar contra os britânicos. Ela implorava com nosso pai. Por que ele não podia ficar quieto, só cuidar da família e deixar os outros lutarem? Mas nosso pai era fervoroso em suas crenças; eu o admirava por isso. Ele era comprometido com seus ideais. Infelizmente, ideais elevados tinham um preço.

Depois de esgotar suas economias, ele vendeu o que restava das únicas posses de Maa, o ouro que poderia ter nos salvado da pobreza, que deveria manter Maa segura na viuvez, que poderia ter evitado que eu precisasse me casar aos quinze anos. Em um país em que o ouro de uma mulher era sua segurança contra os imprevistos, a nudez nas orelhas e nos pulsos de Maa era um lembrete constante de que meu pai tinha posto a política na frente da família.

E, assim, fomos forçados a nos mudar para Ajar, onde minha mãe enterrou sua decepção e meu pai enterrou seu orgulho. A independência ainda levaria mais doze anos para acontecer, e, a essa altura, ele já estava falido.

Radha disse:

— Maa nunca falou de você. Nunca disse o seu nome. Eu nem sabia que você existia até as fofoqueiras me contarem que você tinha desaparecido no mesmo ano em que eu nasci. Assim que aprendi a ler, percebi que eram suas as cartas que Maa queimava sempre que chegavam. A única carta sua que eu li foi a que você enviou sobre as passagens de trem para Jaipur. Você não mencionava nada sobre mim na carta. Então eu soube que você também não sabia que eu existia.

Fechei os olhos. *Ah, Maa, como eu devo ter deixado você brava. Seu marido a traiu. Eu a traí. Se ao menos você tivesse aberto aquelas cartas!*

Assim que consegui ganhar o suficiente, comecei a mandar dinheiro em todas as cartas para meus pais, para eles gastarem em suas necessidades. Implorei o perdão deles por ter deixado meu casamento e disse que mandaria buscá-los assim que pudesse. Se o dinheiro havia sido destruído com as cartas, não era surpresa que as roupas de Radha fossem tão gastas quando ela chegou a Jaipur.

Curvei o corpo em volta do dela outra vez, como se estivesse abraçando minha mãe, como eu desejava fazer.

Radha apertou minha mão, me trazendo de volta ao presente, me lembrando de que eu tinha uma irmã viva, respirando ao meu lado. Ela talvez não fosse minha penitência pelo erro que eu havia cometido, mas minha salvação. Eu já não podia corrigir nada com meus pais, não podia mais me ajoelhar diante deles, não podia mais restaurar sua reputação. Mas podia cuidar da minha irmã, guiar Radha para a maturidade, para a vida adulta de mulher. Garantir que ela se tornasse alguém de quem meus pais se orgulhariam... ao contrário de mim.

Radha se mexeu.

— Jiji, você se lembra de Munchi-*ji*?

Eu me lembrava do velho em Ajar, curvado sobre uma minúscula folha seca, pintando uma *gopi** e uma vaca não maiores que meu polegar, fazendo bolinhas no sári da menina com seu pincel de pelo de camelo. Era para ele que eu corria quando meus pais brigavam por causa de dinheiro. Eu escapava dos silêncios amargos da minha mãe e da bebedeira do meu pai me distraindo com as pinturas. O velho Munchi me ensinou a ver, a realmente notar cada detalhe do que eu ia pintar antes de me entregar o pincel. Foi essa prática que tornou fácil para mim pegar um palito de henna anos mais tarde e pintar desenhos gravados intricadamente em minha memória.

— Ele ainda está pintando? — perguntei.

— *Hahn*. Ele sempre disse que você foi a melhor aluna dele.

Eu sorri sem querer.

— Você pintava com ele também?

— Eu não tenho o seu dom, Lakshmi. O que eu fazia era preparar para ele as folhas secas de *peepal*. Eu também triturava as tintas. — Ela olhou

---

* *Gopi*: menina pastora de vacas.

para mim outra vez, com um sorriso travesso nos lábios. — Você sabe o que a gente consegue quando dá folhas de mangueira para uma vaca comer, depois mistura as folhas mascadas pela vaca com urina e argila?

— O quê?

— Tinta laranja! — Ela sorriu. — Munchi-*ji* dizia que a minha tinta era lisa como seda.

— Eu posso lhe ensinar a triturar folhas de henna para fazer minha pasta, se quiser.

— *Accha*.* — Sim. Ela fechou os olhos e bocejou ruidosamente.

— Você deve cobrir a boca quando bocejar, Radha.

Seus olhos se voltaram para cima, timidamente, para encontrar os meus, seus lábios se curvando.

— Número vinte?

Sempre tive sono leve, então, quando ouvi o som da maçaneta da porta, já estava imediatamente acordada e fora da cama. Ainda estava escuro lá fora. Radha dormia profundamente. Samir entrou afobado, e meu primeiro pensamento foi que ele havia bebido demais no clube e perdido a noção... até que notei a mulher em seus braços. Ela estava enrolada em uma colcha. Olhos fechados, gemendo baixinho. O amigo de Samir, dr. Kumar, estava junto. Quando pulei da cama, olhei para o relógio na parede. Eram duas horas da manhã. Eu os pus logo para dentro, antes que a sra. Iyengar acordasse.

Acendi a luz e vi que a expressão de Samir era sombria.

— Algo deu errado com a sra. Harris — ele sussurrou. — Kumar tem algumas perguntas para fazer a você. — Então seu olhar percorreu o quarto até que ele viu minha cama, onde Radha estava apoiada em um cotovelo, esfregando os olhos.

Corri para ela.

— Radha, por favor, levante.

Ela saiu depressa, seus olhos se arregalando quando Samir colocou a mulher cuidadosamente na cama, no lençol onde ela e eu dormíamos. Nesse movimento, a colcha se abriu e eu vi o sangue coagulado brilhando sob a luz fraca da lâmpada no teto. As pálpebras de Joyce Harris, avermelhadas e com veias azuis,

---

* *Accha*: está bem; certo.

tremiam, e seus joelhos subiram em direção ao corpo. Ela estava apertando a barriga. Seus dentes rangiam tão alto que era uma surpresa a sra. Iyengar ainda não estar batendo em minha porta e me dizendo para fazer silêncio.

— Por que você a trouxe...

— Não há tempo. Kumar vai explicar.

Notei a maleta preta do médico. Ele tirou um estetoscópio.

Samir segurou minhas mãos.

— Obrigado, Lakshmi. Por favor, faça o que o dr. Kumar disser — ele pediu. E então foi embora, fechando a porta silenciosamente ao sair. Toda a conversa não tinha levado um minuto. O ar no quarto estava abafado, espesso com os gemidos da mulher inglesa.

O dr. Kumar, cujo olhar ainda não havia encontrado um lugar para pousar, manteve a voz baixa.

— Ela tomou alguma coisa. Eu preciso saber o que ela tomou e quanto.

— Eu não entendo...

— O que há para entender? — Ele franziu a testa. — Ela tomou alguma erva perigosa para matar o bebê e vai morrer se eu não souber o que foi.

— Mas eu só... — Senti as faces corarem. — Samir não lhe explicou que eu...

— A senhora não sabe como é arriscado abortar um bebê aos cinco meses? — Seus olhos cinzentos fuzilavam.

— Cinco meses? — Minha boca se abriu sem que eu pudesse controlar.

Kumar confirmou com a cabeça e colocou o estetoscópio na barriga da sra. Harris. Ela gritou.

— Estou escutando os batimentos cardíacos do bebê, portanto ele está pelo menos com dezoito semanas. Mas os batimentos estão fracos. A mulher perdeu muito sangue. Ela precisa de uma transfusão. Samir está fazendo contatos para conseguir levá-la a um hospital particular. — Enquanto ele falava, seu olhar se alternava entre Joyce Harris e mim. — Não acho que o bebê vá sobreviver. — Ele baixou os olhos para minhas mãos, que estavam apertadas na frente do sári.

Por fim, removeu o estetoscópio.

— O que a senhora deu a ela? — Suas palavras eram controladas, como se ele estivesse tentando conter a raiva.

Com um esforço, desviei o olhar da mulher que se contorcia na cama.

— Eu lhe dei casca de raiz de algodão em forma de chá. Se ela tivesse seguido minhas instruções, deveria ter fervido um sachê de chá em um litro de água quente e tomado um pouco a cada hora até terminar. Depois repetir o processo.

Isso costuma ser suficiente para expelir totalmente. Mas deixei um sachê extra com ela, só por precaução.

O dr. Kumar pôs dois dedos no pulso da mulher e conferiu em seu relógio.

— A pulsação dela está muito fraca. Ela pode ter tomado as três doses de uma vez, ou misturado menos água para deixar mais forte.

— Mas ela jurou que não estava com mais de *quatro* meses. Eu perguntei duas vezes e disse que era perigoso se estivesse mais avançada. Eu não tinha motivo para não acreditar nela.

Ele me encarou. Estaria pensando que eu estava mentindo?

— Eu nunca dei essa erva para nenhuma mulher que estivesse com mais de quatro meses de gravidez. Ou a sra. Harris não sabia, ou estava desesperada e mentiu para mim.

Eu o observei encharcar um chumaço de algodão com álcool e esfregá-lo na dobra do braço dela.

— Como o senhor e Samir... a encontraram?

Ele tirou um frasco e uma seringa de sua maleta.

— Um amigo dela telefonou para Samir no clube, onde estávamos jantando. Disse que ela precisava de ajuda. — Ele deu umas batidinhas no braço da inglesa para fazer saltar uma veia e inseriu a agulha. Joyce Harris se encolheu. — Nós fomos buscá-la. O marido e a sogra dela foram para Jodhpur hoje, então não havia mais ninguém em casa. Segure aqui.

Pressionei o algodão firmemente no braço da mulher. O dr. Kumar fechou a seringa e tornou a guardar seu equipamento na maleta. Depois pegou o pulso dela e ficou um longo tempo olhando para o relógio. Seus dedos eram longos, as unhas imaculadas. Ele pousou o braço dela de novo sobre a colcha.

— Eu lhe dei um pouquinho de morfina para a dor... mas preciso que ela se mantenha consciente. A morfina não deve interferir no que a senhora deu a ela. Vamos precisar de antibióticos para combater a infecção. — Os olhos cautelosos do dr. Kumar examinaram minhas mãos, meu rosto, meus cabelos. Notei fios prateados entre seus cachos escuros, uma sarda sobre o lábio superior. — Realmente acredita, sra. Shastri, que pode curar os... problemas... de uma mulher... com *ervas*?

— Quando a mulher não tem outras opções, sim.

— Esta mulher teria opções.

— Ela não pensava assim.

— Como é possível? Ela é inglesa. Tem todas as opções do mundo. Um hospital para brancos, para começar.

— E se o pai do bebê for indiano?

As sobrancelhas finas do médico se levantaram e ele olhou para sua paciente com renovada curiosidade.

— Então Samir não lhe contou?

Pelo canto do olho, vi Radha se mover. Foi só naquele momento que me lembrei de que ela ainda estava no quarto. Tinha ouvido tudo. Dei uma olhada rápida para ela enquanto respondia ao médico.

— A sra. Harris não sabe se o bebê é de seu marido. — *Por favor, Radha, tente entender.*

Radha cobriu a boca com a mão.

O médico levantou as sobrancelhas finas outra vez.

— De qualquer modo, com ervas é arriscado. Até onde sabemos, a senhora pode ter lhe dado veneno.

Apertei os lábios com indignação.

— Eu não fiz isso, dr. Kumar. Eu lhe dei uma erva que torna o útero liso. Dentro de seis a oito horas, o material fetal deslizaria para fora com o tecido de nutrição que a mãe estava criando para o bebê. — Aos meus próprios ouvidos, minhas palavras soaram defensivas.

— E como exatamente a sua erva torna o útero liso, conforme as suas palavras?

— Ela faz o corpo da mulher parar de produzir uma substância que ajuda a manter o óvulo preso ao útero.

Ele me estudou por um longo momento.

— Progesterona — disse. — A substância de que está falando se chama progesterona. — O médico checou novamente o pulso da paciente. — Alguma mulher já teve efeitos adversos com sua erva?

— Nunca.

O dr. Kumar abriu a boca como se fosse fazer outra pergunta, mas foi interrompido por uma batida forte na porta, que assustou a todos. Joyce Harris soltou um gritinho e, pelo mais breve dos segundos, seu olhar percorreu o quarto com um sobressalto, antes que ela voltasse ao seu delírio silencioso. O médico e eu nos entreolhamos.

O sussurro alto da sra. Iyengar pôde ser ouvido do outro lado da porta.

— *Kya ho gya?** Sra. Shastri, o que é todo esse barulho e movimento aí?

Rapidamente, Radha deitou na cama ao lado da inglesa e puxou a colcha sobre ambas, escondendo a sra. Harris de vista.

---

* *Kya ho gya?*: O que aconteceu?

— São duas horas da manhã! — A sra. Iyengar começou a abrir a porta. Corri para bloquear sua entrada.

— Desculpe, *Ji*. Minha irmã... não está se sentindo bem.

A sra. Iyengar esticou o pescoço para olhar atrás de mim. Radha soltou um gemido, fingindo dor, para encobrir os lamentos fracos da mulher.

— Eu chamei o médico, sra. Iyengar. — Indiquei o dr. Kumar com os olhos.

— Desculpe por tê-la acordado.

Joyce Harris começou a murmurar, e Radha gemeu mais alto. O dr. Kumar pegou o pulso da minha irmã e pressionou-o com o polegar enquanto olhava para o relógio.

— Ela precisa de repouso, sra. Shastri — disse ele, como se estivesse irritado com a intromissão da proprietária.

Radha fechou os olhos e chamou:

— Jiji.

— Talvez ela tenha comido alguma coisa...

— Preciso cuidar dela, sra. Iyengar... — Eu me movi para fechar a porta.

Mas a proprietária não queria ir embora.

— Amargo e salgado no inverno, meu marido sempre diz, doce e neutro no verão...

— Sim, sim, muito obrigada. Vou seguir seu conselho com as recomendações do médico. Desculpe mesmo por tê-la acordado.

Fechei a porta com firmeza e apoiei as costas ali. Olhei para Radha com espanto. Como ela soube o que fazer? Suas ações tinham sido rápidas e *inteligentes*.

A sra. Harris choramingava agora. Radha saiu da cama e arrumou a colcha em volta da mulher.

O médico estava me observando com ar cauteloso.

Eu me afastei da porta e prendi o cabelo em um coque.

— Radha, colha o pólen das flores de camomila.

— Chega de ervas, sra. Shastri. — A voz do dr. Kumar parecia cansada.

— Ela confiou em mim para ajudá-la, dr. Kumar. — Fui até a mesa de ervas.

— Radha, depressa! — falei, para despertá-la de seu torpor.

Radha veio na mesma hora até a mesa e começou a separar as pétalas e os talos de camomila dos férteis centros de pólen, que ia passando para mim. Eu os triturei no almofariz com duas folhas de hortelã e algumas gotas de água. Enquanto preparava a pasta, um aroma doce e acentuado, frutado e floral, encheu o pequeno quarto.

— Umedeça um pano — pedi a Radha.

Ela obedeceu. Coloquei a pasta no meio do tecido, dobrei-o e amarrei as duas pontas para fazer um cataplasma.

Sentei-me do outro lado do dr. Kumar na cama estreita e enxuguei delicadamente a testa febril da mulher com o cataplasma. Por um segundo, seus olhos se abriram e vi um relance de reconhecimento antes que ela os fechasse outra vez.

— Respire, sra. Harris — eu lhe disse. — Vai ficar tudo bem. Respire. — Como o encantamento de um sacerdote ou a súplica de um frequentador do templo de Ganesh, repeti o mantra continuamente, até sua testa relaxar.

Abaixei a colcha. As mãos da inglesa ainda estavam apertando a barriga. Pressionei um ponto logo abaixo de seu pulso suado, até que os dedos dela se abriram e relaxaram. Então coloquei o cataplasma sobre a barriga. Depois de um minuto, seus membros pararam de se contorcer. A respiração dela ficou mais regular.

O dr. Kumar só olhava, incrédulo.

— Isso puxa a infecção — eu disse, entregando-lhe o cataplasma.

— Está quente. — Ele o segurou com cuidado, como se lhe queimasse os dedos.

Sorri.

— Minha *saas* me ensinou a fazer.

A trava da porta fez um ruído. Nós nos viramos e vimos Samir vindo apressado até nós. Ele levantou a paciente da cama.

— Vamos levá-la ao hospital particular de Gola. Lembra dele da escola, Kumar?

O dr. Kumar confirmou.

— Ela está melhor?

— Está com menos dor. Mas vai perder o bebê. — O médico olhou para mim quando disse isso. Parecia resignado; não estava me acusando. Ele pegou sua maleta preta.

— Não há o que fazer. — Samir já estava indo para fora. Ele parecia ansioso para cortar o assunto. — Vamos, Kumar!

Eu os acompanhei até a porta.

— Vocês me dão notícias dela?

— Mandarei notícias daqui a alguns dias — Samir sussurrou, enquanto carregava Joyce Harris escada abaixo.

O dr. Kumar examinou o quarto, seu olhar pousando em vários objetos antes de parar em mim. Inclinou a cabeça para o lado em despedida e foi embora.

Fechei a porta e apoiei a testa ali. O silêncio no quarto era tão ruidoso quanto cigarras em um dia quente de verão. Esperei pelas perguntas de Radha.

Depois de um tempo, ela disse:

— Essa mulher, a *angrej*, ela *queria* perder o bebê?

— Sim.

— E você a ajudou?

— Sim. — Meus ombros se curvaram em desânimo. Eu não planejara ter que contar a ela por alguns anos. Como tinha sido ingênua.

— Mas antes você disse que era com a henna que ganhava dinheiro...

Apertei os lábios e desviei o olhar.

Radha franziu a testa, refletindo.

— A pedinte que vimos ontem. Com o bebê. Você disse que ela não devia ter mais filhos, porque não tinha como alimentar todos eles.

— Sim.

— Mas hoje... a mulher *angrej*. Ela deve ser rica.

— As mulheres têm suas razões para precisar fazer coisas difíceis. — Apertei os lábios de novo. — Eu não pergunto por quê. Não preciso saber.

Ela olhou para a cama.

— Como elas encontram você?

Encolhi os ombros.

— Eu sou conhecida.

— E esses homens? Quem são?

— Samir Singh é um amigo. Eu o conheço há muito tempo. O outro, o dr. Kumar... Tudo que sei é que ele é um velho amigo de Samir.

Outra pausa.

— Malik sabe?

Fiz um movimento mínimo com a cabeça. *Sim.*

— Só mais uma pergunta, Radha. Depois precisamos começar a limpar tudo isto.

— Por quê?

— Porque você vai ter que me dar mais tempo para explicar as coisas. É complicado.

— Não, eu quero dizer por que você faz isso? Por que ajuda mulheres a se livrar de bebês?

Radha tinha visto e ouvido tantas coisas naquela noite que eram novas para ela. Eu sabia disso pelo tremor em suas pernas, pelo modo como seus olhos não conseguiam se desviar da mancha de sangue na cama.

Como eu poderia explicar homens que batiam na porta no meio da noite? Ou mulheres que tinham amantes fora do casamento?

Lembrei do que minha sogra disse quando me ensinou a fazer sachês contraceptivos. Eu tinha quinze anos, recém-casada, morando em sua casa. "Como eu posso dizer não a essas mulheres, *bheti*?", ela me disse. "A terra delas é seca. Seus celeiros estão comprometidos com os impostos para o *zamindar*.* Elas não conseguem alimentar os pequenos à sua espera em casa. Não têm mais ninguém a quem recorrer."

Minha irmã tinha apenas treze anos. Explicações simples não seriam suficientes. Mas eu estava exausta demais para encontrar as palavras certas, para ajudá-la a entender.

No fim, repeti as palavras da minha *saas*.

— Elas não têm mais ninguém a quem recorrer.

Depois de um minuto inteiro de silêncio, cada uma de nós perdida em pensamentos, eu disse com suavidade:

— Vamos para o terraço lavar as coisas. — Tirei o lençol manchado da cama. O sangue de Joyce Harris havia atravessado para a juta embaixo. Eu teria que esfregá-la com uma mistura de *ghee* e cinzas. — Radha?

Ela levantou os olhos do *charpoy*** sujo. Parecia perturbada.

— Você agiu bem hoje. Mas precisamos guardar isso só para nós, *accha*?

Eu detestava ter que pedir isso a ela, mas manter esse segredo era importante demais para minha subsistência. Uma palavra sobre o infortúnio da sra. Harris colocaria um ponto-final em meu negócio.

A princípio, achei que Radha fosse discutir comigo. Então, tão baixinho que eu quase não ouvi, ela concordou.

— *Hahn-ji*.

---

* *Zamindar*: proprietário de terras nas quais trabalham agricultores arrendatários.
** *Charpoy*: cama indiana tradicional tecida com corda ou rede.

Quatro

17 de novembro de 1955

No dia seguinte, acordei Radha ao amanhecer, embora nenhuma de nós tivesse dormido muito, ou bem. Mostrei a ela como triturar a henna e, para minha surpresa, ela produziu uma pasta de henna mais fina do que eu já havia conseguido. Aparentemente, o velho Munchi não havia exagerado. Minha irmã até sugeriu acrescentar mais suco de limão para tornar a cor mais forte. Quando a elogiei, ela pareceu alarmada, como se não estivesse acostumada a elogios.

Eu não poderia matriculá-la na escola até janeiro, então a levava comigo e Malik para meus compromissos de henna.

Meu primeiro horário no dia era com Kanta, uma das poucas clientes que me tratavam como igual. Talvez porque eu fosse um pouco mais velha que ela — Kanta tinha acabado de fazer vinte e seis anos. Talvez porque, como eu, ela não fosse natural de Jaipur. Fora criada em Calcutá e educada na Inglaterra. Ou talvez porque ela também não tivesse filhos, embora quisesse mais que tudo ser mãe.

Kanta vinha de uma longa linhagem de poetas e escritores bengalis; seu pai e seu avô passavam o tempo compondo sonetos e organizando saraus literários.

— A única coisa que as mulheres de Jaipur leem é a *Reader's Digest* — ela reclamara certa vez.

Agora, antes mesmo de eu pôr os pés em sua varanda, a própria Kanta abriu a porta, afastando para o lado o criado de setenta anos, Baju. Ele endireitou seu turbante Marwari e passou os dedos pelo longo bigode.

— Ora essa, madame!

Ela estava vibrando de ansiedade.

— Lakshmi! Não aguento mais esperar para saber o que aconteceu na casa de Parvati. Baju, não fique aí parado! Leve Malik para a cozinha e lhe dê algo para comer. — Por fim, ela notou Radha parada atrás de mim. Olhando dos meus olhos para os dela, exclamou: — *Arré!* Estou vendo duplicado?

Apresentei Kanta à minha irmã, dizendo que Radha tinha vindo a Jaipur para estudar na escola pública. Dei uma olhada rápida para Radha para ver como ela reagiria à explicação. Não precisava ter me preocupado. Ela estava olhando fascinada para Kanta. Examinava os cabelos cortados na altura dos ombros, a calça capri justa, a blusa sem mangas amarrada sobre a barriga exposta. (Mulheres tradicionais, como Parvati, que cobriam o corpo roliço sedutoramente com sáris, prefeririam entrar para um bordel a mostrar a barriga nua.)

Kanta abriu os lábios pintados em um largo sorriso para Radha.

— Eu aprovo fortemente que mulheres estudem! — A família brâmane de Kanta valorizava suas filhas, jamais as criando como um gênero inferior. Eles a enviaram à Inglaterra para os estudos universitários.

Enquanto Kanta nos conduzia ao seu quarto, fiquei de olho em Radha, que absorvia tudo em volta como uma gazela sedenta. O bangalô arejado, com seus sofás de linhas retas e pisos nus, nenhum quadro de rajá ou rani ou de deuses e deusas nas paredes, talvez fosse comum em Calcutá ou Bombaim, mas não em Jaipur.

Radha reduziu o passo para examinar as fotos emolduradas nas paredes: uma grande de Gandhi-*ji*; Kanta e seu marido, Manu, na frente do prédio da faculdade; uma de Rabindranath Tagore, parente distante de Kanta e uma das mais importantes figuras literárias da Índia.

Quando Radha chegou à foto de dois homens de pé lado a lado, um deles com um esplêndido turbante, bateu no meu ombro. Parei para olhar.

Kanta, que estava nos observando, disse:

— Esse é Manu, à esquerda. E seu chefe, o marajá de Jaipur. Bonitos, não é? — Ela riu alegremente, continuando a andar para o quarto.

O marido de Kanta trabalhava para o palácio como diretor de manutenção. Era por causa de sua posição elevada que os Agarwal viviam sem pagar aluguel em um dos belos imóveis coloniais que haviam sido, anteriormente, residência de uma família inglesa. A casa original de seis quartos fora dividida em duas moradias para acomodar duas famílias.

Assim que entramos em seu quarto, Kanta perguntou:

— E então, Lakshmi? O desejo de Manu vai se realizar? — Ela estava fechando a porta enquanto dizia isso, mas sua sogra empurrou a porta pelo outro lado e invadiu o quarto.

— Sim, Lakshmi, o desejo de Manu por um filho homem vai se realizar? — E lançou um olhar contundente para Kanta. Era costume mães viúvas morarem com o filho mais velho e, como Manu era o primogênito, sua mãe morava com eles. Kanta olhou para mim com desalento sobre a cabeça da *saas*.

Eu sorri.

— Estou trabalhando nisso.

A mulher apontou seu rosário de sândalo para a barriga da nora.

— Se houver um bebê aí dentro, ele vai ter medo de sair. Olhe só para ela. Ela não cobre a cabeça quando pessoas mais velhas entram no aposento. Deixa homens estranhos verem suas nádegas em calças compridas. Se meu marido ainda estivesse vivo...

— Ele teria escolhido uma moça que Manu teria rejeitado — Kanta provocou, sorrindo.

Manu e Kanta tinham se conhecido quando eram estudantes em Cambridge. O casamento tinha sido por amor, para desgosto de sua *saas*. Kanta sempre brincava que, inspirados pela atmosfera ocidental mais livre da Inglaterra, eles haviam começado pelas mãos dadas, passaram para os muitos beijos roubados e, se não tivessem se casado, não teriam parado aí.

Sua sogra bufou, acomodou a si própria e seu volumoso sári de musselina branca no divã do quarto e disse para ninguém em particular:

— Kanta vai me levar para a pira funerária sem os netos a que eu tenho direito.

Kanta pareceu magoada. Eu estava acostumada com as provocações afetuosas entre elas, mas, hoje, as palavras de sua sogra tinham um tom mais corrosivo. Eu sabia que a velha senhora sentia a competição entre suas conhecidas, avós duas, três vezes. A maioria das esposas já tinha vários filhos com a idade de Kanta. Eu também sentia a pressão — até o momento, todos os meus remédios de ervas para ajudar Kanta a engravidar tinham terminado em aborto espontâneo.

— Parem com isso as duas — eu as repreendi gentilmente. — Saasuji, quando vir o meu desenho, a senhora vai sentir que o bebê já está aqui. E, para eu ter sucesso, preciso de paz e silêncio.

A sogra pôs uma das mãos em cada joelho e se levantou.

— Baju! Onde está meu leitelho? — gritou para o criado no caminho para fora do quarto. — Esse velho é mais lento que um elefante morto. O dia todo ele rouba nosso *ghee* e come nosso *chapatti*.

Quando a porta se fechou, eu me virei para Kanta com uma risadinha, mas ela estava olhando para o teto, tentando afastar as lágrimas dos olhos.

— Ela está em cima de mim dia e noite por causa dos netos.

Segurei as mãos de Kanta e a conduzi para o divã. Sentando-me ao lado dela, usei a ponta do meu sári para enxugar seus olhos.

Ela se virou para mim com um olhar atormentado.

— É que... nós já tentamos e tentamos... — Seu desespero era palpável.

Eu me entristeci por minha amiga.

— Você e Manu passaram os últimos cinco anos se conhecendo. Você sabe se ele gosta mais de *chapatti* que de arroz. Se prefere poesia a prosa. Se gosta de goma em seus *kurtas*. E isso é tão importante, porque, quando os filhos vierem, você vai estar muito ocupada perguntando a ele *"Arré, arra-garra-nathu-kara!* Manu, seu *char-so-beece*! Onde você escondeu minhas formas de menina?"* — elevei a voz, em uma imitação das mulheres de aldeia vendendo melão-de-são--caetano no mercado.

Kanta mordeu o lábio inferior e começou a rir. Ela olhou para Radha, que também estava rindo.

Eu estava pronta para começar. Pedi a Kanta para se deitar no divã e baixar a cintura da calça capri. Íamos cobrir sua barriga com henna, e ela teria que ficar imóvel. Espalhei um pouco de óleo de cravo em minhas mãos.

— Radha, por que você não lê para Kanta enquanto eu trabalho?

— Esplêndido! — disse Kanta, recuperando o bom humor. — Radha, escolha um livro na minha cabeceira.

O rosto de Radha se iluminou. Ela me contara na noite anterior que tinha lido e relido todos os livros de Pitaji que os ratos não haviam roído: Dickens, Austen, Hardy, Narayan, Tagore, Shakespeare. (Eu também me lembrava desses livros com carinho.) Quando Pitaji morreu, ela disse que começou a ensinar o alfabeto e matemática para as crianças da aldeia, para que ela e Maa pudessem continuar morando na casa. Claro que, depois que Maa se foi, os habitantes da aldeia não deixariam uma menina morar na casa do professor da escola sozinha.

Observei minha irmã examinar os livros na mesa de cabeceira de Kanta.

— *Jane Eyre. Bhagavad Gita. O amante de Lady Chatterley?* — Quando leu o último título, Radha olhou para nós, corada.

Kanta riu da expressão no rosto dela.

— Se você ainda não tiver lido *Jane Eyre*, vamos começar por esse. Eu li alguns anos atrás. Adoro como a menina órfã acaba conseguindo tudo o que quer no fim.

Esfreguei o óleo de cravo na barriga de Kanta enquanto Radha começava. Hesitante a princípio, ela ganhou confiança conforme ia lendo em voz alta. As palavras mais difíceis lhe deram um pouco de trabalho, mas seu domínio do inglês era excelente.

— "Não havia nenhuma possibilidade de sair para caminhar naquele dia. Na verdade, havíamos passeado entre os arbustos desfolhados por uma hora de manhã; mas, desde o jantar..."

Comecei a pintar com a henna. Com um palito de bambu fino, desenhei um grande círculo em volta do umbigo de Kanta. Em seguida, pintei seis linhas do umbigo até as bordas do círculo, como os eixos de uma roda. Em cada um dos triângulos resultantes, desenhei um bebê comendo, um bebê dormindo. Lendo. Brincando com uma bola. Calçando um sapato. Chorando.

Enquanto Radha lia sobre o isolamento de Jane Eyre, pensei na solidão de Kanta. Jaipur não era tão cosmopolita quanto Calcutá, Bombaim ou Nova Delhi. As ideias aqui eram muito mais tradicionais, as pessoas mais entrincheiradas na velha Índia, menos afeitas a mudanças. Ela se sentia isolada das minhas senhoras e ansiava por amizades. A maternidade, ela achava, seria sua entrada em um mundo de conversas aconchegantes, intimidades compartilhadas. Ela acreditava que eu poderia ajudá-la a chegar lá. E era horrível para mim decepcioná-la. Eu sempre testava receitas diferentes de petiscos que pudessem ajudar a fortalecer os óvulos em seu útero. Hoje, havia trazido *burfi*, adoçado com inhame e coberto com sementes de gergelim. Não a deixei se sentar para o chá; alimentei-a deitada mesmo, para que a henna pudesse secar corretamente. Durante todo o tempo, Radha continuava lendo em voz alta, dando inflexões de emoção e dramaticidade à voz. Onde ela havia aprendido a fazer isso?

Quando chegou a hora, esfreguei as mãos vigorosamente com óleo de gerânio e massageei a barriga de Kanta para remover a henna seca. Depois que terminei, ela saiu do divã e foi até as portas com espelhos de seu *almirah*. Virou para a esquerda e para a direita para admirar o desenho, pondo as mãos em volta de sua barriga plana.

— Ah, Lakshmi! Meu próprio bebezinho. Seis deles! Mal posso esperar para mostrar a Manu! — Ela se virou para mim. — Mas por que um está chorando?

Encolhi os ombros.

— Na vida real, bebês choram.

Havia travessura nos olhos de Kanta.

— Só se tiverem minha *saas* como avó.

Seu olhar pousou em Radha.

— Fique à vontade para pegar meus livros emprestados quando quiser. Você lê lindamente. Mas tenha cuidado quando minha *saas* estiver por perto. Sempre deixe *O amante de Lady Chatterley* embaixo na pilha e o *Bhagavad Gita* no alto!

Radha parecia mais feliz do que eu a tinha visto desde que chegara a Jaipur.

Kanta pôs um dedo sobre o lábio.

— Lakshmi, você já levou Radha ao Minerva?

Hesitei em dizer a ela que não fazia a menor ideia se Radha já tinha ido ao cinema alguma vez na vida.

Interpretando equivocadamente meu silêncio, Kanta riu.

— Tudo bem, Lakshmi. É por minha conta. Tem um filme da Marilyn Monroe que estou louca para ver. Posso levar Radha.

A sugestão me deu um frio no estômago. Minhas senhoras se preocupavam com a influência desses filmes — e do comportamento dos homens nos cinemas — sobre suas filhas impressionáveis. Os indianos adoravam o cinema, e a visão de estrelas americanas como Elizabeth Taylor e Marilyn Monroe usando saias justas deixava os condutores de riquixás e *charannas**tão entusiasmados que eles jogavam moedas na tela. (Em algum momento, o gerente sempre aparecia para repreendê-los.)

— Seria prudente expor Radha a... a... — Senti as faces esquentarem. Eu estava parecendo minhas clientes matronas!

— A mulheres ocidentais? São assustadoras, não são? — A risada de Kanta fez minhas palavras parecerem moralistas. Eu estava sendo superprotetora. Se Radha ia morar em uma cidade grande, *precisava* experimentá-la. Não faria

---

* *Charanna*: alguém que ganha quatro *annas*, moeda equivalente ao pêni.

nenhum bem resguardá-la em excesso. E quem melhor do que Kanta, tão cosmopolita e sofisticada, para orientá-la? Além do mais, era só um filme!

Batendo palmas, Kanta sorriu para Radha.

— Ah, nós vamos nos divertir tanto! — Ela levantou as sobrancelhas para mim. — Você fez muito mal em não me contar que tinha uma irmã. Olhe só esses olhos! Os homens vão se derreter por ela.

Eu sorri, incomodada. Era agradável para mim que a beleza da minha irmã não tivesse passado despercebida a uma das minhas clientes favoritas. Mas eu me preocupava. Como seria se a curiosidade dela não fosse controlada? Sua impulsividade? Sacudi a cabeça; eu estava sendo muito vitoriana.

Fora da casa de Kanta, anotei algumas linhas em minha caderneta. Radha se recostou em um pilar na varanda. Estávamos esperando Malik voltar com um riquixá.

— Tia Kanta está triste.

— Humm.

— Por que ela não consegue ter bebês?

— Não sei, Radha. Seus sangramentos sempre foram irregulares. Ela talvez não consiga produzir óvulos suficientes. Sabe o *burfi* que fiz para ela? Espero que o inhame selvagem nele ajude a regular seus ciclos. — Franzi a testa, percebendo como sabia pouco sobre minha própria irmã. — Suas menstruações já começaram?

Suas faces enrubesceram e ela baixou a cabeça.

— Há dois meses. Pouco antes de virmos para Jaipur.

— Bom, isso significa que você é uma mulher agora. Você pode... ter bebês. — Parei, sem saber bem como explicar. — Você precisa ter cuidado com os homens no cinema. E em ônibus. E não ande pela rua a menos que Malik ou eu estejamos com você.

Seus olhos brilharam, confusos.

Havia provavelmente mil outras coisas sobre as quais eu precisava alertá-la, mas esse era um território novo para mim. Quando seria o momento certo para lhe falar sobre o que maridos fazem na cama? Minha hesitação me surpreendeu. Mulheres me contavam intimidades o dia todo; por que me constrangia falar com minha irmã sobre sexo?

Mas a mente de Radha parecia estar em outra parte.

— Por que a Tia Kanta estava tão ansiosa quando chegamos à casa dela?

Guardei a caderneta na anágua.

— Ah. O marajá de Jaipur vai converter um de seus palácios em um hotel. Ele quer que Samir Singh projete a reforma. Mas o sr. Sharma, que é o empreiteiro oficial do palácio, escolheu outro arquiteto. Então o marido de Kanta quer encontrar uma maneira de fazer o sr. Sharma contratar Samir.

— O marajá não pode contratar quem ele quiser?

— Claro. Mas ele não gosta de mandar nas pessoas. Ele quer que o sr. Sharma pense que foi ideia dele.

— E como *você* pode ajudar?

— Você vai ver. — Eu sorri.

Quando Kanta me confidenciou o problema de Manu, eu soube a resposta na mesma hora. A melhor maneira de unir o destino dos Sharma e dos Singh era por um arranjo de casamento, o que faria da parceria de trabalho uma decorrência. Eu queria esperar até que ambas as partes tivessem concordado com o casamento antes de contar a Kanta.

Viramos ao som do assobio agudo de Malik. Ele estava ao lado da varanda de Kanta, fazendo sinal para descermos. Suas roupas, imaculadas quando saímos de casa pela manhã, estavam respingadas de barro. Havia uma trilha de sangue em um ombro, e a orelha desse mesmo lado estava vermelha e sangrando. Corri para ele enquanto pegava um pano em minha sacola. Radha correu atrás de mim, com os *tiffins* retinindo nas mãos.

— Malik! *Kya ho gya?*

Antes que eu o alcançasse, ele se virou e caminhou depressa para o portão da frente, e nós fomos atrás.

Quando estávamos seguramente fora do alcance dos ouvidos do *chowkidar*, ele disse:

— Aquele construtor *maderchod*!* Eu paguei a ele as duzentas rúpias que você me deu e ele jogou o dinheiro de volta para mim! "Migalha não enche barriga", ele disse. Depois deu um soco na minha orelha e me mandou não voltar lá sem a quantia inteira que devemos. — Ele virou e parou. — Tome. — Malik pôs a mão no bolso e tirou as duzentas rúpias que eu havia lhe dado.

Pressionei o pano na orelha dele, que continuava sangrando. Ele gritou de dor, pegou o pano e o colocou ele próprio em sua cabeça. O tecido ficou rosado instantaneamente. Eu estava consternada.

---

* *Maderchod*: filho da puta.

Não queria que Malik pagasse pelos meus erros. Mas como eu poderia pagar ao construtor os milhares de rúpias que lhe devia? Ainda não havia tido nenhuma notícia de Parvati sobre uma audiência no palácio. Teria que arrumar outro jeito.

— Malik, faça chegar a Samir que eu preciso vê-lo. Mas primeiro, Radha, pegue o óleo de lavanda para a orelha dele.

Depois de cuidar de Malik, pedi que Radha fosse para casa e lavasse as roupas dele. Quando Malik estivesse apresentável outra vez, eles deveriam vir se encontrar comigo para nosso compromisso da tarde na casa da sra. Sharma.

No jardim na frente da residência dos Sharma, Radha, Malik e eu pousamos nossa bagagem. Malik estava com uma camisa limpa e o inchaço em sua orelha tinha cedido.

Tínhamos vindo para fazer uma mandala* no jardim, que geralmente era desenhada pelas mulheres da família usando giz colorido e arroz. Mas Sheela, a mais nova e única filha mulher da sra. Sharma, ia cantar essa noite em uma grande reunião de família e a sra. Sharma queria algo bem mais elaborado. Ela encomendou um desenho semelhante ao meu trabalho com henna. Além de arroz branco, trouxemos sacos de giz turquesa e coral triturado em um pó fino, tijolo vermelho quebrado em fragmentos do tamanho de minúsculos pedregulhos, sementes de mostarda e pétalas secas de cravo-de-defunto.

Estávamos esperando o *walla* da mercearia sair do jardim. Seu camelo mascava placidamente a grama seca enquanto o comerciante tirava latas de biscoitos açucarados e óleo de gergelim da carroça. A sra. Sharma conferiu a entrega antes de assinar o recibo. Quando nos notou, ela desceu os degraus da varanda com seu sári de algodão tecido a mão farfalhando a cada passo. Enquanto Parvati era vaidosa, a sra. Sharma era prática. Ela não via razão para ficar se preocupando com a aparência quando tinha uma grande família para administrar: seus três filhos e os cinco irmãos mais novos do sr. Sharma. Embora ela tivesse condições financeiras de se vestir melhor, seu traje habitual era um sári de *khadi*,** uma ode a Gandhi-*ji*, e um único ponto de rubi e diamante no nariz.

---

* Mandala: forma circular frequentemente desenhada para fins cerimoniais.

** *Khadi*: pano tecido a mão, com frequência de algodão. Depois que os ingleses destruíram as fábricas de tecidos indianas para poderem vender seus tecidos aos indianos, Gandhi incentivou seus compatriotas a boicotar os produtos ingleses produzindo e usando tecido *khadi* para sáris e *dhotis*.

— Lakshmi, se você tiver um pouco de paciência, já vamos tirar essas pessoas do seu caminho. Quero garantir que você tenha tempo suficiente para criar sua mágica antes que os músicos comecem a chegar. — Ela me deu um largo sorriso, que fez levantar a grande pinta em sua face direita. — Tudo tem que estar perfeito para a apresentação de Sheela na *sangeet** esta noite.

— Eu tenho certeza de que Sheela estará maravilhosa, sra. Sharma.

A matriarca riu. Uma mandala saudava as dádivas da deusa Lakshmi.

— Com uma mandala criada por você — disse ela —, podemos saudar o panteão inteiro! — Ela abriu os braços, as pulseiras de casamento em cada pulso gorducho tilintando, o ouro delicado irregular e marcado após trinta anos de uso.

Por fim, a área foi desocupada e Radha e Malik começaram a varrer um espaço de três metros quadrados com *jharus*** de cerdas longas.

Peguei um punhado de arroz em um dos sacos e fui soltando um fluxo contínuo de grãos da minha mão para criar o círculo interno. Um pequeno fogo seria aceso ali à noite. Em volta desse círculo, desenhei uma flor de lótus com oito pétalas enormes. Radha me seguia com os pequeninos seixos vermelhos, preenchendo os contornos.

De repente, ela exclamou:

— *Waa!*

Olhei para ela. Radha estava com os olhos fixos na varanda, onde Sheela Sharma apareceu em um vestido de cetim da cor de um pôr do sol após a chuva. Tinha meias-mangas bufantes, a moda da época, e a cintura era marcada logo abaixo de seus seios em crescimento. Ela parecia a princesa de um reino em miniatura. Tudo que lhe faltava era uma tiara para coroar seus cabelos muito pretos, cacheados nas pontas, no estilo Madhubala. Ela estava linda.

Sorri para ela.

— Soube que você é a estrela da festa de hoje.

Ela jogou os cabelos sobre o ombro.

— É só para a família. Vou me apresentar para um público *real* na festa da sra. Singh, no mês que vem. O marajá também vai estar lá.

Isso queria dizer que Parvati estava levando minha proposta a sério. Ela sabia que sua nora teria que entreter chefes de Estado e decidira testar a postura de Sheela diante da realeza. Eu precisaria fazer minha parte para garantir que

---

* *Sangeet*: evento musical em que todos cantam juntos.

** *Jharu*: vassoura.

a menina atraísse o olhar de Ravi Singh. Era um movimento esperto de Parvati deixar que o filho se apaixonasse por Sheela por conta própria; ela queria escolher a noiva, mas não queria que ele soubesse disso.

Olhei à esquerda para indicar Radha, que estava irrequieta.

— Sheela, esta é minha irmã, Radha. — Inclinei a cabeça para Malik, que estava varrendo perto da borda do jardim. — Acho que você já conhece Malik, não é?

Ele acenou para ela.

Eu me virei para olhar para Sheela, cujo olhar deslizou de Radha para Malik. Radha também olhou para ele. Sheela apertou os lábios e levantou o queixo, examinando-o da cabeça aos pés: seu cabelo áspero, a orelha avermelhada, os pés sujos, seus *chappals** pequenos demais. Ele também olhou para si mesmo para ver o que ela tinha achado ofensivo.

— Lakshmi, eu quero que só você trabalhe na mandala — disse Sheela. Ela estava acostumada a conseguir o que queria.

Eu lhe dei um sorriso indulgente.

— Sem ajuda, Sheela, o desenho vai demorar o dobro do tempo, e eu ainda tenho que fazer a henna de todas as senhoras lá dentro. Queremos que a sua festa seja um grande sucesso, não é mesmo?

Mas Sheela não sorriu. Dando meia-volta elegantemente sobre os saltos de seus sapatos de couro preto envernizado, ela retornou para dentro de casa com um andar zangado. Malik encolheu os ombros para Radha.

Decidi ignorar o mau humor de Sheela. Ela era uma menina mimada, mas governava o coração de sua mãe. Não seria bom para mim fazer dela uma inimiga.

— Radha, as pedrinhas de tijolo, por favor.

— Lakshmi?

Levantei os olhos e vi a sra. Sharma na porta da frente, Sheela atrás dela. Despejei o arroz da minha mão de volta no saco e fui até a varanda.

— Minha filha não se sente à vontade com o menino aqui. Talvez você tenha alguma tarefa para ele cumprir em outro lugar? — A sra. Sharma fez a pergunta em um tom de voz que era, ao mesmo tempo, uma ordem e um pedido de desculpas. Seu olhar percorreu o jardim da frente com agonia. Sobre seu ombro, vi o rosto satisfeito de Sheela Sharma.

— Ele fez alguma coisa, madame?

---

* *Chappals*: chinelos.

— Sheela é... exigente... quanto a quem trabalha em nossa mandala.
Dei uma olhada para a menina.
— Claro.
Desci os degraus novamente e fingi procurar alguma coisa em minha sacola de pano.
— Malik, preciso que você triture mais henna para esta noite e traga aqui para mim. Acho que não misturamos muito bem esta pasta.

Mas Malik estava olhando para minha mentira: duas grandes vasilhas de argila cheias de uma bela pasta de henna embrulhadas em tecido úmido, suficiente para vinte mãos, dentro de uma sacola. Naquela manhã, eu tinha até elogiado a textura lisa da pasta de Radha, na frente de Malik.

Ele olhou para a varanda, para Sheela, que o encarava com ar desafiador. Eu o vi esfregar o polegar no indicador, um gesto que fazia quando estava bravo. Eu não sabia se ela queria Malik fora de lá por ser homem (a mandala era, afinal, uma tarefa de mulheres) ou porque não tinha gostado de sua aparência.

Malik largou sua sacola no chão.

Tirei duas rúpias do cós da anágua.

— Pegue uma *tonga*.

Foi um pequeno consolo. Enfiei o dinheiro no bolso da camisa dele e pus as mãos em seus ombros, até que ele concordou.

Quando eu estava voltando ao círculo, vi Radha mergulhar a mão no saco de pedrinhas de tijolo, depois levar o braço para trás da cabeça. Ela estava mirando as costas de Sheela. *Hai Ram!**

— Radha! — chamei, alto, enquanto me colocava na frente dela para esconder seu gesto. Segurei seu braço, forçando a mão dela de volta para dentro do saco, e a mantive lá. Ela era mais forte do que eu imaginava. Belisquei o lado interno de seu pulso, com força. Ela amoleceu a mão e soltou as pedras.

Eu sentia os olhos de Sheela em minhas costas. Certificando-me de que minha voz chegasse até a varanda, eu disse:

— Lembre-se de não despejar uma quantidade muito grande em cada círculo. A mandala sairá irregular e precisamos que ela seja perfeita para Sheela, certo? — Meus olhos suplicavam para Radha se comportar. — Vamos começar com o giz turquesa.

Minha irmã piscou, olhou fixamente para mim, piscou um pouco mais. Ela baixou o olhar e eu soltei seu braço.

---

* *Hai Ram*: Ah, meu Deus!

Pelo canto do olho, vi Sheela voltar para dentro da casa. Meus joelhos estavam trêmulos e eu me abaixei, de cócoras, para me recompor.

Lambi o suor do lábio superior. Algum dos criados da casa teria visto alguma coisa? Quem saberia o dano que eles poderiam causar!

Minhas mãos tremiam quando peguei um punhado de pó turquesa para preencher o interior da mandala. O que tinha passado pela cabeça de Radha? *Nós* podíamos ser substituídas muito facilmente, mas Sheela sempre seria a princesa deste reino. Eu nunca tive que ensinar isso a Malik; ele entendia instintivamente as nuances de classe e casta. Ele nunca teria comprometido a nossa posição.

Pelo restante da tarde, Radha e eu trabalhamos em silêncio. Eu apontava para um saco e ela o trazia para mim. Eu estava irritada demais com o que ela havia feito para dizer qualquer coisa.

Quanto mais eu me distanciava do círculo central, mais detalhes acrescentava à flor de lótus. Por fim, recuei para inspecionar meu trabalho. No meio de cada pétala havia as coisas associadas à deusa: uma concha, uma coruja, um elefante, moedas de ouro, colares de pérolas. Minhas costas sofreriam no dia seguinte por ficar tanto tempo agachada sobre a mandala, mas a sra. Sharma ficaria satisfeita com o resultado.

Entreguei os sacos vazios a Radha.

— Vá para casa. Peça para Malik ajudar você com os petiscos das senhoras para amanhã.

Ela se foi sem dizer uma palavra.

Limpei o pó das mãos e fui para a cozinha. Precisava me certificar de que os criados não tivessem percebido o que acontecera naquela tarde e ver se eles tinham algo para me contar sobre as perspectivas de casamento de Sheela Sharma.

Vários queimadores estavam em uso, e a fragrância inebriante de cominho, alho e cebola fritando enchia a cozinha. A cozinheira da sra. Sharma, uma mulher larga com mãos grossas, separava a *atta* em pequenas bolinhas que depois enrolaria para fazer a massa da *samosa*.* Uma mulher mais nova estava sentada de pernas cruzadas no chão. Ela segurava uma vasilha de inox em que misturava batatas cozidas com ervilhas e *masala*** para o recheio das *samosas*. A porta dos fundos estava aberta para deixar sair o calor do fogo aceso.

---

* *Samosa*: salgado frito, com frequência recheado de batata, condimentos e ervilhas.

** *Masala*: mistura de temperos da culinária indiana.

Sorri para a cozinheira e lhe pedi água. Ela encheu um copo para mim e voltou ao trabalho. Se alguém na casa tivesse visto Radha tentando jogar pedras em Sheela, a cozinheira teria me avisado.

Levantei o copo e bebi sem encostar os lábios na borda.

— Vai fazer seu famoso *dal* com vagens para a *sangeet* desta noite? — perguntei. A cozinheira dos Sharma era de Bengala. Ela era famosa por temperar suas lentilhas com as flores e os frutos da árvore *sajna*.* Cortava as vagens muito finas e as refogava com sementes de papoula e mostarda antes de acrescentá-las às lentilhas cozidas.

Ela levantou os braços, encolhendo os ombros e abrindo as mãos na direção do teto, com um pedaço de massa grudado em uma delas.

— Quando é que eu não faço o meu *dal, Ji*? Um dia eu tenho que fazer para *estas pessoas*, no dia seguinte para *aquelas*.

— É porque seu talento é muito especial.

— O que eu posso fazer? Nasci com esse dom. — Ela polvilhou um pouco de farinha em uma tábua redonda de madeira e bateu a bola de massa nela. — Nos últimos tempos, todo mundo quer ver a senhorinha. Na semana passada, vieram muitos *Pukkah Sahibs*** aqui. — Ela abriu a massa com um rolo, pressionando para a esquerda, depois para a direita, de novo para a esquerda, até criar um círculo perfeito.

— É mesmo?

— *Hahn-ji*. Os Mariwar. Lal Chandra.

— Mathur *Sahib* e a esposa. — A cozinheira e eu nos viramos para a ajudante, que havia contribuído com essa informação sem tirar os olhos de sua tarefa.

— Você está amassando bem essas batatas? Não quero ver grumos nas *samosas* como da última vez! — A cozinheira fez uma cara brava para a outra mulher, que baixou mais a cabeça para a vasilha.

Disfarcei um sorriso.

— Parece que ouvi um rumor sobre os Prashad também.

— Eles vêm na próxima semana. — A cozinheira enxugou a pele suada sobre o lábio superior com a ponta do sári. — E eu sou só uma. — Ela fez um sinal com a cabeça na direção da ajudante. — Essa aí, eu tenho que ficar de olho o tempo todo. Quanto tempo isso me deixa para cozinhar? — perguntou, enquanto uma

---

* *Sajna*: legume semelhante a uma vagem comprida.
** *Pukkah Sahib*: cavalheiro.

das tampas começava a trepidar sobre a panela, com o vapor que tentava forçar a saída. Ela se virou para a outra mulher e gritou: — E aí? Eu agora tenho que olhar todas as panelas também? Não está vendo que o *kofta**está pronto?

A ajudante se levantou apressada e enrolou a ponta do sári em volta da alça da panela para tirá-la do queimador. Só para garantir, a cozinheira lhe lançou mais alguns insultos.

Como eu desconfiava, a competição por Sheela Sharma era ferrenha; os Sharma estavam recebendo ofertas. Parvati teria que entrar em ação logo. Uma oferta dos Singh, uma das famílias mais proeminentes e ricas de Jaipur, daria aos Sharma o que faltava às suas origens humildes: um vínculo oficial com a família real. Parvati tinha sido esperta ao ir direto ao ponto e convidar a família real de Jaipur, assim como os Sharma, para sua festa de fim de ano.

Quanto antes o casamento fosse acertado, mais depressa eu poderia pagar minhas contas. Até então, manteria o arranjo em segredo, para não chamar a atenção de outros agenciadores de casamentos.

Pus o copo sobre o balcão e deixei as duas cozinheiras com seu trabalho.

---

* *Kofta*: bolinho feito de batata ou carne.

Cinco

18 de novembro de 1955

Esperei por Samir em minha casa em Rajnagar, depois de concluir mais uma inspeção com Naraya, o construtor. (Tive que pedir mais uma camada de reboco nas paredes para garantir que elas ficassem bem lisas.) Estava sentada no chão, com os braços em volta dos joelhos, olhando para o piso de mosaico.

É melhor ter uma anágua justa demais do que larga demais, ou seu sári vai ficar frouxo e as pregas vão se desfazer.

Ponha uma compressa de chá frio sobre cada olho todos os dias para reduzir as olheiras.

Nunca use chappals *de borracha comuns, apenas sandálias ou sapatos.*

Que tola eu havia sido em pensar que conselhos como esses seriam suficientes para preparar Radha para a vida na cidade! Não sabia com certeza nem mesmo como *eu* havia aprendido a lidar com os desafios das sras. Iyengars e Parvatis e Sheelas deste mundo. Radha teria que aprender não só paciência, mas também a necessidade de se mover indiretamente em direção à sua meta. Como eu fazia. Como Malik fazia.

Mas como eu poderia manter a vigilância sobre ela e, ao mesmo tempo, atender clientes, negociar com fornecedores e arrumar novos trabalhos?

Quando voltei dos Sharma para casa, exausta, na noite anterior, perguntei a Radha se ela tinha o hábito de jogar pedras nas pessoas.

Ela fez uma careta.

— Era o único jeito de fazer as fofoqueiras pararem de me provocar, Jiji — disse ela. — Elas sempre me chamavam de Menina do Mau Agouro. *Saali kutti.* Ghasti ki behen.*** Todo tipo de insulto. Os meninos punham a perna na frente para eu tropeçar quando estava carregando água do poço na cabeça. Tudo era minha culpa. Se o leite da vaca não estivesse doce, as fofoqueiras diziam que era porque eu tinha passado na frente dela. Se insetos comessem os grãos, os agricultores diziam que era porque eu tinha chamado os bichos durante a noite. Quando o filho do chefe da aldeia morreu de febre, vieram atrás de mim com pedaços de pau. Maa não conseguiu segurá-los. Eu corri para a margem do rio e subi em uma árvore *peepal*. Fiquei lá por dois dias, até que o médico itinerante disse a eles que o bebê tinha morrido de malária.

Radha enxugou os olhos e o nariz molhados na manga de seu *kameez*, um hábito que eu estava tentando mudar.

— Foi assim desde que eu nasci. As fofoqueiras não esquecem nunca.

Na Índia, não existia vergonha individual. A humilhação se estendia, tão facilmente quanto óleo em papel de cera, para toda a família, até mesmo primos, tios, tias, sobrinhas e sobrinhos distantes. Os espalhadores de boatos garantiam que isso acontecesse. A culpa doía fundo em meu peito. Se eu não tivesse abandonado meu casamento, Radha não teria sofrido tanto, e Maa e Pitaji não teriam ficado tão desamparados contra a aldeia inteira. Hoje, quando ela viu Malik ser tratado tão injustamente, reagiu como sempre havia feito: como um animal indefeso. Não sabia de que outra maneira agir, porque ninguém havia lhe ensinado um jeito melhor.

Radha caiu de joelhos na minha frente.

— Jiji. Por favor, não me mande de volta. Eu não tenho mais ninguém. Não vou mais fazer isso. Eu prometo. — Seu corpinho magro estava tremendo.

Constrangida e envergonhada, eu a fiz se levantar e enxuguei suas lágrimas. Queria lhe dizer: *Por que você acha que eu a mandaria de volta? Você é minha irmã. Minha responsabilidade.* Mas tudo que saiu foi:

— Eu prometo que vou ser melhor também.

---

* *Saali kutti*: vadia.

** *Ghasti ki behen*: irmã de uma prostituta.

Alguém cutucou minha mão.

— Bela, acorde.

Abri os olhos; eu sabia que era a voz de Samir, mas, no escuro, não consegui discernir seu rosto. Olhei em volta para me situar. Em algum momento, eu havia me estendido no piso de mosaico e adormecido.

— Joyce Harris está se recuperando. — Sua camisa branca brilhava no escuro sobre mim. Ele cheirava a cigarro, uísque inglês e sândalo, aromas que eu reconhecia das casas das cortesãs. — O marido dela voltou de Jodhpur. Ele acha que foi um aborto espontâneo.

Esfreguei os olhos.

— Você sabe que eu não fiz nada errado, não é, Samir?

— Eu sei. — Com um suspiro, ele se abaixou e se deitou no chão ao meu lado. Tirou um maço de Red & White do bolso do paletó e acendeu um cigarro. — Mas temos que ir com calma com os sachês por um tempo. O que aconteceu com a sra. Harris deixou as pessoas nervosas.

Engoli em seco.

— Então, o que foi? Malik disse que você precisava falar comigo — disse ele.

— Estou devendo muito dinheiro.

— Isso não parece o seu estilo.

— Eu tive algumas... despesas inesperadas.

— Por exemplo?

Pigarreei.

— Uma irmã.

— A menina que estava na sua cama?

— É.

— Ela mora aqui em Jaipur?

— Mora agora. Há um mês. — Eu me virei para ele.

Samir examinou meu rosto. Ele sabia as nossas regras: nós só revelávamos o que o outro precisava saber. Ele voltou a olhar para o teto.

Por algum tempo, permaneceu em silêncio, de vez em quando dando uma tragada no cigarro. Era um homem de negócios, que pensava antes de falar.

— Para quem você deve dinheiro?

— Ao construtor, para começar.

— Quanto ele quer?

— Não importa. Eu só preciso de mais tempo para pagar a ele.

— Por que você não me deixa...

— Não — respondi, talvez enfaticamente demais. — A dívida é minha. Eu vou cuidar dela.

Ele soltou a fumaça do cigarro ruidosamente. Já havíamos tido essa discussão antes. A única vez que eu pegara dinheiro emprestado com ele fora durante minha primeira semana em Jaipur, quando eu precisava comprar material para a henna e as ervas. Devolvi o dinheiro em uma semana e nunca mais pedi nem uma *paisa*.*

Segurei a mão dele e a sacudi de leve.

— Desculpe por ter tirado você das cartas.

Samir riu.

— Como você sabe que eu estava jogando?

— Você não estava jogando. Estava perdendo. — Olhei para seu perfil. — Você bebe mais quando perde. Começa a pagar rodadas para todo mundo para não ficarem com pena de você.

Ele apertou minha mão.

— Eu já tenho uma esposa, Bela.

Virei os olhos de volta para o teto. Ele continuou fumando.

— Quem é o construtor?

— Naraya.

Samir gemeu.

— Ele é de terceira classe. Se você não fosse tão teimosa, poderia ter me deixado contratar o meu.

— E teria me custado o dobro. Isto é o que eu podia pagar, Samir. É a minha casa. E tem ido bem com Naraya. — Ele estava sendo difícil, sim, mas eu era teimosa demais para admitir que poderia ter escolhido melhor.

Samir suspirou.

— Você conhece o sr. Gupta? — ele me perguntou depois de uma pausa.

— Fiz a henna de casamento da filha dele.

— Gupta quer construir um hostel perto do Bazar da Cidade Rosa. Acho que o seu construtor pode ser o homem certo para o trabalho.

Intrigada, olhei para ele.

— Como isso vai tirá-lo do meu pé?

---

* *Paisa*: moeda equivalente a um centavo de rúpia.

— Gupta é rico. — Samir deu uma tragada no cigarro. — Ele vai manter Naraya ocupado por alguns meses e pagar bem.

— Para fazer o quê?

Ele sorriu para mim.

— Instalar banheiros, centenas deles. *O que é suborno para um funcionário é uma dádiva para um brâmane.*

Eu ri, entendendo a ironia. Naraya estaria disposto a construir banheiros, o que normalmente era função da casta sudra, pelo bom lucro que obteria com isso. Como eu, ele também era um brâmane decaído.

Minha mão, frouxamente presa à de Samir, subia e descia ao ritmo da respiração dele. Eu poderia ficar assim para sempre. Ele virou a cabeça para mim. Eu virei a minha também, até que meu nariz quase tocou o dele e seu hálito quente flutuou sobre minha face.

Estávamos sozinhos, nossos corpos se tocando. Era tarde da noite. *Seria tão fácil.* Senti o desejo de pressionar o corpo contra o dele. Como em resposta, ele virou de lado para ficar de frente para mim, um braço apoiando a cabeça. Levantou a mão livre e afastou o cabelo da minha testa, seu toque delicado como uma pena.

— Tão linda — disse ele, em uma voz baixa que eu mal escutei.

Não percebi que estava prendendo a respiração até soltá-la.

Forcei-me a desviar o olhar. E o ouvi suspirar. Ele se deitou de costas outra vez, mas não soltou minha mão.

Eu já havia decidido não contar a ele sobre Hari. Meu marido era problema meu, um problema que eu havia criado quando fugi. Samir não precisava saber sobre ele, não precisava saber mais sobre o meu passado do que eu estava disposta a revelar.

— Como estão as cortesãs de Agra, Samir?

— Perguntaram de você no mês passado. Já faz dez anos e Hazi e Nasreen não perdoam. Sempre dizem que eu *roubei* você, que era o segredo mais bem guardado delas. Agora elas importaram uma moça de Teerã. Disseram que a henna dela é quase tão bonita quanto a sua.

— Mentirosas! — eu ri.

Samir soltou a fumaça para o alto e apontou para cima com o cigarro.

— Você devia fazer um de seus desenhos no teto. Ia ficar espetacular.

— Já desenhei um piso que não tenho como pagar. — Soltei a mão da dele e me sentei para ajeitar o cabelo. — Quando tiver acabado de pagar o piso, posso pensar no teto.

Ele se levantou e estendeu as mãos para me ajudar a ficar de pé. Quando me puxou, perdi o equilíbrio e tombei na direção dele. Samir me girou e me pôs contra a parede. Seus lábios, tão perto dos meus, estavam úmidos. Se eu pusesse a boca na dele, será que seus lábios se abriram suavemente, docemente, ou esmagariam os meus com avidez, com fome? Então, como sempre, eu me lembrei de sua esposa, Parvati, minha outra benfeitora.

Segurei seu queixo com uma das mãos e o baixei para o chão.

— Você ainda não admirou meu trabalho.

Samir resmungou e se afastou da parede, depois procurou nos bolsos seu isqueiro de prata. Usando a chama, olhou com mais atenção para o local onde estávamos deitados.

Ele estalou os dedos.

— Você escondeu seu nome nisto!

Contive um sorriso. Claro que ele iria perceber. Ele convivia com dançarinas de *nautch* que escondiam seu nome nos desenhos de henna em seu corpo Se um homem o encontrasse, ganharia uma noite grátis. Se não encontrasse, a mulher receberia o valor em dobro.

— E se eu encontrar? — ele perguntou.

— Você não terá que me fazer o segundo favor.

— Não há fim para os seus pedidos?

— Vou fazer valer a pena.

O cigarro brilhou cor de laranja e vermelho quando ele tragou, examinando o chão.

— Eu desisto. — E coçou atrás da orelha.

— Dizem que o palácio talvez precise dos meus serviços.

— Quem diz? — A fumaça saiu em espirais pelos dois lados da boca de Samir.

— Sua esposa. Alguma coisa sobre a marani Latika não estar se sentindo bem. Parvati acha que eu poderia ajudá-la.

Ele levantou as sobrancelhas.

— Será que você poderia sussurrar meu nome nos ouvidos certos por lá? *A união faz a força.*

Ele piscou e eu soube que não estava pensando se faria ou não o que eu lhe pedia, mas como e quando. Com o cigarro, ele apontou para o chão.

— Isso vale tudo que você pagou.

— Ou que ainda não paguei. — Enrolei o xale nos ombros. — Em troca, eu tenho algo para você.

Um canto de sua boca se levantou em um meio sorriso.

— A reforma do Palácio Rambagh. Engula o orgulho e procure o sr. Sharma. Convença-o de que você é o arquiteto certo para o projeto.

Samir estreitou os olhos.

— Sharma já tem arquitetos. — E franziu o nariz. — De segunda classe.

— Mas o marajá só quer você.

Ele soltou uma nuvem de fumaça.

— É mesmo?

Sorri e arrumei melhor o xale.

— Você vai garantir que Parvati saiba que essa informação veio de mim? — Caminhei para o pátio iluminado pelo luar. — Vamos. Tenho que pegar um riquixá.

— Esse é todo o agradecimento que eu recebo?

— Você não precisa de agradecimento. Você tem um motorista.

Seis

20 de dezembro de 1955

Minha irmã e eu estávamos sentadas na sala de estar dos Singh, pintando henna nas mãos das meninas das famílias mais finas de Jaipur, elegantes em seus vestidos ingleses, conversando sobre o último filme a que haviam assistido e as roupas que suas atrizes favoritas estavam usando. Algumas me observavam trabalhar; outras dançavam "Rock Around the Clock" ao lado do gramofone; várias estavam grudadas na revista *Life* de Parvati, admirando as fotos da glamorosa estrela de cinema Madhubala.

Sheela Sharma havia crescido com a maioria dessas meninas, frequentado as mesmas escolas, as mesmas festas. Estava cercada por seu séquito no sofá de Parvati. Radiante em um vestido de seda champanhe e sapatos de salto da mesma cor, ela era claramente a menina mais bonita na festa de henna de fim de ano. Era fácil imaginá-la como a futura líder da sociedade de Jaipur. Eu me permiti um sorriso discreto, sabendo que havia proposto um arranjo de casamento excelente.

Radha e eu estávamos sentadas lado a lado em banquetas, com uma poltrona na frente de cada uma de nós. Uma a uma, as meninas se acomodavam diante de Radha para ela preparar suas mãos, depois passavam ao meu posto para a aplicação da henna.

— Alguém viu Ravi? — Sheela perguntou para o grupo. — Ele deveria ao menos aparecer na própria festa.

Ao lado do gramofone, onde mostrava a outra garota como dançar o swing, uma menina respondeu:

— É bom que ele esteja aqui. Ouvi dizer que vai se apresentar esta noite.

— Se apresentar?

— Você não está sabendo? A sra. Singh contratou a trupe de teatro de Shakespeare e Ravi vai atuar como Otelo.

— Sheela, você é a próxima — chamei, batendo na poltrona na frente do banquinho de Radha.

Ela veio ocupar seu lugar diante da minha irmã. Havíamos ensaiado esse momento, Radha e eu. Eu tinha vestido minha irmã de forma diferente, para que Sheela não a reconhecesse da cena da mandala. Em vez de um *salwaar-kameez*, Radha usava um dos meus sáris, de fino algodão azul-claro com bordados brancos. Com o cabelo preso em um coque, enfeitado com um ramo de jasmim, ela parecia mais velha, uma versão em miniatura de mim.

Como eu havia sugerido, Radha evitou olhar para o rosto de Sheela. Concentrou-se em esfregar óleo em suas mãos.

Sem prestar atenção em Radha, Sheela estava falando com o grupo na sala.

— Eu vou cantar esta noite.

— No palco? — uma menina perguntou.

— Eu queria cantar "Na Bole Na Bole", de *Azaad*...

— Eu *adorei* esse filme.

Sheela encolheu os ombros graciosos.

— *Yar*. Mas Pandey *Sahib* é tão antiquado. Ele diz que só um *ghazal** serve para o marajá. — Como se ela cantasse todos os dias para Sua Alteza.

Dei uma olhada de lado para Radha, que gostava do nosso vizinho, o sr. Pandey, e não receberia bem essa crítica a ele. Suas faces ficaram avermelhadas, mas ela manteve os olhos concentrados na tarefa.

Uma das meninas ao lado do gramofone, que agora tocava um sucesso de Elvis Presley, disse:

— Pandey *Sahib* é excelente. Ele me ajudou a cantar muito melhor este ano.

---

* *Ghazal*: balada de amor, frequentemente sobre temas românticos.

Sheela deu um sorrisinho irônico.

— É assim que você chama isso, Neeta? Cantar?

As outras meninas soltaram risadinhas e as faces de Neeta ficaram coradas.

— Sua idiota! Você está me machucando.

Com um susto, olhei à direita. Sheela estava com uma expressão furiosa para Radha. Minha irmã levantou os olhos rapidamente, murmurou um pedido de desculpas por pressionar com força demais a mão da menina e baixou a cabeça outra vez. Sheela franziu a testa, como se estivesse se perguntando onde já tinha visto Radha antes. Meu pulso acelerou.

— Sheela. — Dei uma batidinha na poltrona na frente do meu banquinho. — Venha se sentar. Você é a estrela esta noite, por isso eu planejei um desenho de henna especial para você.

Um coro de "Sheela sortuda!" e *"Waa! Waa!"* se ergueu na sala.

Com a atenção desviada, Sheela pulou da poltrona com um sorriso prepotente, batendo no frasco de óleo de cravo que Radha estava fechando. Teria feito de propósito? Radha conseguiu segurá-lo a tempo e olhou para mim com o rosto cheio de medo. O óleo poderia ter estragado a poltrona de veludo!

Dei um sorriso tranquilizador para Radha e, com uma inclinação de cabeça, indiquei que havia outras meninas para ela atender.

Minha irmã se comportara de maneira admirável. Em menos de dois meses em Jaipur, aprendera muitas coisas novas para ela. Eu sentia o início de uma pequena esperança: tudo ficaria bem de agora em diante. Ravi Singh e Sheela Sharma se casariam. Samir conseguiria que eu fosse apresentada no palácio. Hari me daria o divórcio. Eu pagaria o construtor e ele terminaria minha casa. Nós nos mudaríamos do quarto alugado. E minha vida de verdadeira independência iria começar.

Confortada por esses pensamentos, terminei as mãos de Sheela com um desenho de grandes rosas e perfumei-as com óleo puro de rosas para despertar os sentimentos do coração. Eu geralmente guardava esse óleo precioso para hennas de casamento, mas, naquela noite, queria que Ravi fosse atraído para Sheela como uma abelha para um *chameli*.*

Depois que Radha e eu terminamos com as meninas, elas se reuniram a seus pais e os outros convidados da festa no gramado, enquanto recolhíamos nosso material. Ao caminharmos pelo longo corredor até a cozinha, víamos o terraço dos fundos, um nível abaixo de nós, pelas janelas de parede inteira.

---

* *Chameli*: jasmim indiano.

Tochas brilhavam ao longo das bordas do gramado aveludado mais além. Garçons de turbante vermelho e casaco branco ofereciam drinques e tira-gostos em bandejas de prata aos convidados. Anéis de ouro faiscavam nos dedos dos homens quando eles levantavam os copos cheios de gelo e *sharab*. Os *pallus* das mulheres, ornados com fios de ouro e prata, pendiam como riachos cintilantes em seus ombros.

Radha diminuiu o passo para admirar o glamour. Embora eu já tivesse estado em eventos parecidos antes, ocorreu-me que aquela era a festa mais elegante a que ela já havia comparecido. Não faria mal deixá-la admirar um pouco. Pousei meus *tiffins* no chão e indiquei que ela fizesse o mesmo. Pondo um braço em volta de seus ombros, eu a levei para mais perto da janela e apontei com o queixo para os homens diretamente abaixo de nós.

— Está vendo aquele homem de óculos? Você o reconhece?

— Sim! Da foto. O marido da Tia Kanta?

Confirmei com a cabeça. Manu Agarwal, elegante de terno e gravata, conversava com um homem grisalho com um chapéu Nehru e colete de lã sobre o *kurta*, um traje comum na festa. Era uma noite amena e as janelas estavam abertas; podíamos ouvir a conversa deles.

O homem mais velho agitava seu copo de uísque escocês.

— É só você falar com meu amigo sr. Ismail no Ministério dos Transportes. Ele lhe dará todas as autorizações e licenças para as rotas de ônibus que você quer. Sem demora.

O marido de Kanta ajustou os óculos.

— O marajá ficará satisfeito.

— *Zaroor*.* É só eu pedir e acontecerá. Quer dizer... — O sr. Chapéu Nehru passou a mão pelo bigode. — Talvez o marajá considere estender sua rota de ônibus até Udaipur, o que acha? Uma bela cidade, não sei se você conhece. Um investimento de, digamos, meio *lakh*** abriria caminho para o seu projeto, por assim dizer. — Ele tomou um gole em seu copo de cristal, observando Manu sobre a borda.

Murmurei no ouvido da minha irmã:

— Suborno. É assim que estradas, postos de gasolina, pontes, até cinemas são construídos. Antes da independência, esse homem era sapateiro. Ele é iletrado, mas entende de negócios.

---

* *Zaroor*: sem dúvida, com certeza.

** *Lakh*: unidade no sistema de numeração indiano equivalente a cem mil.

Ela sorriu.

— Jiji, por que Tia Kanta não está aqui com o marido?

Eu também tinha notado que Kanta não estava na festa.

— Talvez ela tenha preferido a companhia de sua *saas* esta noite.

Radha riu.

Nós nos movemos para a janela seguinte. Duas mulheres roliças em sedas brilhantes, ambas clientes minhas, rodeavam Parvati, cujo sári de cetim cor-de-rosa devia ter custado mais do que eu pagava de aluguel anual. As senhoras falavam animadamente, gesticulando, seus brincos dançando a cada balanço de cabeça. De tempos em tempos, elas olhavam em volta para garantir que ninguém estivesse escutando.

— O motorista do marajá foi à casa do seu amigo e simplesmente deixou o Rolls Royce de Sua Alteza lá? — Parvati perguntou, incrédula.

A mulher com o xale enfeitado de contas confirmou.

— Mas meu amigo não pediu o carro emprestado. Ele não precisa. É dono de quatro cinemas em Jodhpur, está ganhando muito dinheiro!

A terceira mulher interveio.

— Isso é porque Sua Alteza não estava *emprestando* o carro. O palácio estava mandando uma mensagem: *pague*.

— O que seu amigo fez? — perguntou Parvati.

— Ele pagou ao marajá de Bikaner dez mil rúpias.

— *Hai Ram!* — Parvati exclamou.

— Os marajás estão todos falidos, estou lhe dizendo. Todo o dinheiro que gastaram em cavalos de polo, caçadas de tigre, carros de luxo!

Parvati, que vinha de uma pequena nobreza jogadora de polo e caçadora de tigres, ergueu o queixo.

— O marajá de Bharatpur é o único que ficou realmente louco. Comprou vinte e dois Rolls Royces. Agora usa a maioria deles para transportar lixo municipal. O que é uma boa coisa, não concordam? — disse ela.

A matrona com o xale fungou.

— Eu só espero não ver o carro do *nosso* marajá no meu portão qualquer hora dessas.

Parvati riu.

— Tenho certeza de que Sua Alteza é suficientemente esperto para evitar a falência. — Ela apertou os lábios. — Ou isso, ou ele vai concorrer ao Parlamento.

As senhoras riram com gosto.

Radha se virou para mim com uma pergunta nos olhos.

— Política e imóveis. As duas opções de carreira favoritas da realeza — eu disse.

Levei Radha para a janela seguinte. Ela fez um som de espanto. Parecia uma reunião da família real. O marajá de Jaipur era fácil de identificar pela foto na casa de Kanta: o casaco longo com brocados, a calça branca justa, o turbante ornamentado. Tinha a postura do esportista que era, o peito erguido, as pernas apoiadas firmemente no chão, as panturrilhas fortes, ocupando mais espaço físico que seus colegas, que incluíam dois *nawabs*, com seus turbantes muçulmanos e casacos ricamente bordados com pedras que rivalizavam com as do marajá. Samir também estava nesse grupo, gesticulando animado com o copo de uísque na mão, pelo jeito contando uma história. Quando ele terminou, o grupo explodiu em risadas.

O marajá falou com Samir e eu o vi se virar para o palco no gramado e fazer sinal para alguém. Enquanto olhávamos, Ravi, vestido como Otelo em um *dhoti* de seda amarela e coroa dourada, veio correndo. Seu rosto, pescoço e torso nu estavam pintados com maquiagem azul-escura. Os músculos de seu peito se destacavam com o movimento.

— Quem é ele? — sussurrou Radha, apontando.

Baixei o dedo dela gentilmente.

— É Ravi, filho de Parvati e Samir. Um Otelo bonito, não acha?

Ela pareceu feliz.

— Essa era a peça favorita de Pitaji.

Eu não me lembrava disso.

— *Accha?*

— Essa e *A megera domada*. Ele me fazia ler as duas em voz alta. Muitas vezes. Até eu saber de cor... quase.

— Você gostava?

Ela deu um risinho travesso.

— Eu *adorava*! — cantarolou em inglês britânico, imitando as meninas da festa de henna.

Ri com ela e, nesse momento, Samir e Ravi levantaram os olhos para nossa janela. Puxei Radha de volta para o corredor.

— Hora de irmos limpar nossos *tiffins*.

Quando contornamos a esquina, Samir entrou da varanda.

— Achei que era você aqui em cima!

Sorri e apresentei Radha, que colocou sua carga no chão para cumprimentá-lo com um *namastê*.

— Boa noite, *Sahib*. Sua casa é linda.

Se ele se lembrou dela daquela noite horrível com Joyce Harris, não disse nada. Samir pôs a mão sobre o peito e seus lábios se abriram em um sorriso acolhedor.

— Você veio para partir meu coração?

Levantei uma sobrancelha, surpresa ao ver Samir flertar com uma menina tão nova.

— Não dê atenção a ele, Radha.

Ele fingiu se ofender.

— Eu consigo uma audiência para Lakshmi no palácio e é assim que ela me trata?

Fiquei boquiaberta, sem saber se tinha ouvido direito.

— *Kya?**

— Você tem uma reunião com a marani amanhã.

Radha se virou para mim, com as mãos na frente da boca.

— Ah, Jiji! A marani! Nós vamos ver o palácio!

Pus a mão no ombro dela, para acalmar tanto a ela como a mim mesma. *Finalmente está acontecendo!*

Samir riu e apontou para o teto.

— Peguem seu jantar e levem os pratos para a cobertura. Vão poder assistir à apresentação desta noite de lá e me dizer depois o que acharam da atuação do meu filho. Ele se considera um ator dramático.

— Ah, Jiji! Podemos? É *Otelo*! — Radha me pediu, o rosto cheio de esperança.

Eu não havia planejado ficar, mas ela se comportara tão bem naquele dia. Sorri para ela.

— Primeiro a cozinha, depois a peça.

Ela pediu licença educadamente e continuou pelo corredor com os *tiffins*, se esforçando para não correr. Eu sabia que ela mal podia esperar para contar as novidades a Malik. Eles conversavam sobre tudo.

Samir acompanhou Radha com o olhar.

— Menina bonita.

Ele fez um gesto para a porta aberta da biblioteca e nós entramos

---

* *Kya?*: O quê? O que é?

O aposento, com suas estantes embutidas, abarrotadas de livros em inglês, híndi e latim, e poltronas de couro vermelho, era o favorito de Samir. A lareira tinha sido acesa para a noite.

— Mais boas notícias. Gupta concordou em contratar Naraya, e Naraya aprovou a prorrogação do prazo da sua fatura. Feliz?

Eu estava entusiasmada o suficiente para abraçá-lo e beijar seus pés, mas me limitei a um sorriso largo.

— Obrigada, Samir. Significa muito para mim.

— Ótimo. — O reflexo do fogo na lareira dançava em seus olhos. — Estou ansioso para ver como você vai lidar com a tarefa no palácio.

— Alguma ideia de qual é o problema da jovem rainha?

— Tudo que eu sei é que ela precisa se animar. Você vai dar um jeito. Tenho fé em você. — Ele levou a mão ao bolso do paletó. — Enquanto isso...

Samir pegou minha mão e colocou nela um relógio de bolso de ouro. Era uma peça linda, do tamanho de uma noz de betel. Muito menor e mais delicado que os outros relógios vitorianos de sua coleção. Na tampa, havia a gravura de uma mão segurando uma flor de lótus, semelhante à que a deusa Lakshmi carregava.

— Abra — disse ele, cruzando os braços.

A tampa falsa ocultava a cena de uma mulher indiana segurando as mãos de outra. Quando o mecanismo se movia, uma das mãos da mulher se movimentava para cima e para baixo. Foi então que notei que ela estava segurando um palito de bambu minúsculo.

Fiz um som de surpresa.

— Uma artista de henna?

— *Hahn*. Uma linda artista. Como você. — Ele abriu a camada seguinte para revelar o mostrador do relógio. — Esmalte branco. Ponteiros de ouro. Mecanismo de dezenove joias com guarnições de ouro.

— É primoroso. — Devolvi o relógio a ele.

— Eu mandei fazer. — Ele o virou para que eu visse as pequenas pérolas no verso formando um *L* cursivo. Depois colocou o relógio em minha palma outra vez, fechou meus dedos sobre ele e segurou minha mão entre as dele. — Para você.

Ninguém nunca havia me dado algo tão fino. Na verdade, eu nem me lembrava do último presente que havia ganhado. Pigarreei para agradecer a ele, mas não consegui encontrar minha voz. Um presente de Samir. O que Parvati diria se descobrisse?

Ouvi um farfalhar de tecido e, pelo canto do olho, vi um movimento rápido de cetim cor-de-rosa. A porta da biblioteca dos Singh estava entreaberta. Seria alguém atravessando o corredor, ou alguém que estava parado na fresta, nos observando?

Tentei soltar minha mão das dele.

— Eu não saberia o que fazer com isso.

— O mesmo que faz com os outros. Ver as horas. — Ele soltou minha mão. — A marani Indira espera você amanhã de manhã, às dez horas em ponto.

— É lindo, mas...

— Esconda-o em sua anágua, junto com a prata dos Singh.

No intervalo, Sheela Sharma cantou uma balada com uma voz aguda e límpida sobre a devoção de uma mulher ao amor. Poderia ter sido o canto do cisne de Desdêmona. Da cobertura, onde eu estava com Radha, Malik e os empregados da casa, tinha uma boa visão do público abaixo e, apesar do que o sr. Pandey havia dito sobre as dificuldades de ensinar Sheela, eu podia ver que seu trabalho tinha sido recompensado. A apresentação dela foi impecável. Ravi, por seu lado, mostrou-se um Otelo convincente.

Minha mente, no entanto, estava distraída, planejando o encontro com a marani viúva. Pensei no material de que iria precisar. O que eu diria? O que vestiria? Meus trajes seriam apropriados para uma visita ao palácio? Resistindo ao impulso de conferir em minha caderneta (como eu poderia enxergar no telhado escuro, de qualquer modo?), tentei me lembrar dos compromissos que teria que reagendar no dia seguinte para acomodar Sua Alteza. Meu estômago estava tão revirado que mal encostei na *aloo tikki** crocante ou no curry cremoso de espinafre e *paneer*** em meu prato.

Quando a cortina final desceu, Ravi, impressionante em seu corpo azul--escuro, a pintura reluzente sob as luzes do palco, fez um bonito discurso. Ele agradeceu ao marajá e aos *nawabs* por terem honrado a festa de fim de ano com sua presença, curvando-se em um *namastê* para Sua Alteza e dirigindo um *salaam* a cada um dos *nawabs*. Ravi parecia perfeitamente à vontade dirigindo-se aos membros da realeza, que agradeceram com um gesto de cabeça.

---

* *Aloo tikki*: panqueca de batata condimentada.
** *Paneer*: queijo fresco feito em casa coalhando o leite.

Fiz um sinal para Radha e Malik levarem seus pratos até a área de lavagem de louça e recolherem nossas coisas para irmos embora.

Fui para a cozinha e perguntei por Lala. Eu tinha tentado a noite toda encontrar a criada de Parvati para saber o que ela queria falar comigo na última vez que eu estive ali, mas não a vi em parte alguma.

A cozinheira-chefe me contou que Lala e sua sobrinha não trabalhavam mais para os Singh.

Eu estava terminando de arrumar nosso material na sala de estar dos Singh quando Malik apareceu ao meu lado.

— Tia Chefe, *MemSahib* quer falar com você na biblioteca.

Eu sorri. Claro! Parvati queria me agradecer pelo trabalho com a henna. Ela estivera tão ocupada com os convidados que eu mal a vira a noite inteira.

Cheguei à biblioteca onde havia estado com Samir algumas horas antes. Parvati andava de um lado para o outro na frente da lareira, como uma leoa inquieta. A cada volta, seu sári de cetim girava furiosamente, o *pallu* ameaçando pegar fogo. Suas costas estavam retas como uma régua, os seios generosos lançados para a frente.

Quando ela me viu, seus olhos escuros faiscaram.

— Como posso confiar em você para arrumar um bom casamento para Ravi se sua própria irmã brinca com ele pelas minhas costas? — O *bindi* vermelho-vivo em sua testa lampejou acusadoramente para mim.

— O-O quê? Minha *irmã*? — Com Ravi? Que absurdo era aquele? Radha nem sequer conhecia o menino!

Parvati chamou com o dedo e Radha saiu das sombras. Suas faces estavam coradas, a boca apertada de raiva. Eram vergões em seu rosto? Olhando melhor, pareciam ser faixas de tinta azul. O braço dela tinha as mesmas faixas. Meu coração disparou.

— Radha, o que aconteceu?

— Não vou permitir que minha família seja tocada por um escândalo. Tenho o futuro do meu filho para resguardar. — Parvati recomeçou a andar de um lado para o outro.

Esperei que Radha dissesse alguma coisa, qualquer coisa. Mas seus olhos estavam focados em algum ponto distante, não naquela sala, do mesmo jeito que havia sido no jardim dos Sharma. Era como se sua mente estivesse em outro lugar.

Parvati sibilou:

— Ela estava coberta com a tinta da maquiagem de Ravi. Em que mais devo acreditar a não ser no óbvio?

Tinta de maquiagem? A noite passou diante dos meus olhos: Radha e eu com as meninas na sala de estar, nós duas junto às janelas no fundo, jantando na cobertura, assistindo à peça. Olhei mais atentamente para as marcas azuis em minha irmã. Quando ela teve tempo para estar com Ravi? Com certeza devia haver alguma outra explicação.

— O que Ravi disse sobre isso?

Parvati hesitou.

— Ele não tem que dizer nada.

Minha respiração ficou mais tensa.

— A senhora perguntou a ele?

Ela apontou o indicador para mim.

— Você sabe tão bem quanto eu que os homens não conseguem se controlar. Cabe às mulheres ficar fora do caminho deles. Se sua irmã tivesse sido criada corretamente, saberia disso.

Cutuquei o braço da minha irmã e falei calmamente:

— Vá. Limpe o rosto.

Radha olhou furiosa para mim por um instante, depois saiu e bateu a porta. Eu engoli, enquanto me dava tempo para pensar.

— Parvati-*ji*. Por favor. Sente-se — pedi. — Tenho certeza de que houve um engano. Radha só tem treze anos. Ela é nova demais para...

Parvati reduziu o passo.

— Seu Ravi, um menino tão maduro, na verdade um rapaz, não pode estar interessado em uma criança como a minha irmã. Ele está completamente encantado com Sheela. A senhora viu como eles estavam perfeitos juntos no palco? Que lindo casal eles farão quando estiverem casados. — Indiquei o sofá.

— Por favor, *Ji*.

Abruptamente, ela se sentou no sofá de couro com um suspiro profundo.

— Se meu falecido pai estivesse conosco hoje, ele saberia o que fazer. Todos o escutavam. Mas eu não consigo fazer Samir... — A voz dela falhou. Ela olhou para mim com olhos úmidos. — O que você e Samir estavam fazendo na biblioteca mais cedo?

Parvati *estivera* na porta da biblioteca.

Prendi as mãos uma na outra.

— Ele estava me contando como a senhora foi generosa em me recomendar ao palácio. Estou realmente em dívida. Se não fosse por sua relação com a família real... — Deixei o restante da frase em suspenso.

Ela afastou o olhar. Eu estava mentindo e ela sabia, mas não fazia diferença. A verdade era menos importante do que me sair bem na situação. Se ela tivesse cumprido sua parte no acordo e falado sobre mim no palácio, eu não teria tido que pedir a intervenção de Samir. Ela não podia admitir que não havia cumprido sua promessa de me apresentar no palácio, e eu não podia admitir que havia pedido a ajuda de Samir.

Ela fez beicinho, endireitando uma almofada no sofá, alisando as pequenas contas bordadas na seda.

— Eu vi vocês dois conversando antes. Na varanda. O que você e Samir poderiam ter em comum? — Lentamente, ela levantou os olhos para os meus. Vi algo neles que nunca tinha visto: receio. Como se ela se perguntasse que segredos o marido escondia dela. E, possivelmente, que segredos eu escondia dela. Tudo que ela sabia de mim era que eu tinha vindo altamente recomendada pelas esposas dos parceiros de negócios de Samir em Agra.

Abri a palma das mãos em direção a ela, mostrando que não tinha nada a esconder.

— Ele gosta de perguntar o que eu pintei na senhora e onde. Eu sempre respondo que cabe a ele descobrir.

Parvati se permitiu um leve sorriso, talvez recordando alguma tarde de luxúria com o marido. Ela tocou os diamantes no lóbulo da orelha.

— Como eu não sabia que você tinha uma irmã? — A mesma pergunta que Kanta e minha costureira haviam feito.

Suspirei.

— Parvati-*ji*, por que eu aborreceria minhas clientes com os detalhes sem importância da minha vida? Mas, já que está perguntando... Meus pais morreram recentemente e eu trouxe Radha para minha casa. Ela está trabalhando comigo agora, mas vai frequentar a escola do governo quando começar o próximo período letivo.

Parvati pegou um fio solto na almofada. Se continuasse a puxá-lo, centenas de contas do tamanho de sementes de papoula se espalhariam pelo chão.

Eu sorri com mais segurança do que sentia.

— Tenho certeza de que nada impróprio aconteceu, mas vou conversar com Radha. — Aos poucos, pude ver a irritação de Parvati se amenizando, relutantemente, embora ela ainda estivesse com a expressão zangada. Era hora de usar tudo o que eu tinha a meu favor. — Alguma vez eu a decepcionei nos últimos dez anos? E quanto ao seu milagre? Seu Govind?

O rosto de Parvati se iluminou ao ouvir o nome do filho.

— É importante para mim recuperar sua confiança, *Ji*. A senhora fez tanto por mim nestes anos. Me apresentou para o melhor da sociedade.

Ela fechou os olhos e pressionou os dedos sobre as pálpebras. Para sair por cima, precisaria dar o último tiro.

— Se eu pegar os dois juntos de novo, uma vez que seja, será o fim de qualquer relação entre nós. — De sua maneira indireta, eu sabia que ela também estava me alertando: *Fique longe do meu marido*.

Eu sentia a pulsação nas têmporas e o estômago enjoado, mas ergui o queixo serenamente para indicar que ela jamais teria motivo para cumprir sua ameaça.

Com sua postura régia de volta, ela se levantou, jogou o *pallu* sobre o ombro e saiu. Sozinha na biblioteca, eu me permiti desabar no sofá. O suor havia molhado minha blusa. Usei a ponta do sári para enxugar a testa e o pescoço. Eu já tinha visto Parvati brava, mas não tanto quanto hoje, e nunca sua raiva tinha sido dirigida a mim. Era difícil acreditar que uma menina simples de aldeia como Radha, tão distante da posição de Sheela Sharma, pudesse ter atraído a atenção de Ravi. Isto é, se fosse de fato o que havia acontecido.

Minha reputação dependia da palavra de Parvati Singh. Sem sua aprovação, eu não conseguiria nenhum trabalho de henna, desenhos de mandalas ou arranjos de casamento. Minha renda viria apenas dos sachês contraceptivos que eu fornecia a Samir, e mesmo esses estavam em risco agora.

Eu me contorcia por dentro. Tinha que sair dali... já.

Radha e Malik estavam me esperando na varanda da frente. Malik parecia preocupado, Radha nervosa. Passei por eles, respirando fundo o ar da noite, pulando os degraus da frente para os portões do jardim.

— Jiji — Radha disse atrás de mim, correndo para me alcançar. — Eu não fiz nada. Malik e eu estávamos saindo da cozinha quando Ravi começou a falar comigo. Pergunte para Malik. Ele vai lhe dizer.

Parei tão abruptamente que Malik, que estava atrás de mim, tropeçou no meu sári.

— É verdade?

Ele confirmou com a cabeça.

— Ravi *Sahib* nos viu quando fomos para a cozinha deixar os pratos do jantar. Ele perguntou se tínhamos nos divertido. Nós dissemos que a atuação dele foi perfeita. Então Radha... — Malik parou.

— Eu disse a ele que Otelo era um general, não um rei, e que era melhor ele não usar a coroa.
— Radha!

Seus olhos de penas de pavão eram desafiadores.

— Ué, é verdade. E ele não pareceu se importar. Ele riu.
— Ele riu mesmo, Tia Chefe. Disse a ela que faria qualquer coisa para que ela fosse a sua... O que era mesmo?
— Desdêmona.
— Então ele... — Malik olhou hesitante para Radha.
— Continue.
— Ele tocou nela. — Malik apontou para o braço de Radha.
— E no meu rosto — ela acrescentou.

Então não tinha sido um acidente. Era pior do que eu imaginava. Como eu podia ter certeza de que ela não havia encorajado Ravi com um olhar ou um sorriso? Mas, pensando bem, eu nunca vira Radha flertar com ninguém. Ela e Malik provocavam um ao outro, mas era como irmã e irmão fariam.

Uma dor atormentava minhas têmporas.

— Vamos conversar depois.

Radha levantou as sobrancelhas, como se não pudesse acreditar que eu estivesse reagindo tão bem. Ela lançou um olhar para Malik.

Sinceramente, eu não sabia o que fazer. Nunca tinha visto Malik mentir, mas será que mentiria por Radha? Se eles estivessem me dizendo a verdade, minha irmã era inocente. E, se ela era inocente, como Parvati pôde tirar uma conclusão tão ridícula? Era risível.

Por outro lado, havia tantas coisas que Radha claramente não sabia. Por exemplo, como manter meninos como Ravi, autoconfiantes, vividos, um pouco arrogantes, a distância. Tudo que ela precisava fazer era baixar a cabeça, fechar a boca e se afastar.

Quando paramos para deixar Malik no Bazar Jhori, eu lhe disse para me encontrar cedo na manhã seguinte para nosso compromisso no palácio. A notícia, que o teria feito girar como um pião algumas semanas antes, agora só produziu um movimento de cabeça. Ele apertou a mão de Radha antes de ir embora.

Durante o restante do caminho para casa, Radha ficou pressionando a barriga com as duas mãos e abafando gemidos. Quando chegamos à casa da sra. Iyengar, enchi uma panela pela metade com leite e a levei para o fogareiro do pátio, pensando nos acontecimentos da noite. Depois que o leite ferveu, voltei para o quarto e encontrei minha irmã sentada na cama com o corpo dobrado para a frente. Acrescentei cúrcuma ao leite quente e um pouco de açúcar.

Radha, os braços em volta da barriga, balançava para a frente e para trás.

— Jiji, por favor, diga alguma coisa. Qualquer coisa. Eu não fiz nada errado. Não quero mais ser a Menina do Mau Agouro. — Ela soluçou. — Não tenho culpa se ele falou comigo ou tocou meu rosto. Eu juro nas águas sagradas do Ganges que não foi culpa minha.

— *Shh* — eu disse, entregando-lhe o copo. — Você comeu muitas comidas diferentes esta noite. Isto vai assentar seu estômago.

Ela tomou um gole do leite, com o braço livre sobre a barriga.

Delicadamente, para não balançar o copo de leite em sua mão, eu me sentei ao seu lado.

— Nenhuma cliente nunca falou comigo do jeito que Parvati Singh falou esta noite. Se Parvati não me ajudar, eu posso perder tudo. *Nós* podemos perder tudo. Você entende o que estou dizendo? É ela que todas as senhoras seguem. Se eu perder Parvati, podemos dizer adeus ao teto sobre a nossa cabeça, à *atta* em nossa barriga, ao sári de algodão fino que você usou esta noite.

Tirei o copo vazio da mão de Radha e o coloquei no chão. Segurei as mãos dela nas minhas.

— Eu não devia ter aceitado o convite de Samir para ficar e assistir à apresentação esta noite. Aquele mundo não pertence a nós. Devíamos ter feito nosso trabalho e vindo embora.

Ela fez cara de choro.

— Você não está me escutando! Jiji, *ele* segurou meu braço! *Ele* começou a falar comigo!

Eu continuei, como se ela não tivesse falado nada. Massageei suas costas, movendo a mão em pequenos círculos.

— Você não teve ninguém para lhe ensinar coisas que uma menina da sua idade deveria saber. Quando você cresceu o suficiente, Pitaji não estava mais lá, não é? E Maa estava aborrecida demais por minha causa para prestar atenção em você. Você ficou por conta própria. E isso não foi bom. Você é minha irmã, Radha, mas eu não a conheço muito bem...

— Pode me perguntar qualquer coisa! Eu conto para você. *Qualquer coisa!* Você nunca me perguntou em que mês eu nasci. Outubro. Qual é minha comida favorita? *Gajar ka halwa.** Eu adoro sáris com espelhinhos costurados.

---

* *Gajar ka halwa*: sobremesa feita de cenoura ralada.

E adoro *kajal**em bebês. Minha cor favorita é o verde das folhas das mangueiras. E eu adoro o gosto da goiaba pouco antes de ela ficar madura, quando a carne é azedinha só o suficiente para fazer minha boca salivar.

Ela estava certa, e isso doeu. Eu não havia tentado conhecê-la. Não de verdade. Estar perto dela me fazia sentir culpa mais agudamente, e eu não queria isso. Não queria ser lembrada do terror que ela devia ter sentido com um pai que era um derrotado — ou pior, um bêbado — e uma mãe que parecia ressentida ou indiferente. Minha irmã tinha crescido sozinha em Ajar por causa da minha transgressão. Desde sua chegada a Jaipur, eu havia me enfiado no trabalho, meu companheiro mais seguro. Eu era boa em meu trabalho; ele me acolhia e eu brilhava em seu abraço. Radha, que era inteligente mas ingênua, corajosa mas impulsiva, prestativa mas imprudente, era bem mais difícil de manejar.

Soltei um longo suspiro.

— Não é tão fácil, Radha. Eu não posso confiar em você. Ainda não. Não nas casas das mulheres que eu trabalhei tanto para conquistar. Não quando tenho tantas dívidas para pagar. Estamos tão perto de ter tudo, Radha.

— Você está ficando do lado deles de novo! Você acha que eu sou a Menina do Mau Agouro, como as...

— Não, eu acredito em você. Não acho que você tenha feito nada de errado. Não é essa a questão. — Enxuguei as faces dela com os polegares e afaguei suas sobrancelhas. — Mas não posso deixar você ir ao palácio amanhã. Não posso correr o risco de que algo como o que aconteceu esta noite aconteça lá. — Quando eu disse isso, senti uma onda de alívio. Desde o primeiro episódio na casa dos Sharma, eu ficava tensa em cada compromisso com clientes, com medo de que Radha pudesse dizer ou fazer algo inadequado. Se ela não fosse mais comigo, eu poderia parar de ficar tão ansiosa.

— Mas, Jiji, Malik vai...

— Ele está comigo há muito tempo, Radha. — Acariciei seu braço fino e afaguei seus cabelos espessos. — Amanhã, você vai à casa de Kanta dizer que teremos que reagendar o horário dela. Ela vai entender. Depois disso, você vai voltar direto para casa, *accha*? Terei uma lista de tarefas para você.

— Nããão! — Ela se afastou de mim aos soluços. Eu sabia o que era ser jovem e impotente. Aos quinze anos, quando Maa me disse que eu teria que me casar com Hari, ela estava segura, como eu agora, de estar fazendo a coisa certa.

---

* *Kajal*: o mesmo que *kohl*, um delineador de olhos preto.

Ela queria esperar até que eu tivesse dezoito anos, a idade em que ela própria havia se casado, mas a oferta de casamento de Hari tinha chegado no momento certo: não havia dinheiro para alimentar duas pessoas, quanto mais três, na casa de Pitaji. Eu chorei muito, implorei para ela me deixar ficar. Prometi comer menos, trabalhar como criada na casa de alguém. Ela chorou também. Disse que não havia escolha; era mais honrado se casar do que ser uma criada. Então eu fiz como meus pais mandaram, e veja quanto isso me deixou infeliz. Será que eu estava fazendo Radha tão infeliz assim?

Esfreguei a mão na testa, que parecia estar sendo apertada por um torno.

— Daqui a poucas semanas as aulas começam e você vai esquecer tudo isso. Estará ocupada demais com os estudos. Você vai ver.

Ela moveu o braço para fora do meu alcance.

PARTE DOIS

PARTE
DOIS

Sete

Jaipur, estado do Rajastão, Índia
21 de dezembro de 1955

Na manhã seguinte, partimos para o palácio. Era um dia frio de dezembro, e Radha, Malik e eu, enrolados em xales de lã, nos sentamos em uma *tonga* carregados com todo o nosso material. Por mais que eu quisesse estar descansada e revigorada para minha primeira reunião com um membro da família real, não havia conseguido dormir a noite toda, levantando a cada poucos minutos para acrescentar mais um item à nossa bagagem. Eu não tinha a menor ideia do que estava perturbando a jovem rainha, então precisei embalar praticamente todas as loções e itens preciosos do meu repertório, incluindo as folhas de limão kaffir que mandara vir da Tailândia. Tudo dependia de causar uma boa impressão na marani mais velha, que era quem abria ou fechava as portas para as damas do palácio.

A Cidade Rosa de Jaipur era uma verdadeira colmeia naquela manhã. Nossa charrete trotou por um tecelão de cestos que trançava lâminas de grama. Um sapateiro de turbante, que moldava ferro bruto para fazer um martelo, levantou os olhos quando passamos. Observei uma mulher na calçada que entrelaçava cravos-de-defunto habilmente em alegres *malas*.*

---

* *Mala*: colar.

Uma mulher em um exuberante sári verde-limão chamou minha atenção. Ela parecia sem cor, de um amarelo doentio. Sua cabeça estava descoberta, o cabelo oleoso. Eu tinha visto muitas prostitutas pobres em Agra para reconhecê-las de imediato. O sári barato da mulher não deixava dúvida. O homem ao lado dela tinha o braço sobre seus ombros. Parecia a estar guiando — ou a estaria forçando? — pela rua.

Meu coração deu um pulo.

Era Hari.

Suas roupas estavam mais limpas que na noite em que ele me entregara Radha, mas não havia como confundi-lo.

Será que a prostituta era o novo negócio de Hari? Ele estaria agenciando prostitutas para comprar comida e alojamento? Enojada, desviei os olhos e me forcei a me concentrar em minha tarefa no palácio. Nada mais importava.

Quando chegamos aos portões do palácio, instruí o *tonga-walla* a levar Radha ao endereço de Kanta. Minha irmã parecia pequena e assustada na charrete. Seus olhos estavam inchados — se era de chorar ou de ter acordado ao amanhecer para me ajudar com os preparativos da manhã, ou ambos, eu não tinha certeza. Na noite anterior, eu ouvira seus soluços e suas tentativas de abafá-los. Ela ainda estava brava comigo, mas me deixara abraçá-la. Afaguei suas costas até ela, por fim, adormecer.

Quando a *tonga* partiu, Malik e eu ficamos ali parados por um momento, admirando o palácio das maranis. Em comparação com o palácio do marajá, com sua entrada longa e sinuosa margeada por árvores *peepal* e hibiscos gigantes, a residência das maranis, adjacente à Cidade Rosa, era surpreendentemente modesta. Dos dois lados dos altos portões de ferro havia elefantes de pedra com a tromba levantada. Atrás do portão, via-se uma entrada de carros circular em que mal caberiam três veículos. Hoje, apenas uma bandeira estava hasteada no posto do guarda, o que significava que o marajá não se encontrava na cidade. Quando Sua Alteza estava em Jaipur, uma bandeira adicional de um quarto do tamanho regular era içada em cada um dos palácios; ele era considerado equivalente a um homem e um quarto.

Segurando nossos *tiffins* pesados, fomos até o posto do guarda. Malik piscou para mim: *Aproveite, Tia Chefe!* Sorri nervosa para ele enquanto conferia mais uma vez a lista mental do material que havia trazido: óleo de jasmim e de cravo, o tônico capilar de *bawchi* e coco, loções de *neem* e gerânio, óleo de mostarda, pasta de henna com uma dose extra de suco de limão, um leque de *khus-khus*,*

---

* Leque de *khus-khus:* leque feito de folhas de vetiver que é primeiro umedecido para liberar um perfume refrescante quando for usado.

que eu havia embebido em água durante a noite (para secar a henna depressa e perfumar o ar), um chá feito de folhas de *tulsi*, pasta branca de sândalo triturado (para aplicar na testa caso ela estivesse com dor de cabeça), palitos de bambu novos, água fresca perfumada com jasmim e vários petiscos doces e salgados destinados a melhorar o humor da marani ou aumentar seu desejo.

Um guarda de turbante vermelho e colete branco impecável preso com botões dourados estava sentado atrás de uma janela com barras de ferro. Seu longo bigode grisalho dançou de um lado para o outro enquanto ele me perguntava o que eu ia fazer no palácio. Quando eu lhe disse que tinha um encontro com a marani, ele franziu a testa, olhou para Malik e o mediu de cima a baixo.

— A mais velha ou a mais jovem?

Respirei fundo.

— A mais velha. Marani Indira. — Minha voz tremeu. Se ela me aprovasse, eu seria contratada para cuidar da esposa do marajá. Se eu não agradasse à Sua Alteza mais velha, poderíamos levar nosso material de volta para casa sem ter aberto um recipiente sequer.

O guarda nos pediu para esperar. Pela décima vez, olhei o relógio de bolso que Samir havia me dado. Eu não queria me atrasar. Depois de alguns minutos, outro atendente apareceu. Ele nos conduziu por uma porta em arco e uma série de salões com tapetes persas, mesas feitas de prata e estantes exibindo lanças, escudos e espadas rajaputes. Nosso guia se movia rápido e tivemos que apressar o passo para acompanhá-lo, mesmo com todo o peso do nosso material. Eu estava sem fôlego de correr atrás do atendente e da ansiedade de me encontrar com uma marani pela primeira vez. Entramos em uma colunata ladeada por jardins exuberantes. Elefantes esculpidos em arbustos brincavam pelos gramados. Pavões vivos passeavam em volta de fontes circulares. Urnas de pedra abrigavam madressilvas, jasmins e ervilhas-de-cheiro. Cruzamos uma passagem aberta diante de um prédio de três andares que imaginei ser a área residencial das senhoras. A jovem rainha, marani Latika, tinha tentado abolir o *purdah*,* mas a tradição de séculos se mostrou difícil de romper e as mulheres do palácio continuavam a morar separadamente dos homens.

Passamos sob um arco ornamentado, pintado com esmalte azul, verde e vermelho e contornos dourados: um pavão com a cauda aberta. Radha teria adorado tudo aquilo! Senti uma pontada de culpa por tê-la feito ficar em casa.

---

* *Purdah*: prática antiga em algumas comunidades hindus e muçulmanas segundo a qual homens e mulheres vivem em áreas separadas.

Olhei para Malik, que eu sabia que também estava pensando nela. Seus olhos dardejavam para a esquerda, a direita, em cima, embaixo, como uma peteca de badminton. Ele estava armazenando os detalhes para contar a ela mais tarde.

Entramos no que parecia uma sala de espera. Reconheci as linhas elegantes da *chaise-longue* francesa que via nas casas das minhas senhoras. Na frente, havia uma fileira de poltronas de damasco, cujos braços terminavam em borlas douradas. Na mesa de centro, quase tão larga quanto o meu quarto inteiro, estavam cravos-de-defunto em um vaso de cristal lapidado. Lustres candelabro cintilavam no teto. E, nas paredes, a história dos rajaputes: retratos de maranis anteriores em capas de arminho ou em roupa de montaria, prontas para a caçada.

O atendente fez um gesto para que nos sentássemos. Então bateu em portas duplas com três vezes a sua altura, cada uma delas ornamentada com cenas esculpidas da vida rajastani: pastoreio, agricultura, sapataria.

Malik levantou as sobrancelhas para mim, dizendo apenas com o movimento da boca: *"Pallu".* Entendi e arrumei sobre o cabelo a ponta bordada do meu melhor sári de seda, o de cor creme que eu havia usado na noite anterior, na festa de fim de ano dos Singh.

Nosso guia desapareceu brevemente pela porta, depois retornou e segurou-a aberta. Mais cedo, havíamos decidido que Malik aguardaria com nosso material na sala de espera enquanto eu conversava sozinha com a marani. Agora, ele sorriu e balançou a cabeça em aprovação, para me dar coragem.

Cruzei a porta. Ela se fechou atrás de mim com o mais suave dos cliques.

Eu me vi em uma sala de estar belamente decorada. O teto, muito alto, trazia uma representação do cortejo amoroso de Rama e Sita. À minha frente havia três sofás de damasco, o do meio ocupado por uma mulher robusta de uns cinquenta anos vestida em seda verde-esmeralda. Sua blusa era estampada com um motivo de *boteh* dourado. Ela estava jogando paciência, as cartas dispostas sobre uma mesa de mogno polido. Cabelos grisalhos densos, cortados em estilo pajem, roçavam seus ombros e seu colar *kundan** de diamantes.

Era a primeira vez que eu me encontrava diante da realeza, e senti uma coceira na garganta. Será que eu ia tossir na frente da marani? Engoli, lutando contra a vontade de pigarrear. Com mãos trêmulas, ajustei o sári para cobrir melhor meu cabelo e caminhei em direção a ela, as mãos postas em um *namastê*.

---

* *Kundan*: joia desenhada com diamantes brutos e pedras preciosas montados em ouro derretido altamente refinado; acredita-se que tenha se originado nas cortes reais do Rajastão.

Quando cheguei ao sofá, inclinei-me para tocar primeiro seus pés, depois minha testa. Ela fez um movimento com os dedos cheios de anéis para que eu me afastasse.

Ela havia acabado de tirar uma carta do baralho e estava procurando um lugar para colocá-la, decidindo, por fim, deixá-la de face para baixo sobre a mesa.

— Está vendo? — disse ela. — Estou sempre procurando o rei, mas ele não vem. — Sua voz era grave e rouca.

Um assobio agudo súbito me fez enrijecer o corpo. De uma elaborada gaiola prateada atrás do sofá, um periquito muito verde virou a cabeça para fixar um olho em mim, depois o outro. A porta da gaiola estava aberta.

A marani, que ainda não havia olhado diretamente para mim, fez um gesto despreocupado para a gaiola.

— Este é Madho Singh — disse.

— *Namastê! Bonjour!**Bem-vindo! — a ave respondeu e assobiou novamente, movendo a língua preta no bico vermelho. Seu pescoço tinha faixas iridescentes em preto e rosa forte, como se ele estivesse usando um colar como a marani. As penas no alto da cabeça eram da cor de um céu de verão.

Eu tinha ouvido falar de periquitos-alexandrinos falantes, mas nunca tinha visto um. Ele era lindo.

— Vossa Alteza deu ao periquito o nome do falecido marajá?

Ela fixou os olhos escuros nos meus pela primeira vez e arqueou uma sobrancelha.

— Lamentavelmente, os dois não chegaram a se conhecer. Meu marido morreu trinta e três anos atrás, e o pequeno Madho Singh tem só quinze anos. — Ela me examinou friamente, da cabeça aos pés. — Sente-se, por favor.

Eu me sentei no sofá adjacente e alisei o sári sobre os joelhos para me acalmar. Outro atendente, que provavelmente estava parado junto à porta, avançou em silêncio.

— Chá — disse a marani.

Ele se curvou e saiu da sala. Ela puxou outra carta do baralho.

— Você esteve no Festival do Elefante?

— Não tive o prazer, Alteza.

— Era muito divertido. Rajaputes vinham de toda parte para jogar polo sobre seus magníficos elefantes. Tudo era pintado: presas, trombas, pés. Pintavam até

---

* *Bonjour*: "Bom dia" em francês.

as unhas. — Ela fez um gesto amplo com o braço para indicar como a decoração era abundante. — Antes que a marani Latika se casasse com meu enteado, era eu quem dava o prêmio para o elefante mais bem decorado. Um ano, como gesto de agradecimento, eles me presentearam com o pequeno Madho Singh.

O periquito assobiou de novo e gritou:

— *Namastê! Bonjour!* Bem-vindo!

A marani olhou para a porta. Ali, espiando pela fresta, estava Malik. Enrijeci o corpo. Quantas vezes eu havia lhe dito para esperar do lado de fora? Eu não tinha deixado suficientemente claro como a rainha viúva era importante para o nosso futuro?

Ela o chamou com um sinal do dedo e ele entrou cauteloso na sala, à procura da origem do som. Eu me senti aliviada por ter comprado a camisa amarela de mangas longas e a calça branca para ele no dia em que Parvati mencionara pela primeira vez um compromisso no palácio. Esta manhã, quando ele chegara à casa da sra. Iyengar, eu tinha lavado e untado seus cabelos e esfregado seu pescoço e suas orelhas até ficarem vermelhos. Ele estava até usando sandálias do tamanho certo.

A marani o estudava com curiosidade enquanto ele examinava o periquito, sem prestar nenhuma atenção nela.

— Você gostaria de dizer olá para o meu precioso?

Madho Singh voou de seu poleiro e pousou no encosto do sofá da marani.

— Precioso — o periquito repetiu belamente.

Malik fez um *salaam* para a ave com sua mão graciosa.

— Bom dia — disse ele em seu melhor inglês, sem nunca tirar os olhos do periquito.

A ave repetiu:

— *Namastê! Bonjour!* Bem-vindo!

Malik sorriu.

— Ave esperta.

— Ave esperta — repetiu Madho Singh.

A marani, que estivera observando Malik com interesse o tempo todo, perguntou:

— Quantos anos você tem?

Ele pareceu refletir um pouco sobre a questão. Primeiro olhou para o teto, depois de volta para a marani.

— Eu prefiro oito.

Os cantos da boca pintada da marani oscilaram, depois se soltaram em uma risada generosa.

— Encantador. — O riso dela começava no peito e borbulhava até a garganta, sacudindo os braceletes e fazendo farfalhar as pregas do sári. Ela olhou de Malik para mim. — É seu?

Fiz que não com a cabeça.

Ela se voltou para ele.

— Rapazinho, qual é o seu doce preferido?

O periquito imitou:

— Qual é o seu doce preferido?

Malik contraiu o rosto e olhou para o teto de novo.

— *Rabri**— disse ele.

— Maravilhoso! Precisamos dizer ao chef para fazer *rabri* para você imediatamente — declarou a marani.

Meu rosto ficou quente e eu me movi para a beirada do sofá.

— Alteza. Nós viemos para servi-la, não para Vossa Alteza nos servir. — Fazer *rabri* era tedioso e demorado, exigindo atenção constante enquanto o leite cozinhava e a água evaporava sobre fogo baixo durante duas horas, deixando apenas o creme. Era impertinência pedir isso ao palácio!

A marani arregalou muito os olhos.

— Mas isso daria grande prazer a Madho Singh. Não daria?

A ave balançou a cabeça.

— Adoro doces.

Malik olhou depressa para mim, um pequeno sorriso nos lábios, como se estivesse perguntando que jogo estávamos jogando e se ele poderia participar.

Protestei:

— Alteza, *rabri* é tão demorado para fazer...

— Precisamente. — Ela se virou para a porta e outro atendente se aproximou. Ela o instruiu a levar Malik para a cozinha e não retornar até que o menino tivesse comido quanto quisesse de *rabri*. — Não deixe o chef mandar o menino para uma das outras cozinhas. E leve Madho Singh com vocês. — Para mim, ela disse: — Ele adora doces.

Os olhos de Malik estavam enormes quando ele olhou para mim. Levantei um ombro ligeiramente. Quem era eu para discutir com uma marani? Como

---

* *Rabri*: sobremesa cremosa feita com leite.

se tivesse compreendido a marani perfeitamente, o periquito voou do divã e pousou no ombro forrado de branco do atendente.

— Adoro doces — Madho Singh repetiu, enquanto Malik seguia ave e atendente para fora da sala.

Eu me virei novamente para a rainha viúva, que estava tentando conter uma risada — e falhando.

— O chef é odioso — disse ela. — Ele nunca tempera a comida do jeito que eu gosto. Era o favorito do meu falecido marido e agora se ressente por ter que servir a *mim*. Ele vai ficar irritado de ter que trabalhar por tanto tempo no fogão quente para alimentar mais uma boca.

Meus ombros relaxaram. Como minhas senhoras, as maranis tinham criado as próprias regras para mandar no jogo.

A marani virou um seis de ouros e o colocou sobre um sete de paus.

— Então... você conhece Parvati Singh. O pai dela e minha mãe eram primos. — Ela olhou para mim com um sorriso agradável. — É o marido dela que eu acho irresistível. Talvez porque Samir envie os presentes mais adequados. Você sabia?

— Não, Alteza — respondi, intrigada.

— Pois deveria — disse ela, com uma expressão astuta. — Acredito que você seja a fornecedora dele.

Os sachês? Impossível!

— Meu cabelo nunca foi tão volumoso. — Ela sacudiu a cabeça; o cabelo balançou graciosamente de um lado para o outro. Samir comprava uma caixa do meu óleo de *bawchi* para cabelos todos os meses, mas eu achava que era para as amantes dele.

Eu sorri.

— É muito bonito, Alteza.

— Então, quando Samir diz que você faz milagres, eu acredito nele. — Ela me lançou um olhar atento. — *Você* acredita que faz milagres?

— Eu tenho essa reputação.

— Deixe-me ver sua cabeça.

Hesitei, surpresa com o pedido. Mas, quando ela fez um gesto com o dedo para que eu removesse o *pallu*, descobri a cabeça. Seus olhos escuros examinaram meu cabelo (recém-lavado e tratado com óleo), o ramo de jasmim no alto do meu coque, o lóbulo nu das minhas orelhas. Ela girou os dedos e eu virei a cabeça, para que ela pudesse ver a parte de trás. Quando a olhei de novo, ela fez um gesto rápido de aprovação.

— Eu gosto de uma cabeça bem formada — disse.

Um atendente entrou com um serviço de chá de prata. A porcelana era decorada com um padrão semelhante ao de Parvati. Em um prato com borda dourada havia biscoitos muito delicados, com o centro de pedacinhos de pistache e alfazema. O chá foi servido nas xícaras. Com uma batidinha de sua unha esmaltada, a marani indicou que seu chá deveria ser colocado ao lado das cartas. Mas ela não pegou a xícara.

— Meu falecido marido gostava muito de chá. Ele às vezes tomava cinco, seis xícaras por dia, com muito açúcar. Todo aquele açúcar deveria ter feito dele um homem doce. — Ela parou um instante. — Não fez.

Os modos francos de Sua Alteza eram inesperados, mas, curiosamente, eu os achava agradáveis. Raciocinei que talvez fosse hábito de toda a realeza ser excêntrica e, por fim, deixei as costas repousarem na almofada do sofá. Tomei sem pressa um gole do chá, cremoso, doce e perfumado com cardamomo e canela.

— Ele foi egoísta até o fim — Sua Alteza continuou. — Para suas concubinas, deu sessenta e cinco filhos, porque, ora, quem se importa com os ilegítimos? Para suas cinco esposas, eu incluída, ele tomou grande cuidado para não dar nenhum. Sabe por quê? — Ela ficou segurando uma carta entre os dedos indicador e médio, do modo como um homem segura um cigarro, esperando uma resposta.

Inclinei a cabeça polidamente.

— Seu astrólogo o aconselhou a não confiar em seus herdeiros de sangue. Então, em vez de ter um filho legítimo, ele adotou um menino de uma família rajapute, que é agora o nosso marajá. — Ela bateu a carta na mesa, com a face para baixo. — Eu vivo em um palácio com um marajá que não é meu filho e uma marani que é minha nora *adotiva*.

Não era a primeira vez que eu ouvia sobre um palácio indiano que adotava um príncipe herdeiro a conselho de um astrólogo. Em algumas famílias reais, essa era uma prática comum.

Ela pôs a mão brevemente em volta de sua xícara de chá, mas a deixou na mesa.

— O marajá atual ama sua terceira esposa. Latika se veste belamente, teve uma educação cara, é inteligente. O filho que ela lhe deu *deveria* ser o príncipe herdeiro.

Ela cobriu uma dama com o valete que havia tirado do baralho.

— O único problema é que *ele* também ouviu o conselho do *seu* astrólogo, que o advertiu de que seu filho de sangue lhe tomaria o poder. Então o marajá mandou o filho para a Inglaterra, para a escola interna, sem contar à esposa. Ele deixou essa tarefa para seu conselheiro-chefe. A marani Latika não come nem dorme desde que lhe tiraram o filho. Ela não quer falar. Não sai da cama.

Balançando a cabeça, ela prosseguiu:

— O menino dela tem só oito anos, a mesma idade que seu assistente prefere ter. Mas ela não tem permissão para vê-lo.

Eu entendia o trauma que as mães sofriam quando perdiam seus filhos para a febre ou a desnutrição. Tinha visto isso muitas vezes, trabalhando com minha *saas*. Mas ter um filho levado embora sem seu conhecimento devia ser outra espécie de tortura.

A marani Indira havia chegado ao fim do baralho.

— Os cidadãos de Jaipur talvez pensem que nós, maranis, temos poder, mas isso não poderia estar mais longe da verdade.

Ela pegou a pilha de cartas rejeitadas e começou a virá-las uma a uma.

— Agora chegamos a você, Lakshmi Shastri. Embora a jovem rainha não seja minha nora de sangue, ela é minha responsabilidade. Seu ânimo precisa ser restaurado para que ela possa retomar suas funções reais. E ela precisa ser uma esposa adequada para o marajá novamente. — A rainha viúva levantou uma sobrancelha. — Ela não tem escolha a não ser aceitar seu destino e o de seu filho. *Que sera, sera.* — A marani Indira imobilizou as mãos. — Pelo menos ela experimentou a maternidade.

A mulher sentada à minha frente também havia conhecido o sofrimento. Se não fosse inapropriado, eu teria lhe oferecido o doce de castanha de caju que havia preparado naquela manhã com cardamomo para aliviar a tristeza.

Esperei um momento.

— Como eu posso ajudar, Alteza?

— Recupere a marani Latika. Remova seu sofrimento, o que Samir garante que você pode fazer.

A confiança de Samir em mim era encorajadora. Mas a ideia de falhar com uma mulher da nobreza, uma figura pública daquela estatura, me fez sentir um calafrio.

Umedeci os lábios.

— Alteza, curar leva tempo. Assim como minhas aplicações. Terei que ver a marani Latika para determinar como poderei ajudar e quanto tempo pode demorar. É uma honra que o sr. Singh tenha tanta fé em mim, mas, por favor, permita-me avaliar a situação primeiro.

Ela me analisou, a expressão séria. Mantive o olhar firme e esperei.

Depois de algum tempo, ela recolheu as cartas da mesa, como se tivesse chegado a uma decisão.

— Avalie à vontade — determinou, sua voz ríspida novamente. — E venha me ver quando tiver terminado.

Fiquei aliviada por minha tarefa ali ser acalmar uma mulher angustiada, como eu já havia feito muitas vezes. O sucesso seria doce e espalharia minha reputação para além dos muros da cidade. Uma derrota, no entanto, seria fatal. Meu trabalho nunca se recuperaria de tal humilhação. Eu teria que usar todas as ervas do repertório da minha *saas* para curar a jovem rainha.

Apesar do ótimo chá, minha boca estava seca.

— Será um prazer, Alteza.

Satisfeita, ela fez um único movimento de aprovação com a cabeça. Depois olhou para o atendente, que avançou.

— Leve a sra. Shastri até Sua Alteza. — Então tocou sua xícara de chá outra vez e disse: — E avise ao chef para nunca mais me servir chá frio! Como ele ousa fazer isso a uma marani?

Levantei do sofá com as pernas trêmulas e me inclinei para tocar-lhe os pés.

Quando eu era criança e meu pai estava de ressaca demais para ir dar aula na escola, minha mãe se desesperava em voz alta: *O que nós vamos comer quando ele perder o emprego? Livros?* Eu buscava refúgio das ansiedades dela no casebre do velho Munchi, pintando em suas folhas secas de *peepal*. Esquecia de mim mesma ali, desenhando o *chunni* de uma leiteira ou as pequeninas penas de uma ave mainá. Isso me acalmava. Tempos depois, quando Hari me acusava por não lhe dar filhos, eu me recolhia novamente na arte, mas desenhava em minha mente, imaginando o pincel em minha mão, mesmo enquanto ele socava minha barriga ou chutava minhas costas. Concentrar-me em detalhes, como a joaninha subindo pelo meu braço ou a estampa caxemira em meu sári, e ignorar todo o resto afastava a ansiedade, a dor e a preocupação.

Agora, enquanto era conduzida aos aposentos da jovem marani, eu ocupava a mente estudando os padrões em esmalte no batente das portas, as treliças nas janelas, os mosaicos que decoravam os pisos de mármore e as paredes, as histórias tecidas nos tapetes de seda. Séculos atrás, os príncipes de Jaipur haviam convidado os melhores entalhadores de pedra, tingidores, joalheiros, pintores e tecelões de terras estrangeiras — Pérsia, Egito, África, Turquia — para exibir seus talentos. Quando cheguei ao quarto de Sua Alteza Latika, minhas ansiedades haviam se amenizado; minha mente estava mais calma.

À esquerda da porta, havia um guru sentado de pernas cruzadas sobre uma esteira acolchoada, balançando para a frente e para trás e deslizando uma fileira de contas entre os dedos. Um *bindi* laranja feito de pó de cúrcuma ia de sua testa até a linha do cabelo. As dobras de sua túnica branca se aglomeravam em volta da barriga volumosa. Na frente dele, a fumaça de um cone de incenso subia em ondulações preguiçosas para o teto.

A marani Latika estava recostada em travesseiros de cetim creme em uma cama de dossel. Ela não era viúva, no entanto usava um sári branco de musselina fina e uma blusa branca. Três damas da corte, vestidas em sáris de seda, a atendiam. A que penteava os cabelos da rainha era, obviamente, sua assistente pessoal. Outra dama a abanava, enquanto a terceira lia em voz alta um livro de poesia. Reconheci o poema; era de Tagore. *Escura? Por mais escura que ela fosse, eu vi seus escuros olhos de gazela.* As mulheres da corte levantaram os olhos quando entrei no quarto, mas continuaram com suas tarefas. Uni as mãos em um *namastê* e me aproximei da cama, tocando o ar acima dos pés da marani e puxando qualquer energia de inveja para minha testa. Mas seus olhos apáticos continuaram voltados para a frente, como se ela nem tivesse me visto. Cumprimentei as damas com as mãos e elas inclinaram a cabeça em resposta.

O quarto estava intencionalmente escuro, então pedi para o atendente colocar minhas sacolas perto da janela, onde eu poderia enxergar com mais clareza. Olhei em volta à procura de um banquinho e o atendente me trouxe uma banqueta estofada. Desembalei os itens de que ia precisar, depois lavei as mãos na água de jasmim fresca de um dos meus recipientes. Em seguida, as esfreguei com óleo. Cuidadosamente, segurei a mão da rainha. Sua pele estava seca e fria. Ela se mexeu. Pelo canto do olho, vi sua cabeça virar em minha direção e, embora até agora eu tivesse evitado olhá-la nos olhos, fiz isso. Já tinha ouvido falar de sua beleza, que havia cativado o marajá à primeira vista. Seus olhos, redondos e luminosos, com íris cor de mogno, pareciam nus, incapazes de esconder a imensa tristeza. A pele delicada em volta das pálpebras estava mais escura que no restante do rosto, como se tivesse sido queimada. Sua Alteza não usava nenhuma joia. O pó rubro de vermelhão serpenteando pela risca de seu cabelo era o único ornamento. Uma de suas atendentes devia tê-lo posto ali.

Ela baixou o olhar para a mão que eu estava segurando. Abriu os dedos e os examinou, como se nunca os tivesse visto. Suas unhas eram bem cuidadas, aparadas em um formato arredondado, as cutículas empurradas. Ela soltou um longo suspiro e se retirou novamente para seu devaneio pessoal. Eu podia começar a trabalhar agora.

Uma manhã, depois de eu ter ido morar com Hari e sua mãe, vi três ovinhos arroxeados perto de onde estava lavando roupas, na margem do rio. Ouvi um estridente *Kink-a-ju! Kink-a-ju!* e vi, sob um arbusto, uma *bulbul** de bigode vermelho me observando, inclinando a cabeça para um lado, depois para o outro. Ela pendia para um dos lados, arrastando uma asa no chão. Corri de volta para casa para chamar minha *saas*, que disse que a ave devia ter sido ferida antes de poder voar até o ninho para pôr os ovos. Já em casa, minha sogra fez um cataplasma para imobilizar a asa. Duas semanas se passaram até a asa se curar e, depois disso, *saas* me disse para soltar o passarinho onde eu o havia encontrado. Quando fiz isso, a *bulbul* procurou em vão por seus ovos, que havia muito tinham desaparecido. Eu não tinha sido capaz de salvar os ovos nem poderia trazer o filho da marani Latika de volta para casa, mas, com o tempo, poderia ajudar a curar a ferida.

Comecei a massagear suavemente suas mãos e seus pés, para que ela pudesse se acostumar com meu toque. Eu trabalhava com minhas senhoras havia muito tempo e elas confiavam em mim, mas a marani Latika não me conhecia, nem sequer me notara de fato, portanto seria difícil para ela relaxar do modo como conseguia fazer nas mãos de sua assistente pessoal. Com a mistura que eu havia criado naquela manhã — óleos de gergelim e coco e extratos de *brahmi*** e tomilho —, esfreguei a área entre o polegar e o indicador. Massageei o ponto de pulso em seu punho. Trabalhei da mesma forma com o arco dos pés, pressionando a fenda entre o dedão e o segundo dedo para liberar a tensão. A dama que estava lendo o livro de poesia ditava o ritmo, com sua cadência hipnótica.

Depois de um tempo, os músculos da marani começaram a se soltar e eu ouvi sua respiração ficar mais profunda nos pulmões. Continuei massageando braços e pernas com meus óleos, e de volta para as mãos e os pés, por cerca de uma hora. Alonguei seus tendões, soltei seus membros, abri seus meridianos. Se os músculos resistiam, eu voltava a atenção para os pontos de pressão, para aliviar a tensão. Enquanto trabalhava, mantinha a mente concentrada em transferir minha energia para ela. Tudo o mais foi afastado.

---

* *Bulbul*: pássaro canoro da Ásia e da África.
** *Brahmi*: erva usada para estimular a mente.

Quando senti seus braços amolecerem, arrisquei uma olhada para Sua Alteza. Ela havia adormecido. Não ia durar, mas, para a primeira visita, ela não poderia lidar com mais que isso.

Depois que juntei meu material, um atendente me conduziu por outro conjunto de passagens até um espaço de vidro cheio de orquídeas. O ar era úmido ali, a temperatura muito mais quente que a do ar-condicionado do palácio. Senti uma camada fina de suor se formar sobre o lábio superior.

Com uma tesourinha de prata, a marani viúva cortava as folhas mortas de uma planta. Meias-luas de suor manchavam as axilas de sua blusa de seda.

A marani Indira falou comigo sem se virar:

— Quanto antes Latika se recuperar, mais depressa eu posso voltar para os meus bebês. — Em uma mesa próxima, ela pegou um copo com gelo e um líquido transparente e o balançou. — Gim-tônica. Gostaria de um, sra. Shastri?

Fiquei tentada, mas nunca havia bebido álcool.

— Não, obrigada.

Ela olhou para mim, sorrindo.

— Tem certeza? Os britânicos nos deixaram algumas coisas boas, e esta é, de longe, a melhor. — Ela tomou um gole. — Principalmente porque mantém a malária a distância.

Ela se moveu para a planta seguinte e começou a virar as folhas para inspecioná-las. Satisfeita, tomou um gole grande de seu drinque.

— Venha conhecer minhas queridinhas.

Eu me aproximei mais.

Ela apontou para uma flor amarela com listras verdes e uma asa estendida de cada lado do corpo. As asas eram pontilhadas de preto.

— Esta é uma orquídea sapatinho. Mas eu a chamo de *titli*,* porque ela parece uma borboleta. E esta vanda azul aqui, eu lhe dei o nome de Sita. — Ela acariciou uma pétala com o dedo. A estufa parecia ser o quarto das crianças da marani, em vários sentidos. — Dizem que Lady Sita costumava enfeitar os cabelos com orquídeas azuis durante o exílio. Esta é uma espécie rara.

A marani Indira atravessou a estufa e roçou os dedos em pequeninas flores cor-de-rosa, umas vinte no total, que saíam de um único caule.

— Esta foi um presente da princesa da Tailândia. Eu tinha pensado em dar a ela o nome do meu falecido marido, até que a princesa me disse que não

---

* *Titli*: borboleta.

tinha conseguido fazer o caule crescer, e eu pensei: *Não parece em nada com o meu marido!* — Satisfeita com a piada obscena, ela deu uma risada rouca e divertida. A marani viúva parecia ter encontrado um santuário dentro de seus limites restritos. Os pobres não eram os únicos aprisionados por sua casta.

— Eu tenho um segredo para fazer qualquer coisa crescer. — Ela despejou algumas gotas de seu drinque em volta da base de uma planta. Seus lábios se curvaram em um sorriso conspiratório, enquanto ela olhava de lado para mim. — *Chup-chup*.

Eu ri, incapaz de me conter.

Ela tomou um gole da bebida.

— Então, sra. Shastri, me diga. Quando vou poder voltar em tempo integral para minhas orquídeas?

Eu tinha pensado nisso enquanto atendia à jovem rainha.

— Alteza, se me permite. Antes que meu trabalho possa de fato funcionar, a marani Latika precisa confiar em mim. Se eu pudesse trabalhar com ela todos os dias no mesmo horário por duas, três semanas, acredito que faríamos progresso.

— E você fez algum progresso hoje?

— Acredito que sim. Comecei as preparações para um desenho de henna que eu aumentarei a cada dia. Quando estiver completo, acredito que Sua Alteza estará se sentindo muito melhor.

Ela concordou, apertando os lábios.

— Qual é o custo dessa ressurreição?

Uni as mãos na frente do sári.

— O que Vossa Alteza considerar apropriado.

A marani viúva me examinou.

— Todas as manhãs, quando você terminar com Sua Alteza, gostaria que me fizesse um relatório. Se você vir progresso, vamos continuar. Se não, tentaremos outra coisa. Quando estiver de saída hoje, entregue isto ao tesoureiro.

— Ela me passou um pedaço de papel. — Ele lhe pagará quinhentas rúpias a cada dia que você vier.

Eu senti que poderia desmaiar. Em uma hora, havia ganhado o mesmo que conseguia durante uma semana inteira de compromissos de henna. Duas semanas equivaleriam a sete mil rúpias! A umidade era sufocante e minha testa estava molhada de transpiração. Eu precisava sair dali.

— Obrigada, Alteza.

Ela me dispensou com um aceno de cabeça e se virou para inspecionar a planta à sua frente. Enquanto eu saía, a ouvi dizer:

— Cabisbaixo de novo, Winston? Não estou lhe dando atenção suficiente, meu querido?

Malik estava à minha espera nos portões do palácio. Ele veio correndo para me aliviar dos *tiffins*.

— Está sorrindo, Tia Chefe. Sucesso?

— Pode-se dizer que sim. E o chef do palácio? Gostou do tempo que passou com ele?

— Para falar a verdade, Tia Chefe, tirando balas de tamarindo, eu não sou muito de doces. Mas Madho Singh é. Aquela ave comeu quase todo o meu *rabri*. Pode ser que ele passe mal esta noite. — Ele balançou os *tiffins* pela alça enquanto caminhávamos até a rua seguinte para chamar um riquixá comum.

Eu sacudi a cabeça. De que adiantaria repreendê-lo?

— E o que você fez enquanto estava com o chef?

— Não fiquei lá. Cumpri tarefas, recebi pedidos, fiz entregas.

Parei abruptamente.

— Malik! Você desobedeceu deliberadamente às ordens de Sua Alteza?

Ele se virou para mim. Estava sorrindo.

— Não se preocupe, Tia Chefe. Quando o atendente mandou que ele fizesse *rabri* para mim, o chef fez uma cara que parecia que estava querendo me cortar ao meio com a faca. — Ele assobiou para um riquixá. — Então eu pensei: *Como posso deixar ele tão feliz quanto deixo a Tia Chefe todos os dias?* — E riu quando me viu levantar uma sobrancelha. — Perguntei para ele quanto o palácio pagava pelo óleo de cozinha. Quando ele me falou, eu disse: *"Baap re baap!"* Vocês estão sendo roubados".

Fechei os olhos. O que Malik estava aprontando agora?

— Tia Chefe, relaxe. — Ele fez um gesto com a mão como se estivesse atarraxando uma lâmpada. *Está tudo bem.* — Eu vou conseguir óleo para ele por muito menos do que os sujeitos que estão explorando o palácio e o chef vai embolsar a diferença. — Apontou para uma das sacolas em sua mão. — Ele ficou tão contente que prometeu me fazer uma comida especial todos os dias,

---

* *Baap re baap*: Meu Deus! Caramba!

mesmo que eu não peça nada. Hoje foi *puri** e *chole*.** Amanhã, *bhaji*!*** Você e Radha nunca mais vão ter que cozinhar.

Ele correu na frente para pôr nossa bagagem dentro do riquixá que estava esperando e eu o segui, admirada e um pouco espantada com meu pequeno amigo.

A notícia da minha visita ao palácio se espalhou como *ghee* em *chapatti* quente. Bastou um vendedor de mangas nos ver nos portões do palácio e contar para a esposa, que contou para a vizinha, que contou para o cunhado, que contou para o médico, que contou para a lavadeira, que foi deixar as roupas passadas na casa de uma das minhas senhoras. Não demorou e meus serviços estavam sendo solicitados por novas clientes para todo tipo de comemorações e cerimônias: noivado, sete meses de gravidez, nascimento do bebê, primeiro alimento sólido do bebê, primeiro corte de cabelo do bebê, menino atinge a maioridade, primeira entrada em uma casa recém-construída, nascimento de Hanuman, culto de fogo para a deusa Durga, a Grande Noite de Shiva, promoção no trabalho, aceitação na universidade, cerimônia para viagem segura, cerimônia para chegada segura. Na Índia o que não faltava eram rituais e cerimônias, e nós três ficávamos ocupados de manhã até tarde da noite. Radha preparava a pasta de henna e me ajudava a cozinhar os petiscos. Eu atendia a marani Latika de manhã e minhas senhoras à tarde e à noite. Malik cruzava a cidade entregando meus cremes, óleos e loções, cujas vendas haviam triplicado. Foi um tempo bom para nós; eu devia ter aproveitado mais, mas não podia. Não até que a marani Latika estivesse em condições de retomar seus deveres reais.

Muitas das novas clientes estavam ansiosas por fofocas.

A marani Latika é tão linda quanto dizem?
Conte sobre os sofás que acomodam dez pessoas!
É verdade que as urnas de prata no palácio têm a altura de um homem?
Eles servem carne na sala de jantar?

Até mesmo as senhoras que eu atendia havia anos não resistiam a arriscar uma ou duas perguntas: *Todos os sáris da marani são de Paris? Como são as estampas de seu crepe georgette?*

---

* *Puri*: pão redondo frito.

** *Chole*: grão-de-bico cozido e condimentado.

*** *Bhaji*: legume ou verdura mergulhado em massa de farinha e frito

Minhas clientes favoritas, como a sra. Patel, que não se impressionavam com riqueza ou títulos, não demonstraram curiosidade. Uma matrona de sessenta e poucos anos, quieta e tranquila, que fazia a contabilidade do hotel de seu marido, a sra. Patel disse:

— Espero que você esteja tendo tempo de descansar, Lakshmi. Períodos como esse podem ser muito tensos — antes de se calar em um silêncio amigável.

Malik mantinha-se discreto. Eu o havia aconselhado sobre como responder às perguntas de porteiros, criados e *tonga-wallas*. Ele podia descrever as pinturas das maranis em caçadas reais para famílias rajaputes, mas não para brâmanes (vegetarianos). Podia falar dos jardins perfumados, mas não dos detalhes de encanamentos europeus no banheiro real (muito vulgar). Podia dizer que a banda do palácio empregava quarenta músicos, mas não revelar que cada um dos três chefs — bengali, rajastani e inglês — tinha uma cozinha separada e seus próprios assistentes (muito exibicionista).

Radha fazia suas tarefas quase sem abrir a boca. Assim que terminava, ela ia para a casa de Kanta. Como o novo período escolar ainda não havia começado, Kanta sugerira que minha irmã lesse para ela à tarde. Achei uma ideia maravilhosa. Imaginei que, quando eu chegasse em casa tarde da noite, ela estaria ansiosa para me contar o que havia acontecido em seu dia. E eu queria muito isso. Mas ela só ficava deitada na cama, de costas para mim, lendo um livro emprestado por Kanta.

Eu perguntava o que ela estava lendo. Suas respostas eram curtas
— Um livro.

Se eu perguntasse qual livro, ela respondia:
— Você não conhece.

Eu dizia:
— Tente. — Ao que ela poderia dizer:
— Um romance de uma das Brontë.

Ela sabia perfeitamente bem que eu conhecia todas as três irmãs. Não havíamos sido criadas pelo mesmo pai, que nos ensinara a ler inglês em voz alta quando tínhamos três anos? Não conseguíamos mais do que reproduzir o som das palavras sem entender o significado, mas seus métodos nos introduziram na literatura desde uma idade precoce.

Eu não podia acreditar que ela ainda estivesse brava comigo por não ter ido ao palácio. Era totalmente descabido. Eu era a irmã mais velha, a provedora. Eu definia as regras e ela deveria obedecê-las sem questionar, como cabia a uma boa irmã mais nova. Mas abafei minha irritação. Com o tempo, ela aprenderia a aceitar o que não podia mudar.

Era só olhar para mim: apesar das minhas repetidas objeções, eu não tinha conseguido mudar meu destino. Acabara casada com Hari.

Em meu compromisso seguinte com a sra. Sharma, ela me parabenizou por ter conseguido um trabalho no palácio. Isso me deu coragem para dizer que gostaria de conversar sobre o casamento que eu havia proposto entre Sheela e Ravi. (Samir já tinha começado a discutir com o sr. Sharma uma proposta de trabalho conjunto no contrato de reforma do Palácio Rambagh, portanto eu tocar no assunto era natural.) A sra. Sharma entrou no jogo, incapaz de esconder o sorriso que empurrava para cima a pinta em sua face, e apresentou as próprias cartas. Em vez de dar um dote, a família Sharma queria construir uma casa para Sheela e Ravi, desde que o acordo de casamento fosse em frente. Sheela preferia não morar com a família do futuro marido, como era o costume.

— Uma família se opõe a essa exigência e tivemos que rejeitar a oferta deles — disse a sra. Sharma.

Eu entendia por que as famílias de Jaipur achavam a exigência de Sheela inaceitável; a formação de famílias conjuntas era a norma. Até Kanta e Manu, modernos e ocidentalizados, moravam com a mãe viúva de Manu. Parvati lutaria como uma tigresa para que seu primogênito morasse com ela. Ela argumentaria que havia espaço de sobra na mansão dos Singh; Ravi e Sheela poderiam ter sua própria ala.

Se eu quisesse a comissão pelo casamento — e eu queria —, cabia a mim encontrar uma solução que agradasse a ambas as partes. Um obstáculo no caminho, era verdade, mas eu estava perto de fechar o acordo. Não ia desistir agora. Com famílias menos ricas, o valor do dote costumava ser o ponto de atrito: quanto dinheiro, quanto ouro, quantos sáris de seda. Mas os Singh e os Sharma não iam discutir por dinheiro; satisfazer suas exigências requeria tato, criatividade e mais que um pouquinho de sorte.

Uma semana depois de eu ter começado minhas visitas diárias ao palácio, fui à casa de Kanta para o nosso horário habitual. Radha já estava lá, sentada em uma poltrona, o dedo marcando a página do livro que elas deviam estar lendo juntas quando cheguei.

Kanta pulou do sofá, ansiosa com sua notícia.

— Lakshmi, eu estava louca para te contar! — Os olhos dela cintilavam de alegria. — Eu estou grávida! — Ela me abraçou. — E é tudo graças a você e sua henna mágica e seus desenhos perfeitos, e eu tenho certeza de que você deve estar colocando alguma coisa marota naqueles seus doces.

Sorri.

— Kanta, isso é maravilhoso! — Virei para Radha. — Você ouviu isso?

Ela ergueu as sobrancelhas.

— Tia Kanta já tinha me contado — respondeu, com um ar superior.

— Saasuji soube antes de mim — disse Kanta. — Comecei a ficar com o estômago enjoado toda vez que abria um livro. Ela disse que sentia a mesma coisa quando estava grávida de Manu. Imagine! Minha sogra e eu finalmente temos algo em comum além do meu marido! — Ela riu.

Sua felicidade era contagiante, e eu me vi rindo também.

Kanta pôs o braço sobre os ombros de Radha.

— É por isso que tem sido tão maravilhoso Radha vir ler para mim. Eu não consigo mais ler por mim mesma! — E riu de novo.

Fomos até o quarto de Kanta, onde ela tirou o sári.

— Saasuji acha que o bebê pode ver o que eu visto. Se ela fica feliz de eu usar sáris, por mim tudo bem. — Ela se deitou no divã. — Vamos fazer outra mandala de bebê na minha barriga para garantir um menino bonito como Manu.

Minha irmã havia nos acompanhado até o quarto e se sentou na cama, como se estivesse em casa.

— Radha, por favor, continue lendo enquanto Lakshmi faz sua mágica.

Mais feliz em fazer a vontade de Kanta do que a minha, Radha sorriu satisfeita e abriu o livro que trazia consigo na página onde haviam parado. Olhei para a capa. *Daisy Miller*. Eu não havia lido, mas minhas senhoras tinham comentado sobre ele. O romance era sobre uma adolescente americana em viagem pela Europa. Que generoso da parte de Kanta ajudar Radha a melhorar seu inglês — e seu conhecimento do mundo. Eu me sentia grata por ela ter para minha irmã o tempo que eu não tinha. Meus dias andavam tão ocupados que era um alívio alguém tirar Radha das minhas mãos.

— Ah, Lakshmi! Amanhã vou levar Radha para ver aquele filme americano de que lhe falei. *Quanto mais quente melhor*. Com Marilyn Monroe! — Kanta tagarelava alegremente, como um passarinho. — E, no mês que vem, *Mr. & Mrs. '55* vai voltar aos cinemas. Fez tanto sucesso na primeira vez! Nós vamos ver esse também. Você não se importa, não é, Lakshmi?

Como eu poderia me opor quando ela estava se encarregando da minha irmã de forma tão generosa? Dei uma olhada para Radha, que eu sabia que estava esperando ansiosamente minha resposta, embora fingisse indiferença. Senti uma vaga inquietação, mas disse:

— Claro que não me importo. É muita gentileza sua, Kanta.

Radha me deu um sorrisinho.

Minha irmã precisava de uma amiga, e Kanta também. Permitir que elas passassem mais tempo juntas era minha maneira de pedir perdão a Radha por passar tão pouco tempo com ela. Ou, pelo menos, foi o que eu disse a mim mesma.

Oito

5 de janeiro de 1956

Durante minha segunda semana de visitas diárias à marani Latika, percebi uma mudança. Quando cheguei, a jovem rainha me olhou diretamente nos olhos. A cor escura em torno de suas pálpebras havia clareado e ela parecia alerta. Seus olhos não estavam mais vermelhos. Toquei seus pés, perguntei sobre sua saúde. Ela não me respondeu, mas continuou a me examinar com os olhos grandes.

— Sua Alteza dormiu seis horas seguidas na noite passada! — disse a dama que lia em voz alta para a jovem rainha.

Não disfarcei a animação. Abri um recipiente com as fatias de limão que eu havia cristalizado na noite anterior.

— Isso merece uma comemoração, não é? — perguntei. Minha *saas* me ensinara que mulheres que haviam sofrido uma perda profunda precisavam de remédios ricos em frutas e essências de flores. Limão promovia energia e a produção de suco gástrico; a fruta cristalizada aumentaria o apetite de Sua Alteza.

— Me permite, Alteza?

A marani Latika levantou as sobrancelhas e olhou para suas damas de companhia em busca de orientação.

A primeira dama de companhia instruiu um dos atendentes a levar o *tiffin* para a cozinha. Alimentos preparados fora do palácio eram suspeitos, e um dos assistentes do cozinheiro teria que prová-lo antes da marani. Se tudo corresse bem hoje, em alguns dias eu poderia servir a ela *rasmalai** cremoso: coalhada caseira com açúcar, cardamomo e pétalas de rosas. As faces da marani estavam fundas; fazia semanas que ela recusava tudo a não ser um *dal* tão ralo quanto água. Dando-lhe alimentos que estimulassem a fome em seu estômago, eu esperava corrigir o desequilíbrio de *vata*** em seu corpo. Quando pudéssemos passar a texturas mais pesadas, como coalhada, e a especiarias como cardamomo, sua depressão cederia mais depressa.

Hoje Sua Alteza se interessou pela henna e ficou observando enquanto eu desenhava. A cada dia eu acrescentava mais alguma coisa ao desenho do dia anterior. Primeiro havia pintado suas unhas, a ponta dos dedos e os pulsos com pasta de henna de cor uniforme. Fiz o mesmo com os dedos e a sola dos pés. Em outro dia, desenhei ramos entrelaçados descendo em cada dedo das mãos e dos pés. No dia seguinte: um padrão complexo de folhas no dorso de cada mão e dos pés. Agora, circundei cada folha com pequenos pontos nas bordas. Minha meta era cobrir com henna cada centímetro da pele de suas mãos e pés; quanto mais henna eu aplicasse, mais as propriedades calmantes da pasta relaxariam sua mente e seu corpo e permitiriam que Sua Alteza descansasse.

Quando o atendente voltou com os limões cristalizados, agora arrumados em um prato de porcelana azul-imperial, a dama de companhia pegou uma fatia e ofereceu à jovem rainha. Sua Alteza hesitou antes de aceitar. Todos os olhos estavam nela. Até o guru levantou a cabeça de sua oração, com os lábios apertados, como se estivesse prestes a sugar o doce.

A marani deu uma pequena mordida, mastigou e engoliu. Então fechou os olhos e deu outra mordida. A tensão no quarto se aliviou; ombros relaxaram enquanto todos respiravam em um suspiro coletivo.

A dama de companhia retomou a leitura.

— "Quando as nuvens de tempestade estrondeiam no céu e as chuvas de junho caem, o úmido vento leste vem marchando sobre a charneca para soprar suas gaitas de fole entre os bambus. As multidões de flores surgem de repente, ninguém sabe de onde, e dançam sobre a grama em louca alegria."

---

* *Rasmalai*: sobremesa feita com leite e creme.
** *Vata*: conceito fundamental das forças energéticas do corpo na tradição aiurvédica.

No dia seguinte, Sua Alteza estava vestida com um sári berinjela. Suas damas haviam colocado um *bindi* do mesmo tom em sua testa. Os contornos de sua blusa eram bordados a mão com flores douradas e verdes. O cabelo brilhava com o óleo de coco e *bawchi* que eu deixara com sua assistente pessoal na véspera. No último minuto, eu havia acrescentado uma gota de hortelã-pimenta, que agora perfumava o ar com o incenso de sândalo do guru.

Troquei sorrisos com as damas.

— Bom dia.

Todos nos viramos espantados para Sua Alteza, que havia pronunciado o cumprimento. Saiu como um coaxado; ela não falava fazia um mês. Ela pigarreou e uma de suas atendentes correu com um copo de água.

Depois de alguns goles, a marani Latika tentou outra vez:

— Bom dia.

A voz era áspera. Sua Alteza levou a mão ao peito e fechou os olhos. Achei que ela fosse chorar. Então, um sorriso tímido surgiu lentamente em seu rosto. Ela abriu os olhos e bateu no peito. Estava tentando uma risada, como se o som de sua voz rouca a divertisse.

— *Hai* Bhagavan.* É mesmo um ótimo dia, Alteza — disse o guru.

Naquela noite, depois de usar o banheiro no pátio dos Iyengar, eu estava subindo a escada para nosso quarto quando ouvi Radha e Malik conversando lá dentro. A porta do quarto estava entreaberta. Como Radha mal falava comigo naqueles dias, as conversas entre os dois eram a única maneira de eu saber o que estava acontecendo na vida dela. Parei no corredor para ouvir.

— Marilyn Monroe é tão diferente das mulheres indianas, Malik. — A voz de Radha parecia sonhadora. — A pele dela é branca como as pétalas da *champa*,** e o cabelo parece macio como o algodão-doce que vendem no cinema.

— Gopal diz que as roupas dela são tão justas que ele não consegue não ficar olhando para os seios dela. Disse que parecem montanhas na tela do cinema — Malik falou.

— Seu amigo é atrevido.

Quanto mais tempo minha irmã passava com Kanta, mais pedante parecia, como se estivesse testando a sofisticação da cidade. Era difícil acreditar que

---

* Bhagavan: Deus.

** *Champa*: flor perfumada usada com frequência em perfumes e incensos.

ela era a mesma menina com a anágua empoeirada, as unhas sujas e o cabelo desgrenhado que eu havia conhecido fazia apenas três meses. Isso me deixava um pouco nervosa, a rapidez com que ela estava mudando. Será que estava crescendo rápido demais? Por outro lado, quando a vi pela fresta da porta em um *salwaar-kameez* elegante e o cabelo brilhando em um coque bem-feito, isso não me encheu de orgulho? Como minha própria escultura de Pigmalião?

— O filme foi divertido? — Malik perguntou.

— É, foi. Tia Kanta me explicou as partes que eu não entendi. Marilyn Monroe tem um belo sorriso. — Uma pausa. — Você acha que as americanas têm mais dentes do que nós?

— Não sei. Vai ver elas só sorriem mais.

— Humm. Elas com certeza têm dentes melhores que as *angrej*.

— Todo mundo tem dentes melhores que os ingleses!

Eles riram.

Depois de uma pausa, Radha continuou:

— Foi o primeiro filme colorido que eu vi.

— Você não falou que era o primeiro filme que você via na vida?

— *Arré!* Você não precisa lembrar de tudo que eu digo.

Malik riu.

— Mas pode ser que os dentes dela parecessem mais brancos porque os lábios eram muito vermelhos — Radha refletiu.

Por um momento, ouvi apenas o ruído de bandejas de inox. Depois:

— Radha, batom tem gosto?

— Como eu vou saber?

— Eu vi você. Quando eu estava fazendo minhas tarefas na rua. Você estava no campo de polo do Clube Jaipur. E estava de batom.

— Você estava me espionando? — A voz de Radha soou brava.

— *Ai!* — Ela deve ter beliscado a orelha dele. — Não! Eu sou ocupado demais para ficar espionando você!

Depois de uma pausa, Radha disse:

— Tia Kanta quis que eu experimentasse. Ela sempre me faz experimentar as coisas dela.

Senti um aperto no peito. Kanta estava incentivando minha irmã de treze anos a usar batom?

— Sabe o que Gopal diz sobre batom, Radha? Que as moças de Bombaim já nascem usando. Poupa tempo quando elas viram estrelas de cinema.

Ouvi o riso rouco de Malik e a risada ressoante de Radha. Ela parecia feliz.

O Clube Jaipur era onde a elite jogava polo e tênis e tomava coquetéis na varanda. Não era o tipo de lugar para onde eu seria convidada. Kanta e Manu eram sócios do clube, mas quase não iam lá, porque Manu não jogava polo nem tênis. Se Kanta tivesse levado minha irmã, imagino que teria me contado. Eu não queria confrontá-la sobre se exceder no que fazia por Radha; pareceria ingrata e mesquinha. Daria a impressão de que eu estava com ciúme da alegria que Kanta estava trazendo para a vida da minha irmã.

Mas eu não queria que Radha ficasse obcecada por coisas superficiais. Queria que ela tivesse a educação superior que eu nunca tive. Era demais esperar que ela pudesse estudar no exterior como Kanta, mas estava ao meu alcance contratar professores particulares para complementar seus estudos na escola do governo e ajudá-la a passar nos difíceis exames para uma faculdade local.

Respirei fundo. As aulas começariam em uma semana, e a cabeça de Radha ficaria cheia de equações matemáticas e teorias científicas em vez da marca de pasta de dente que Marilyn Monroe usava.

Depois de duas semanas de tratamento, a marani Latika havia começado a recuperar a cor nas faces. Hoje sua assistente pessoal escolhera um sári de crepe georgette vermelho enfeitado com finos fios prateados. O tom rubi do batom de Sua Alteza fazia um belo complemento a seus cabelos pretos, que haviam sido penteados à moda de uma atriz de cinema. Um *maang tikka** de prata no centro de seu cabelo terminava com um rubi em forma de gota. A transformação era espantosa. Totalmente diferente da rainha deprimida que eu encontrara, essa mulher irradiava saúde e bem-estar. Os petiscos com que eu a vinha alimentando, assim como os óleos das massagens, haviam feito maravilhas pelo seu humor.

Era hora de dar o toque final em meu desenho de henna. No centro de sua palma esquerda, desenhei seu nome em híndi: *Latika*. Na palma direita, escrevi o nome de seu filho: *Madhup*. Quando levantei suas mãos para que ela pudesse ver o que eu havia feito, ela soltou um suspiro de espanto.

— Quando pensar em seu filho, Alteza, basta unir a palma das mãos para estar perto dele. — Era um risco, eu sabia. Lembrá-la do que ela havia perdido

---

* *Maang tikka*: joia que as mulheres usam na cabeça.

poderia ser um tiro pela culatra e desencadear outra depressão. Mas, enquanto eu cuidava de seu corpo nas últimas semanas, havia sentido o aço de seus músculos, a determinação em seus tendões, a força do fluxo em suas veias. Ela era uma mulher que sempre olharia para a frente apesar dos revezes, e eu havia dado o impulso na cura de que ela precisava para guiá-la nessa direção.

Seus olhos se umedeceram e uma lágrima desceu por sua face. Uma das damas enxugou-lhe o rosto com um lenço bordado.

— Lakshmi — disse ela. Desde que começara a falar outra vez, sua voz fora ficando mais forte.

Eu nem fazia ideia de que ela soubesse meu nome.

— Alteza?

— Obrigada.

O calor que senti atrás dos olhos era de alívio — e de orgulho — por ter usado todas as habilidades que havia desenvolvido para aliviar sua alma destroçada. Tive receio de não conseguir falar. Então apenas baixei os olhos e inclinei ligeiramente a cabeça em reconhecimento à sua gratidão.

— A marani Indira me disse que você tem uma irmã mais nova.

Surpresa ao saber que as duas rainhas conversavam sobre minha vida pessoal, ou que sabiam sobre ela, assenti com a cabeça.

— Sim. Radha. Ela tem treze anos.

— Ela frequenta a escola?

— Vai começar daqui a uma semana na escola do governo perto de onde moramos.

A marani olhou para mim e pigarreou.

— Você consideraria a possibilidade de ela frequentar a minha escola?

Por um momento, esqueci as boas maneiras e a encarei com espanto. A Escola para Meninas da Marani era a mais prestigiosa do estado do Rajastão. A marani Latika a fundara para educar jovens de boas famílias nas artes da graça e da autossuficiência. Minhas clientes tinham condições de mandar suas filhas para lá, mas, mesmo com o aumento em meus negócios, eu jamais poderia ganhar o suficiente para pagar as mensalidades.

Como se estivesse lendo minha mente, Sua Alteza fez um gesto para que eu tirasse aquilo da cabeça.

— Não precisa se preocupar com o custo.

Continuei a fitá-la em perplexidade. Um lugar na escola da marani significava que Radha teria um futuro muito melhor do que qualquer coisa que eu pudesse ter imaginado para ela. Significava que ela talvez pudesse estudar no exterior, como Kanta, e conhecer o mundo, algo que eu mesma só sonhara em fazer. Até a véspera, eu nem sequer imaginava que fosse possível!

A rainha baixou os olhos para a palma de suas mãos, suspirou e aproximou-as em um *namastê*, parando bem a tempo de não borrar a henna úmida.

— Sou grata pelo que você fez por mim.

Eu estava sufocada de emoção. E alívio. O que parecera uma tarefa descomunal acabara sendo concluído com êxito. Baixei a cabeça e retribuí o *namastê*.

Quando consegui controlar a voz, eu disse:

— Que Vossa Alteza sempre possa usar vermelho.

Não completei a bênção tradicional: *E que seus filhos levem adiante o nome do seu marido*. Seu único filho, Madhup, nunca seria o príncipe herdeiro, e, nesse ponto, era mais gentil desejar apenas que ela nunca ficasse viúva (com a consequente proibição de usar vermelho).

Fui chamada pela rainha viúva para meu relatório diário. Um assistente me levou ao salão onde ela havia me entrevistado na primeira vez, mas, agora, ela estava sentada à mesa de cartas com outras três senhoras elegantes e cheias de joias. Um jogo de bridge estava em andamento. Uni as mãos em um *namastê* para Sua Alteza primeiro, depois para suas companhias.

Madho Singh assobiou e gritou:

— *Namastê! Bonjour!* Bem-vindo! — E voou da gaiola para o topo da cadeira de sua dona.

A marani Indira falou com a mulher à sua frente na mesa.

— Nalani, você conheceu Helen Keller em Bombaim alguns meses atrás, mas a verdadeira fazedora de milagres está aqui de pé à sua direita.

A mulher chamada Nalani me examinou sobre as lentes em forma de meia-lua.

— É mesmo?

Sua Alteza estudou suas cartas.

— Senhoras, esta é Lakshmi Shastri, que trouxe nossa jovem marani de volta das profundezas da melancolia.

Eu sorri.

— É um prazer ser útil, Alteza.

— Parece-me, Gori, que você vai hospedar o ministro das Finanças francês no próximo mês. Que encanto seria para a esposa dele ter a henna de Lakshmi nas mãos! E, Anu, você não está prestes a dar as boas-vindas ao seu terceiro neto ou neta? Lakshmi é a mulher perfeita para desenhar sua mandala. Ela fará sua mágica e, em um piscar de olhos, você terá um *neto*.

— Esse seria *mesmo* um milagre — disse Anu, rindo.

A marani sorriu benevolente para mim. Agradeci seus elogios tocando a testa com a mão.

Ela voltou a atenção para as cartas.

— Gostaria que você continuasse a atender Latika algumas vezes por semana no próximo mês. Ela com certeza vai ter uma recaída quando o marajá permitir que fale com o filho outra vez, e sua assistência será bem-vinda. — Então Sua Alteza me dispensou com um movimento de cabeça.

Enquanto saía, eu a ouvi dizer:

— Vejam só que sorte a minha, senhoras, eu vou abrir as cerimônias do Festival do Deserto na semana que vem. Gori, você precisa me acompanhar dessa vez. Por que sempre tenho que ser eu a julgar a competição de bigodes?

— Você sabe o que dizem: quanto maior o bigode, maior o *lingam*.

As risadas delas me seguiram pelo corredor.

Malik e eu estávamos em uma *tonga*, indo para nosso próximo compromisso. Eu contava a ele sobre o novo trabalho que íamos fazer para as amigas da marani Indira quando a charrete parou de repente. O cavalo empinava e relinchava. Segurei o braço de Malik com uma das mãos e o toldo da charrete com a outra para não cairmos. O que havíamos atingido? Um buraco? Uma pedra? Um cachorro? Então eu vi Hari. À nossa direita, segurando o pedaço de madeira que acabara de enfiar na roda da charrete. O condutor gesticulava, enraivecido, e gritava insultos para ele. Os motoristas atrás de nós buzinavam. Pessoas se viravam para olhar. Até o bezerro branco na beira da rua parou de mastigar suas cascas de batata descartadas para ver o que acontecia.

Malik puxou meu braço.

— Vamos sair.

Ele pegou nossos *tiffins* e pulou para a rua, mas eu não conseguia me mover. Malik jogou algumas rúpias para o condutor, me arrastou para fora de charrete, pegou de novo os *tiffins* e me puxou para uma ruela lateral. Minhas pernas estavam pesadas, como se eu estivesse nadando em óleo. *Será que eu realmente estaria presa a Hari por sete vidas?*

Quando estávamos fora de vista, Malik se virou e largou os *tiffins*, mas continuou segurando meu braço.

Hari se aproximou e soltou o pedaço de madeira no chão de terra.

Malik cuspiu.

— Você não pode marcar um horário como todo mundo faz?

Hari o ignorou e se dirigiu a mim:

— Você nunca está em casa. Eu preciso de você.

— Dinheiro?

— É, mas...

— Achei que você tivesse encontrado outra pessoa para ajudá-lo com isso.

Ele franziu a testa, parecendo confuso.

— Aquela dançarina de *nautch*. Você gastou todo o dinheiro dela também?

Ele fez um aceno de aborrecimento.

— Ah, ela. Ela... — Ele parou e sacudiu a cabeça. — Escute, preciso da sua ajuda com isto. — E deu um passo para o lado. Atrás dele havia uma menina, menor e mais nova que Malik. Estava com um vestido sujo e esfarrapado. Sem sapatos. Seu nariz estava escorrendo. Hari a virou gentilmente. Vi uma ferida em sua panturrilha direita, minando pus amarelo.

— Usei o cataplasma de Maa, mas a infecção só piorou — disse ele.

Observei a ferida mais atentamente, mas não me aproximei.

— Quem é ela? — Depois olhei para Hari, surpresa. — E o que *você* sabe sobre cataplasmas?

Ele suspirou.

— Depois que você foi embora, Maa precisava de ajuda. No começo eu não quis ajudar, mas, quando ela ficou doente, me implorou para atender as mulheres que vinham procurá-la. Ela me ensinou o mesmo que ensinou a você. — Ele umedeceu os lábios rachados. — Aqui, em Jaipur, as pessoas também precisam de ajuda. — Com gentileza, ele fez a menina tirar o polegar da boca. — Ela é filha de uma das dançarinas de *nautch*.

Treze anos antes, eu sabia que Hari era um homem que faria qualquer coisa, diria qualquer coisa para conseguir o que queria. Houve um tempo, no primeiro ano do nosso casamento, em que eu acreditava em tudo que ele me falava. Hari me trazia ramos de bolsa-de-pastor que colhia na margem do rio ("Olhe, Lakshmi. Em forma de coração, só para você"). E, uma vez, sementes secas de *rudraksha** ("Que colar lindo elas vão fazer!"). Nesses momentos, meu coração

---

* *Rudraksha*: árvore cujas sementes são usadas em contas de oração hindus.

amolecia. Tempos depois, descobri que a bolsa-de-pastor tinha vindo dos suprimentos da *saas* (ela a usava para tratar malária) e que o guru que passara por nossa aldeia tinha esquecido suas contas de oração (feitas das cobiçadas sementes azuis). Eu não seria feita de boba novamente.

— Quanto desta vez, Hari?

— Você não está vendo? Ela precisa...

— *Quanto?*

— Ela é uma criança, Lakshmi.

— Eu já lhe dei centenas de rúpias. Você sabe quanto tempo eu tive que trabalhar para ganhar aquilo? Quanto?

Ele moveu o maxilar de um lado para o outro. Suas mãos nos ombros da menina se apertaram e ela levantou os olhos para ele. Ele sacudiu a cabeça para mim, como se eu o tivesse decepcionado.

Senti uma pontada de culpa. Se ele estivesse dizendo a verdade, eu estava errada de não ajudar a menina. Ela parecia estar precisando. Ainda que eu achasse difícil acreditar que Hari tivesse mudado o suficiente para levar adiante o trabalho de Saasuji, eu tinha que fazer alguma coisa pela menina. Sabia que minha sogra a teria ajudado.

Olhei para Malik e ele soltou meu braço. Fui até a menina e agachei para inspecionar o ferimento. O corte era profundo. A pele em volta tinha manchas vermelhas, rosa e roxas. Eu havia observado a mãe de Hari usar um fio desinfetado e uma agulha superfina para fechar a pele, mas eu mesma nunca tinha feito isso. Talvez pudesse tentar fazer a mesma coisa pela menininha, mas fiquei insegura. Não queria piorar o ferimento; tinha medo de que ela pudesse perder a perna.

— Ela precisa de pontos — falei. — E de um antisséptico. E você tem que cobrir a ferida depois.

Hari riu, um som sem alegria.

— Agora que você está trabalhando para o palácio, ficou boa demais para atender esta criança?

Senti o rosto esquentar. Fazia uma década que eu vinha curando apenas os ricos, com seus problemas menores e quase sempre emocionais. Se eu tivesse ficado com Hari, sem dúvida Saasuji acabaria me ensinando os procedimentos mais complexos, que só ela realizava. Estremeci quando imaginei minha sogra olhando para mim com a mesma consternação com que Hari me olhava agora.

Ele percebeu que havia tocado um ponto sensível.

— Até Radha frequenta os círculos finos agora. — Antes que eu pudesse perguntar o que ele queria dizer com isso, ele continuou: — Quanto o tesoureiro do palácio deu para você?

Olhei de novo para a pobre menininha. Uma criança inocente. Ela não tinha culpa de nada. Peguei mil rúpias do pagamento do tesoureiro e as estendi para Hari.

— Você precisa levá-la ao hospital agora mesmo. E comprar remédios.

Quando ele veio pegar o dinheiro, eu recolhi a mão.

— O divórcio, Hari. Esse é o meu preço.

Ele apertou os olhos, depois deu de ombros, como se fosse indiferente para ele. Eu o deixei pegar o dinheiro e o vi enfiá-lo no bolso.

— Vou mandar Malik com os papéis — falei.

Ficamos nos encarando por um longo momento. Por fim, ele assentiu.

Hari pegou a menina pela mão e foi embora. Ela virou a cabeça para olhar para mim quando eles dobraram a esquina.

— *Hai Ram* — eu disse. Eu não havia ficado com o dinheiro nem por tempo suficiente para ele parecer real. Agora, tinha menos ainda para pagar ao construtor.

— *Goonda!** — exclamou Malik.

Talvez ele fosse um homem ruim. Talvez não. Eu conhecia o Hari de muito tempo atrás. Ele estaria diferente agora? Eu era cética quanto a isso.

Pus as mãos nos ombros de Malik, forçando-o a olhar para mim.

— Diga que você *nunca* vai virar um bandido. Prometa.

Malik não respondeu. Ele pegou os *tiffins* e saiu andando.

Cheguei em casa mais cedo que de hábito. Ver Hari tinha me perturbado, mas eu estava tentando não pensar nisso. Preferi me concentrar na notícia que queria dar a Radha. A Escola para Meninas da Marani. Como ela ia ficar entusiasmada por poder ler Shakespeare ao lado da elite das meninas de Jaipur!

Do portão da sra. Iyengar, vi Radha no fogareiro externo, despejando farinha de um saco em um prato de metal. Suas mãos trabalhavam com rapidez, examinando o pó, removendo as pedrinhas. Ela ainda estava me tratando com rispidez, me dispensando com um gesto de cabeça. Ou então me ignorava completamente e enterrava os olhos em um dos romances de Kanta. Mas tudo ia ser

---

* *Goonda*: bandido.

diferente agora. Especialmente porque eu poderia lhe oferecer o que nenhuma de nós havia previsto — algo ainda melhor do que Kanta lhe oferecia.

Eu me aproximei de Radha e lhe dei boa-noite.

Ela me olhou rapidamente, mas não disse nada. Despejou a farinha do prato em uma panela de *ghee* derretido. O cheiro intenso de manteiga quente e farinha encheu o ar.

Agachei ao lado dela. Pela primeira vez, me ocorreu que ela não havia tido as orelhas furadas quando bebê. Maa e Pitaji provavelmente não tinham como pagar o ouro para os brincos. Eu a levaria para furá-las com pequenas argolas de ouro.

— Na próxima vez que eu for ao palácio, Radha, gostaria de levar você comigo.

Minha irmã fez uma expressão de surpresa, mas continuou a mexer a farinha. Esperei por uma resposta. Nenhuma veio.

— Você tem sido tão dedicada em seu trabalho. Tritura henna mais fina do que eu jamais...

— Eu não posso.

— Não pode o quê?

— Ir ao palácio com você.

— Claro que pode. Kanta pode dispensar você por uma tarde...

— Ela fica confinada em casa o dia inteiro — Radha respondeu, sem mudar o tom de voz. — E a *saas* dela é difícil. — Começou a despejar um saco de açúcar na panela quente. — Ela precisa de mim. — Ouvi o que ela não disse: *Você não.*

Eu me ressenti. Como essa menina, que havia chorado a noite inteira duas semanas antes quando eu não a deixara ir ao palácio comigo e Malik, agora agia como se não fizesse a menor diferença para ela? Talvez eu tivesse escolhido o momento errado para lhe contar? Eu devia ter esperado até ela terminar de cozinhar. Desde o incêndio na cozinha da sra. Iyengar, logo que ela chegara, Radha tentava ser especialmente cuidadosa.

Levantei a vasilha de cardamomo macerado, com a intenção de despejá-lo na mistura de açúcar.

Radha segurou meu pulso.

— Ainda não.

Baixei a vasilha, constrangida. Eu não devia ter interferido. Seu *laddus* era muito melhor que o meu.

Ela levantou uma espátula cheia de massa. Estava dourando lindamente.

O silêncio entre nós se alongou.

— Eu tenho uma surpresa para você. A marani Latika lhe ofereceu uma bolsa de estudos na escola dela. Pense só, Radha! Em vez de uma escola do governo, você vai para uma escola particular. Para onde todas as meninas da festa de fim de ano de Parvati vão. A partir da próxima semana.

Ela continuou mexendo a massa.

— Radha?

— Vou contar para Tia Kanta quando encontrar com ela amanhã. Ela vai gostar.

Talvez ela estivesse muito cansada para absorver a notícia. Será que eu a estava fazendo trabalhar demais?

— Você terá que fazer um exame de admissão, mas sei que vai conseguir passar facilmente. Você já sabe tanto sobre livros, Radha, e seu inglês é tão bom...

— Eu vou, se é isso que você quer.

— Achei que você fosse ficar feliz...

Ela levantou a cabeça e me encarou com firmeza.

— Você quer que eu agradeça? Está bem. Obrigada. Agora preciso acabar esta comida, ou você vai ficar brava comigo por não ter terminado minhas tarefas.

Fiquei pasma. Minha irmã, que me tinha como modelo, que me chamara de "Jiji" pela primeira vez apenas três meses antes, agia como se não se importasse mais com o que eu dizia ou fazia por ela. Eu deveria ficar satisfeita por ela estar se desligando de mim, se tornando independente, tomando as próprias decisões? Mas eu não estava. Sentia falta da outra Radha, a que se apertava junto de mim em nossa cama, chorava desamparada e me contava sobre Maa e Pitaji e sua vida em Ajar.

Levantei com cuidado e ajeitei meu sári. Observei-a acrescentar cravo à mistura. Quando consegui falar sem um tremor na voz, disse:

— Se você mudar de ideia quanto a ir ao palácio...

— Não vou mudar. Deixe os *tiffins* aqui para eu lavar antes de subir — disse ela, pegando o cardamomo, as arestas cortantes de suas palavras pondo um fim na conversa.

Nove

12 de fevereiro de 1956

A Escola para Meninas da Marani tinha três prédios baixos, cada um com dois andares. Fiquei do outro lado da rua, observando a fila de carros passar pelos portões, seguir pela entrada pavimentada, contornar o pátio circular e voltar para a rua. Motoristas de camisa cáqui e bermuda com pregas seguravam aberta a porta do banco de trás para as jovens *MemSahibs* que iam para casa almoçar. As poucas alunas que passavam o dia inteiro ali estavam caminhando para as barracas de comida locais, onde fariam a refeição. As alunas internas comiam no refeitório da escola.

As meninas mais novas, de oito a doze anos, usavam saia azul-clara, camisa de meia-manga e uma faixa vermelha na cintura. As alunas da idade de Radha e mais velhas vestiam *kameez* azul, *salwaar* branco e um *chunni* bordô. Todas as meninas estavam vestidas com um cardigã bordô, pois fazia frio em Jaipur em fevereiro. Eu tinha ouvido falar que a marani participara de cada detalhe de sua escola, da escolha do uniforme à seleção da srta. Genevieve como diretora (ela havia sido professora particular de Sua Alteza na escola interna na Suíça) e ao cardápio do almoço (sem frituras, com muitas verduras, legumes e frutas, sem açúcar).

Era a primeira semana de Radha na Escola da Marani e eu queria levá-la para almoçar. Com tudo que estava acontecendo, eu mal a via para perguntar se ela estava gostando e como eram suas aulas. Meu coração se encheu de orgulho quando a vi descer aos pulos os degraus da frente do prédio principal. Suas faces estavam rosadas. O uniforme era elegante e asseado. (Pela manhã, quando lhe ofereci uma carona no riquixá comigo e Malik, ela torceu o nariz. Disse que não queria cheirar o suor do riquixá-*walla* ou amassar suas roupas.)

Quando Radha desceu o último degrau, Sheela Sharma cortou na frente dela, obrigando minha irmã a uma parada abrupta. Sem pedir desculpas, Sheela entrou no banco de trás do sedã de sua família. Radha apertou os lábios.

Fiquei tensa.

Para meu alívio, Radha retomou seu caminho até o posto da guarda para registrar que estava saindo para o almoço. O porteiro procurou o nome dela na prancheta sem nenhuma pressa. Ela parecia nervosa, olhando para a rua, mordendo o lábio.

Eu a chamei. Ela se virou, surpresa. Não pareceu feliz ao me ver, o que, a essa altura, eu já estava aprendendo a aceitar. Eu não estava carregando nenhum *tiffin*, nenhuma sacola, só uma bolsa.

Ela deu mais uma olhada rua acima, depois veio até mim com os ombros caídos.

— Como você está elegante com o uniforme! — exclamei, entusiasmada.

Ela olhou para a roupa, apreensiva, como se eu tivesse visto alguma mancha ali.

Peguei seu braço fino no meu e a guiei para as lojas de *chaat* na outra extremidade da rua.

— Fiquei com vontade de levar você para almoçar. — Parei para arrumar seu longo *chunni*, para que ele caísse igual dos dois lados sobre os ombros. — O que está achando da escola?

— Legal.

— Só isso? — Tornei a pegar o braço dela e recomecei a andar. — Essa é sua primeira escola na cidade grande, bem diferente da escolinha de Pitaji. Deve ter novidades. Você conheceu alguém que gostaria que fosse sua amiga?

Ela balançou a cabeça de um lado para o outro e deu de ombros. *Sim. Não. Talvez.*

Duas meninas de uniforme idêntico ao de Radha passaram por nós e se viraram para sorrir para minha irmã, mas ela estava muito distraída para responder ao cumprimento.

Dei um pequeno aperto em seu braço.

— Deve ser maravilhoso. Tantas novas experiências. — Com um olhar treinado, avaliei os produtos de cada vendedor de *chaat* por que passávamos: *samosas, choles, pakoras, dal baati.* — Que tal *sev puri*?* *Puris* são tão demorados para fazer em casa, e aqui podemos comer recém-saídos do fogo. — Olhei para ela à espera da resposta.

Ela levantou as sobrancelhas.

— Você não aprova comida de rua.

Era verdade, mas eu disse que queria abrir uma exceção. Ela concordou com um movimento mínimo de cabeça. Nós nos sentamos a uma pequena mesa na frente da barraca de comida.

— Conte sobre suas professoras.

Passando o dedo por um sulco na mesa de madeira, ela suspirou.

— A professora de híndi é baixa e magricela e tem caspa. Você não ia gostar do jeito que ela limpa o pescoço.

— Radha! Isso é jeito de falar das pessoas que ensinam você a ler e escrever? Ela me encarou como se perguntasse: *Você veio até aqui para me dar bronca?* Pus a mão sobre as dela.

— Pitaji teria tanto orgulho de você.

— Ele teria ficado satisfeito com a escola do governo.

Era verdade que nosso pai defendia educação gratuita para todas as castas. Mas uma chance na Escola da Marani... As meninas que ela conheceria, as oportunidades! Até ele teria ficado entusiasmado.

Nosso chá chegou em pequenos copos de vidro, e o *puri* de batata e chutney embrulhado em folhas de jornal. Ela devia estar com fome, porque deu uma grande mordida. Automaticamente, pus a mão em seu braço para lembrá-la de comer como uma dama. Ela olhou em volta para saber se alguma menina de sua classe tinha me visto corrigi-la, fazendo-me desejar não ter feito isso.

Tomei um gole do meu chá.

— E as outras professoras?

— A de história é a sra. Channa. Ela é má. Uma menina da minha classe estava conversando com uma amiga. A sra. Channa não gostou e fez Sonia agachar com os braços embaixo dos joelhos e puxar as orelhas. Como um galo.

Alguns castigos na escola nunca mudavam. Meus lábios se contraíram.

---

* *Sev puri*: salgado frito, considerado fast-food.

— Parece que a sra. Channa estava querendo fazer da menina um exemplo.

Radha ergueu os ombros, como se não se importasse. Pensei em como minha irmã sempre parecia tão feliz com Malik e Kanta. Por que ela não podia ser assim comigo também?

Tirei da bolsa um pequeno estojo de pelica.

— Como você gosta tanto de ler, imaginei que talvez quisesse experimentar escrever também. Isso seria bem útil.

Ela olhou para o estojo por um momento, depois para mim. Ocorreu-me que talvez Radha nunca tivesse ganhado um presente antes. Ela pegou o lenço da escola e limpou a gordura das mãos. Lentamente, abriu o estojo e levantou com cuidado a caneta-tinteiro laranja marmorizada do forro de veludo azul, como se estivesse com medo de quebrá-la. Deslizou os dedos pelo corpo liso da caneta e desatarraxou a tampa. Examinou a gravação no bico dourado: *Wilson 1st Quality Fine*.

Os lábios de Radha estavam em um quase sorriso. De repente, ela piscou. Colocou a caneta de volta no estojo e o fechou.

— Você não devia ter me dado isso.

Fiquei atordoada.

— Você não gostou?

— Se eu perder, você vai ficar brava. — Outra recriminação.

Ela deu mais uma grande mordida no *puri*, desafiando-me a corrigir seus modos à mesa.

Apertei os lábios e empurrei o estojo na direção dela.

— É seu, *choti behen*.* — A palavra *irmāzinha* saiu sem querer. Eu não havia planejado. Estava acostumada com Malik chamando-a de *choti behen*, porque ele se sentia protetor em relação a ela, como se fosse o irmão mais velho. Foi a primeira vez que a chamei assim.

Ela parou de mastigar e engoliu com dificuldade.

— Obrigada, Jiji.

Ela terminou rapidamente o seu *puri* e disse que tinha que voltar para fazer uma leitura antes do início da aula seguinte.

— Eu poderia ter terminado esta manhã, mas tive que triturar henna para você.

— Radha, se isso estiver prejudicando seus estudos, não precisa mais fazer a pasta de henna. Eu cuido disso.

---

* *Choti behen*: irmãzinha.

— Podemos ir? — Parecendo impaciente, ela se levantou do banquinho.

Quando chegamos ao portão da escola, ela se identificou para o guarda, atravessou o pátio, subiu os degraus e desapareceu no prédio principal. Sem nem se despedir de mim.

Atravessei a rua, perdida em pensamentos. Primeiro ela nem queria ir para a Escola da Marani, agora estava ansiosa para voltar mais cedo do almoço e se dedicar aos estudos. Que menina imprevisível ela era.

— Bem que eu gostaria de mandar *minha* filha para uma escola como essa.

Dei um pulo. Meu construtor, Naraya, tinha aparecido atrás de mim. Ele estava parado um pouco perto demais, limpando os dentes com um palito. Era um homem robusto, com uma barriga avantajada, e o *kurta* que ele usava era volumoso, fazendo-o parecer ainda maior.

Afastei-me um pouco dele.

— O senhor me assustou, sr. Naraya.

— É mesmo? Peço desculpas, sra. Shastri. — Embora ele estivesse olhando para mim calmamente, havia uma sugestão de ameaça em sua voz. — Viu que já pusemos aquele encanamento ocidental chique de que a senhora gosta? Infelizmente, não temos mais dinheiro para o vaso sanitário. E para as venezianas das janelas. — Ele pegou um pedaço de papel em seu *kurta* e se aproximou ainda mais. — A senhora não pagou a fatura. — Senti o cheiro dos *beedis* baratos e do curry que ele havia comido no almoço.

Tentei pegar o papel, mas ele o puxou de volta.

— Claro, eu tive que dobrar o valor.

O quê? Samir tinha conseguido para mim uma prorrogação de dois meses no prazo de pagamento. Arranquei o papel da mão dele e passei os olhos pelos números.

— Dez mil rúpias? Mas e a...?

— A prorrogação? Os dois meses terminaram... — ele coçou o pescoço — ... há dois dias. O valor dobra quando a fatura não é paga. Está no contrato.

Eu andava tão preocupada com o palácio e nossos novos compromissos, preparar Radha para a escola e, claro, trabalhar, trabalhar, trabalhar, que tinha esquecido de marcar a data em minha caderneta.

— Eu já lhe dei dois meses extras. Ele palitou os dentes. Se eu não receber o dinheiro hoje, posso tomar posse. Isso também está no contrato. Minha filha vai se casar, e ela e o futuro marido estão precisando de uma casa.

Hai Ram! Eu ainda não tinha o dinheiro. A maior parte dos meus ganhos com o palácio tinha ido para os suprimentos da marani Latika (Parvati ainda não havia pagado a comissão pelo casamento), o uniforme e os livros de Radha, o aumento de aluguel que a sra. Iyengar estava me cobrando por causa da minha irmã e, claro, para Hari. Naraya havia segurado deliberadamente a instalação do vaso sanitário. Sem um banheiro adequado, eu não poderia me mudar para lá.

Tentei sorrir, mas saiu como uma careta.

— Preciso de um pouco mais de tempo.

Seu rosto com bochechas de Buda parecia simpático, mas a voz era dura.

— O dote da minha filha não pode esperar. Ou ela vai acabar dando à luz *antes* do casamento.

Levantei as sobrancelhas.

— Ela está grávida?

Ele expôs os dentes manchados, como se estivéssemos contando uma piada.

— Eu pus a menina para fora uma vez. Mas minha irmã me implorou para recebê-la de volta. Finalmente eu encontrei um idiota para tirá-la das minhas mãos. Mas logo vai começar a aparecer.

— O noivo não sabe?

O sr. Naraya riu tanto que sua barriga balançou sob o *kurta*.

— Acha que eu sou louco?

Recuei.

— Não está com uma aparência muito boa, sra. Shastri. Quer que eu lhe dê uma carona até o lugar onde a senhora guarda o dinheiro?

Apertei minha bolsa com força, como se o dinheiro estivesse ali.

— Não. Eu o encontrarei às três horas. Na frente do portão do Bazar Jhori. Com seu dinheiro.

Ele apontou o palito de dentes para mim.

— Viu como foi fácil?

Eu não tinha escolha a não ser pedir para Samir. Ele já havia me oferecido um empréstimo antes e eu sabia que ele podia dispor do dinheiro, mas eu detestava pedir. Por mais determinada que eu estivesse a ter minha própria casa, que representava meu sonho de uma vida independente, dívidas eram abomináveis para mim, principalmente se fossem com amigos. E especialmente se fossem com Samir. Nosso acordo era baseado apenas nos sachês. Depois da festa de fim de ano de Parvati, eu queria evitar qualquer outro envolvimento pessoal com ele.

Conferi meu relógio de bolso: uma e meia da tarde. A essa hora, a menos que estivesse levando um cliente para almoçar, Samir devia estar em seu escritório.

Chamei um riquixá.

Quando cheguei ao prédio de escritórios com as altas fileiras de colunas brancas na frente, quase perdi a coragem. Minhas mãos estavam suadas. Quis dar meia-volta. Mas onde mais eu poderia conseguir o dinheiro? Nos bancos? Desde quando eles emprestariam dinheiro a uma mulher sem marido?

Então me veio um pensamento que me causou um arrepio: em que eu era diferente de Hari, mendigando dinheiro, mendigando tempo?

Saí do riquixá antes que mudasse de ideia.

— Ora, que surpresa — disse Samir. Ele indicou a cadeira em frente à sua mesa. Seu escritório com paredes de vidro ficava na lateral de um grande espaço aberto onde cinco projetistas estavam ocupados em suas mesas. — Aceita chá?

Sacudi a cabeça.

— É urgente. Eu não teria vindo se não fosse. — Umedeci os lábios. — A fatura do construtor. Eu perdi o prazo.

Ele não hesitou.

— Quanto?

Eu lhe passei o recibo.

— Vou devolver a você com juros.

Samir assobiou quando leu o recibo, depois olhou para mim. Ele foi até o cofre do escritório atrás de sua mesa, abriu-o com a combinação e tirou um maço de notas. Colocou-as em um envelope, entregou-o para mim e tornou a se sentar.

Eu queria pedir desculpas. *Desculpe, Samir. Achei que conseguiria sozinha.* Continuei sentada mais um momento.

— Você quer um... recibo?

Seus olhos se apertaram nos cantos, em um esforço para conter um sorriso. Ele se levantou.

Hora de ir, pensei. Fiz um gesto de agradecimento com a cabeça e saí apressada do escritório, com o envelope gordo na mão. Então me permiti um suspiro de alívio. Samir facilitara muito para mim.

Ao sair do prédio, quase colidi com Parvati.

Congelei. Nenhuma conversa casual me veio à mente. Não consegui pensar em nenhuma mentira para explicar o que estava fazendo ali.

Em dezembro, na festa de fim de ano, ela deixara bem claro que eu deveria ficar longe de seu marido. Agora ali estava eu, na porta do escritório dele. Senti as faces enrubescerem. *Não é o que você está pensando*, eu queria dizer. *Não é o que parece*. Não era a mesma coisa que Radha havia dito quando Parvati encontrara a tinta azul em sua pele?

O olhar de Parvati pousou no envelope em minha mão. Suas sobrancelhas se levantaram.

Uni as mãos, uma ainda segurando o envelope, para cumprimentá-la. E gaguejei:

— Samir *Sahib*... me pediu... Eu entreguei... para os clientes dele.

Era parcialmente verdade. Ele de fato comprava o meu tônico para cabelos para a marani Indira uma vez por mês. Só que não hoje. Em meu estado de aflição, não consegui pensar em mais nada para dizer.

Eu tinha que encontrar o construtor em meia hora. Não podia perder minha casa! Afobada, deixei-a para trás e chamei um riquixá.

No dia seguinte, Parvati enviou um bilhete cancelando seu próximo horário.

PARTE TRÊS

Dez

Jaipur, estado do Rajastão, Índia
15 de março de 1956

Em março, nosso negócio de henna havia crescido tanto que eu tive que colocar novas clientes em uma lista de espera. Nós três ficávamos ocupados em tempo integral. Radha preparava a pasta de henna antes de sair para a Escola da Marani. Malik e eu arrumávamos as comidas e os materiais e percorríamos Jaipur em nossos compromissos. Depois da escola, Radha ia para a casa de Kanta. Quando voltava para a casa da sra. Iyengar, à noite, ela me ajudava a cozinhar os petiscos para as senhoras. Todos nós estávamos tão exaustos no fim do dia que só falávamos o necessário.

Você comprou os limões de que precisamos para o tônico de cabelo?
Como vão suas lições de matemática?
Nós fomos reembolsados por aquele óleo de bawchi estragado?

Eu também estava terminando a casa em Rajnagar. Usando o empréstimo de Samir, tinha pagado o que devia a Naraya e contratado outro construtor para concluir o banheiro. Ainda não havia eletricidade, mas poderíamos nos virar com lamparinas. Estávamos quase prontas para a mudança.

Numa bela manhã, em que a temperatura ainda não havia começado a subir, eu estava descendo a escada com alguns *tiffins* para nosso primeiro compromisso do dia. Radha e Malik tinham descido antes de mim. Quando cheguei à porta do pátio, eu os ouvi conversando do lado de fora.

— Não, eu sei que *era* você. Vi tão claramente quanto estou te vendo agora na minha frente. — Malik parecia estar falando com alguém muito mais novo, para quem precisasse explicar.

— E daí se fosse eu? Eu não te devo nenhuma explicação, Malik.

— Ninguém disse que devia. Só tenha cuidado, *accha*?

Nos últimos tempos, eles vinham discutindo como irmãos rabugentos. Provavelmente efeito de muito trabalho e sono insuficiente.

Saí para a rua.

— Cuidado com o quê?

Radha lançou um olhar bravo para Malik antes de se afastar, a caminho da escola.

Ele não me olhou.

— Volto já — disse. — Esqueci os leques de *khus-khus*.

Eu atendia a marani Latika uma vez por semana agora, mais para ela relaxar do que se recuperar. O período de luto da jovem rainha estava praticamente encerrado. Ela vinha participando cada vez mais das atividades cotidianas de sua escola.

Um dia, quando Malik e eu chegamos ao palácio, um elegante Bentley preto vinha saindo pelo portão.

Era a marani Latika quem dirigia, e ela se inclinou para fora da janela. Usava óculos escuros e uma echarpe branca de chiffon. Sua dama de companhia estava sentada no banco do passageiro.

— Que bom que encontrei você! — Seus lábios se alargaram em um radiante sorriso. — Desculpe eu ter que cancelar hoje, mas o tesoureiro vai lhe pagar. Decidi ensinar foxtrote para as meninas. Quer vir comigo e ver sua irmã?

Eu me senti dividida. Adoraria ver Radha dançar como uma jovem de alta classe, mas será que ela queria que eu a visse? Ou acharia que eu a estava espionando?

Recusei educadamente. Decidi, em vez disso, ir visitar Kanta. Queria ver como estava indo a gravidez e, para ser sincera, queria falar com ela sobre Radha.

Por mais que eu dissesse a mim mesma que o mau humor da minha irmã comigo ia passar, não estava muito convencida disso. Kanta, que era mais próxima em idade de Radha, saberia melhor como eu deveria lidar com isso.

Encontrei Kanta ouvindo rádio e relaxando no sofá da sala de estar. Ela ficou feliz ao me ver e pediu chá. Disse que estava tendo algum sangramento e que seu médico a aconselhara a ficar em repouso até o fim da gravidez. Ela puxou o sári para fora do ombro e revelou a barriga, exibindo com orgulho a pequena protuberância.

— Não ria de mim, Lakshmi, mas comecei a fazer o *puja** com Saasuji! — Kanta riu quando viu minha cara. — Eu faço qualquer coisa para trazer boa sorte ao meu bebê.

Eu sorri e ergui as mãos em rendição.

O criado, Baju, entrou com a bandeja, seu bigode se contorcendo. A mãe de Manu vinha logo atrás, reclamando que ele havia feito seu *lassi*** muito espesso. Baju me entregou uma xícara de chá e, para Kanta, um copo de leite de rosas e um prato de feijão-fradinho.

— Para dar sorte — disse sua *saas*, indicando o prato.

Resmungando baixinho, Baju saiu da sala.

A sogra de Kanta se acomodou na sala e me disse que, sem sua ajuda, a nora não saberia como criar o bebê.

— Ela nem sabia que leite de rosas dá faces rosadas aos bebês!

Kanta escondeu um sorriso atrás do copo.

Por fim, sua *saas* resolveu ir ver se Baju não estava fazendo o *subji* condimentado demais.

— Se ficar muito ardido, o bebê nasce bravo — disse ela.

Quando ela se afastou, baixei minha xícara. Eu me sentia estranha por ter que conversar com minha amiga sobre Radha, constrangida por não ser capaz de entender ou lidar com minha própria irmã.

— Kanta... você e Radha... vocês são tão próximas. Eu estava pensando se você poderia me ajudar a entender...

---

* *Puja*: culto divino.
** *Lassi*: bebida popular feita com iogurte e com frequência combinada com polpa de manga.

Antes que eu pudesse terminar a frase, Radha entrou correndo na sala, seguida por Malik, a *saas* de Kanta e Baju. Ainda usando o uniforme da escola, minha irmã estava com a mão sobre o olho esquerdo. Parecia abatida.

Levantei do sofá.

— O que aconteceu? Por que você não está na escola?

Radha congelou. Não esperava me ver ali. Ela baixou a mão. Seu olho esquerdo estava inchado e circundado por um hematoma roxo.

Soltei uma exclamação de susto e corri para ela.

— *Hai Ram!* — Kanta gritou do sofá.

— Você está machucada em mais algum lugar? — Pus as mãos nos ombros de Radha e a examinei. — Baju, traga gelo.

— Devemos chamar a polícia? — perguntou a *saas* de Kanta.

— Não! — exclamou Radha, alto demais, apertando os punhos.

— Radha! — eu a repreendi, por falar com grosseria com uma pessoa mais velha.

Baju trouxe uma bolsa de gelo. Eu a pressionei sobre o olho inchado de Radha até ela a arrancar da minha mão para fazer a compressa sozinha. Ela se afastou de mim e desabou sobre uma poltrona, ainda segurando a bolsa de gelo no olho.

— Aquela imbecil da Sheela Sharma!

Meu coração deu um pulo. E essa agora?

— Sheela Sharma *roubou* você? — Isso veio de Saasuji, que dirigiu seu comentário seguinte a Kanta. — Eu lhe disse que a menina Sharma era mal-educada. E agora descobrir que ela é uma *goonda*!

Kanta não disse nada. Seus olhos estavam arregalados.

— Ela não me roubou — Radha disse, impaciente. — Ela me acertou com o cotovelo quando estávamos dançando o foxtrote.

— Foxtrote? — disse Saasuji, seu inglês com um forte sotaque. Seu tom sugeria que uma dança ocidental era um crime pior, para ela, do que roubo. — Está vendo que tipo de coisa essa escola ensina? Esses costumes estrangeiros. Não são adequados para meninas rajastani. — Ela fungou.

— *Baap re baap, Saasuji!* — Kanta virou para Radha. — Isso aconteceu na escola? Foi um acidente?

— Sim. Não. — Radha baixou os olhos para o tapete. — Eu sei que ela fez de propósito.

— Por quê?

— Ela não gosta de mim. — Minha irmã hesitou. — A marani nos pôs como dupla na dança, Sheela e eu. Sheela ficava dizendo que eu nunca ia aprender a dançar, que meus pés eram muito grandes. Então ela me acertou o olho com o cotovelo e disse: *"Kala kaloota baingan loota". — Você é escura como uma berinjela.*

Kanta olhou para mim.

— Nós devíamos falar com a sra. Sharma.

Radha bateu a mão livre no braço da poltrona, assustando a todos.

— Não! Eu não sou fofoqueira. É só que... eu não nasci em uma casa enorme e chique como ela. Eu não me encaixo com nenhuma delas. Sou desajeitada. Eu não uso as roupas certas. Não tenho os sapatos certos. Sou diferente e elas sabem disso.

Ela lançou um olhar nervoso para mim e viu minha expressão de espanto. Ela nunca havia me contado que se sentia excluída. Nunca havia me ocorrido que meninas mais privilegiadas poderiam implicar com ela.

Kanta franziu a testa.

— Foi por essa razão que Sheela fez isso? Porque você não é como elas?

Radha me espiou com o canto do olho e respondeu baixinho:

— Pode ser que ela lembre que uma vez eu tentei jogar pedras nela.

Kanta olhou para mim em busca de confirmação.

Sacudi a cabeça.

— Foi só uma bobagem. Ninguém se machucou.

— Ainda bem que ninguém se machucou! Mocinhas não devem jogar pedras umas nas outras — disse Kanta.

— Minha cabeça. — Radha pressionou a testa com a mão livre.

A *saas* de Kanta olhou brava para Baju, que estava parado perto da porta.

— Por que você ainda está aí, seu tonto? Vá buscar aspirina e água.

O bigode de Baju se contorceu, como sempre acontecia quando ele se sentia ofendido, e ele saiu da sala.

— Bem, há uma maneira fácil de consertar isso. — Kanta se virou para a mesa ao lado do sofá e pegou o telefone. Antes que eu pudesse impedi-la, ela estava conversando com seu costureiro e informando a ele que ia levar Radha na tarde seguinte para tirar medidas para vestidos ingleses. Depois ligou para sua cabeleireira e marcou um horário para Radha cortar o cabelo em um elegante estilo pajem.

Quando largou o telefone, ela estava sorrindo. Olhou para Radha, depois para mim.

— Não me repreenda, Lakshmi. É importante uma menina moderna parecer, hum, moderna.

Radha correu para Kanta e a abraçou.

Desviei os olhos. Kanta sempre sabia o que dizer e o que fazer para deixar minha irmã feliz, enquanto eu parecia não ter a menor ideia.

Onze

20 de abril de 1956

Eu não estava muito disposta a fazer uma cerimônia de mudança para a nova casa. Mas Malik insistiu tanto que acabei cedendo. O gosto de Malik por rituais como o *Griha Pravesh** hindu não era surpreendente. Muitos muçulmanos, a maioria dos quais vivia na Índia havia séculos e decidira permanecer depois da Partição, observavam costumes hindus além de suas próprias tradições. Afinal, comemorações eram ocasiões felizes e ninguém era excluído.

Na entrada da minha casa nova em Rajnagar, Malik instalou dois mastros de bambu e prendeu uma guirlanda de folhas de mangueira entre eles. Pelo costume, eram símbolos de fertilidade, mas, como eu era uma mulher que não via filhos em meu futuro, dadas as circunstâncias, aquilo me deixou ligeiramente incomodada. Ainda assim, eu *estava* entusiasmada por finalmente poder chamar aquela casa de lar. Talvez fosse isso que Malik, que me conhecia quase tão bem quanto eu mesma, queria me ajudar a comemorar. As paredes pertenciam

---

* *Griha Pravesh*: festa de mudança para uma nova casa.

a mim. As janelas, o piso de mosaico, a terra no pátio. Eu me sentia com direito até mesmo sobre as estrelas acima do meu telhado.

Malik também insistiu que um *pandit* purificasse a casa para a cerimônia do *Griha Pravesh*. Se não transferíssemos todos os nossos pertences na data auspiciosa escolhida pelo sacerdote — que acabou sendo 20 de abril —, estaríamos fazendo um convite à má sorte.

— Vou encontrar um *pandit* para nós, bem barato, Tia Chefe — ele prometeu.

— E eu faço a comida — acrescentou Radha. Ela estava ansiosa para sairmos da casa da sra. Iyengar. Seis meses antes, quando chegara a Jaipur, estaria feliz de dormir no chão de pedra do meu quarto. Contudo, quanto mais tempo passava com Kanta e na Escola da Marani, menos encantada ela se mostrava diante de nosso humilde alojamento.

Radha e Malik embalaram nossos pertences em dois baús de metal e muitas sacolas de plástico e tecido. Eles esfregaram as janelas da casa nova com folhas de jornal, tiraram o pó dos armários embutidos, poliram o piso de mosaico até ele brilhar e varreram o pátio. Sobre a terra firme do pátio, estenderam lençóis e cobertores para nossos convidados se sentarem. Ninguém mais tinha permissão para entrar na casa agora, até que ela fosse purificada.

Cumprindo sua palavra, Malik contratou um sacerdote por vinte rúpias, um homenzinho miúdo e calvo cujos braços e pernas descarnados se projetavam da túnica cor de açafrão como brotos de uma batata. Ele usava óculos com lentes tão grossas quanto as garrafas de água colorida vendidas em barracas de rua. (Será que todos os sacerdotes se pareciam com Gandhi-*ji*, eu me perguntei, ou seria Gandhi-*ji* que começara a se assemelhar a todos os *pandits*?) Como eu ainda não havia conseguido comprar venezianas para as janelas (um requisito para o *Griha Pravesh*), o *pandit* ficou relutante em concordar com a cerimônia, até que Malik adoçou a oferta com mais cinco rúpias.

Os assistentes do sacerdote puseram-se a desembalar seu material para a cerimônia: uma estatueta de Ganesh, vários pratos de prata, três tigelas de prata, incenso de sândalo, flores frescas (vermelhas, naturalmente, para boa sorte, e colhidas, tenho certeza, de algum parque no caminho, como muitas mulheres faziam ao se dirigir ao templo de manhã), folhas de canforeira, uma vela vermelha, linha de algodão vermelha, sementes de gergelim, grãos de trigo integral, um pote de argila com pigmento vermelhão e pasta d'água, um pote de argila com *ghee*, sinos e um rosário de madeira amarrado com linha vermelha.

Malik acrescentou os doces que havia comprado naquela manhã na loja da esquina.

Primeiro, o *pandit* fez um altar para o Senhor Ganesh. De tempos em tempos, ele consultava um livro de encantamentos muito manuseado, embora parecesse saber as palavras de cor.

— "A presa que ele segura representa serviço; o aguilhão nos impulsiona por nosso caminho; a corda nos lembra daquilo que nos prende; aos seus protegidos ele concede todas as dádivas."

Os convidados começaram a chegar. Como era tradição convidar todos os vizinhos para cerimônias com uma caixa de doces (quer eles fossem seus conhecidos ou não), Malik tinha deixado caixas na porta de todos. Eles foram os primeiros a vir, curiosos para nos conhecer e ver em primeira mão a nova casa da rua.

Radha e eu recebemos com alegria o sr. e sra. Pandey, que moravam na casa da sra. Iyengar. Eu desconfiava de que, como eu, Radha tinha uma quedinha pelo bonito professor de música de Sheela Sharma.

O sr. e a sra. Iyengar também vieram. Ela examinou o local ostensivamente e torceu o nariz arrebatado.

— O pátio com certeza torna mais tolerável uma casa pequena como esta.

Sorri para o comentário depreciativo. Nada ia estragar meu humor hoje.

Eu não havia mencionado a celebração para minhas senhoras. Não seria adequado convidá-las para minha casa, tão mais humilde que a delas. Mas Radha devia ter comentado com Kanta, porque vi minha irmã correr para cumprimentar Kanta e Manu e recebê-los em nosso pátio. Com uma pontada de ciúme, refleti que Radha nunca demonstrava tanto entusiasmo quando eu chegava. Isso me fez lembrar que a distância entre nós havia se ampliado desde que ela começara a frequentar a Escola da Marani, poucos meses antes.

Kanta parecia alegre, embora estivesse com olheiras escuras. Manu ajudou-a a se acomodar sobre um cobertor. Perguntei como ela estava se sentindo, já que fazia algumas semanas que eu não a via. Ela não estava suficientemente bem para manter nossos horários.

— Tirando ler e estar em veículos em movimento, duas coisas que eu gosto de fazer com muita, muita velocidade, está tudo bem. Ah, dormir e comer também são um problema — ela riu.

Enquanto os convidados se acomodavam e as conversas em voz baixa continuavam, o sacerdote começou a colocar folhas de cânfora no pote de argila com *ghee*. Depois as acendeu com um fósforo e avivou a chama. Sem perder o ritmo de suas repetições de *Om Ganapati Namah*, ele apontou para o palito de incenso e um de seus assistentes correu para acendê-lo. A combinação inesperada de cânfora ardente, *ghee* e sândalo era almiscarada, doce, amarga e suntuosa ao mesmo tempo — os cheiros de cerimônias passadas, havia muito esquecidas.

Pensei em meu casamento, tantos anos antes, o ritual apressado, o *pandit* reclamando que mal conseguira comprar o *ghee* com o pagamento que lhe fora oferecido. Nenhuma cerimônia de *chura** para meus tios colocarem pulseiras em meu braço e me darem dinheiro, porque eu não tinha tios. Pitaji se esforçando para se manter de pé, o amarelo dos olhos tingido de veias vermelhas por causa da bebida. Maa espantando moscas dos minguados pratos de *pilao*,** *samosas*, *subjis* e doces.

Com meu sári vermelho de casamento escondendo o rosto, eu chorei e chorei, surpresa por ainda ter lágrimas depois de ter argumentado com Maa por cinco dias seguidos: *Maa não precisa de mim para ajudar na escola quando Pitaji está ausente? Quinze anos já é mesmo idade demais para ainda estar em casa? Quem vai assar e moer o grão-de-bico depois que eu for embora? Quem vai trazer água do poço?*

Maa era gentil, mas firme. Ela fora criada para obedecer aos pais e ao marido, não para desafiar, questionar ou contradizer. Ela me disse que os livros de Pitaji haviam enchido minha cabeça com muitas ideias bobas. Tinham me dado a noção inútil de que eu poderia tomar minhas próprias decisões. Como filha, minha função era me casar com o homem que meus pais escolhessem, como ela própria havia feito. Ela era tão impotente quanto eu para mudar essa tradição secular. Além disso, não havia dinheiro para me manter em casa.

Dei uma olhada para o pescoço de Maa, onde sua corrente de ouro ficava antigamente e onde o sulco que deixara seria um eterno lembrete do que ela havia sacrificado, e percebi que era tudo verdade.

Mas eu também sabia que, assim que me casasse, me tornaria *jaaya* — meu marido renasceria em meu útero na forma de futuros filhos. E, assim que houvesse filhos, não haveria mais *eu* ou *meu*, apenas *nós* e *eles*. Tantas vezes eu implorara que a deusa de meu nome, Lakshmi, ouvisse minhas súplicas. *Estou faminta pelo conhecimento de três Sarasvatis! Deixe-me ver o mundo antes de me fechar dentro de uma vida pequena.* Mas, como sempre, ela erguera as mãos delicadas, lamentando: *É como sempre foi.*

---

* *Chura*: pulseira.
** *Pilao*: arroz aromático, geralmente com legumes ou verduras.

Teria sido tão mais doce compartilhar a cerimônia de hoje com meus pais. Eu os teria sentado no lugar de honra, na frente do *pandit*, e os teria apresentado aos meus convidados, alimentando-os com o *burfi* espesso com minhas próprias mãos, refrescando-lhes o rosto com leques de *khus-khus*...

O movimento ao meu lado me trouxe de volta à cerimônia. Radha estava segurando o *chunni* na frente do nariz, como se a fragrância do altar fosse forte demais. Ela se levantou e foi depressa para o banheiro. Era a terceira vez em uma hora que fazia isso.

Malik a encontrou quando ela saiu, sussurrou em seu ouvido, depois correu ao *mutki* para lhe buscar um copo de água. Ainda era abril, mas ela se abanava como se o calor fosse insuportável. Malik lhe deu o copo. Ela tomou um gole e empalideceu. Senti remorso. O trabalho de empacotar e limpar dos últimos dias, a escola, as tarefas dos nossos serviços de henna... aquilo tinha sido demais para ela.

Quando Radha voltou ao seu lugar, notei que havia lavado o rosto. Os fios de cabelo na testa estavam molhados e as faces rosadas. Ela parecia tão diferente da menina magricela e suja que eu tinha conhecido apenas seis meses antes. Agora, seu rosto parecia maduro como uma manga em junho. Até sua postura era diferente, os ombros para trás, o pescoço estendido. Ela caminhava com passos mais seguros. O corte de cabelo estilo pajem combinava bem com seu rosto oval. O sotaque de aldeia estava menos perceptível; ela deixara o hábito de falar duplicando palavras, como *pequena-pequena* e *longe-longe*. Outro dia mesmo ela usara uma palavra... Qual tinha sido? *Antediluviano*? E *eu* tive que perguntar a *ela* o que queria dizer. Isso me deixava orgulhosa, a facilidade com que ela aprendia.

Pandit-ji despejou sementes de gergelim, trigo integral e pasta vermelha no pequeno fogo, abafando-o. A fumaça se ergueu em espirais no céu aberto. Ele enrolou folhas de bananeira em volta do pote quente e se virou para entregá-lo a mim. Fiz um sinal indicando Radha. Eu sabia que ela ia gostar de ser a portadora. Ela mordeu o lábio inferior e sorriu com timidez enquanto erguia o pote e o colocava sobre a cabeça. Levantou-se com cuidado e entrou na casa vazia para desinfetá-la e purificá-la.

Ela usava um dos vestidos encomendados por Kanta, de chiffon levíssimo com corpete justo. Kanta dissera: "É uma cópia exata do que Madhubala usou em *Mr. & Mrs. '55*. Pedi para o costureiro entrelaçar cordões dourados na cintura, como o vestido do filme".

Os seios de Radha pressionavam o tecido. Ela fazia uma careta de vez em quando, como se as costuras estivessem muito apertadas. Seus quadris, que eram retos como os de um menino quando eu a vira pela primeira vez, balançavam enquanto ela andava. Observei o rosto dos convidados e fiquei chocada ao notar homens reparando, o olhar deles seguindo os movimentos do traseiro dela. Ela só tinha treze anos! Mas, quando a observei de novo, tive que admitir que parecia bem mais velha.

Vi os assistentes do sacerdote circundarem a sala principal e o pátio três vezes com linha vermelha, começando do leste, enquanto o *pandit* aspergia água benta por toda a área. Depois, ele baixou um recipiente de argila cheio de grãos e flores vermelhas no buraco que Malik tinha cavado no canto sudeste do pátio. Agora que havíamos alimentado os deuses e pedido a eles que cuidassem da casa e nos protegessem de más intenções, a casa e seus habitantes estavam seguros contra todos os males.

Até que a cerimônia de entrada no novo lar estivesse concluída, a casa tinha que estar vazia de todos os objetos pessoais, portanto o condutor da carroça puxada a camelo esperou pacientemente com nossas sacolas e baús na frente do imóvel. Depois que os convidados foram embora, amigos de Malik (que também haviam recebido convite para as festividades da mudança) carregaram tudo para dentro. Eu disse a Malik que ele parecia cansado e devia ir embora; Radha e eu limparíamos tudo. Satisfeito com o sucesso da cerimônia (o *pandit* permanecera por três horas), Malik partiu com os colegas (e as sobras dos doces).

Ansiosa para me sentir instalada, comecei a esvaziar o primeiro baú e a guardar nossas roupas nas prateleiras do armário embutido. Pedi a Radha para organizar nossa cozinha. Ela se inclinou sobre o outro baú, virou e saiu às pressas do quarto. Eu a ouvi vomitando no banheiro. Quando voltou, perguntei se havia comido algo que lhe fez mal.

Ela sacudiu a cabeça e foi para o *charpoy*.

— Se eu puder ficar deitada só um pouquinho... — Em segundos, ela estava dormindo.

Pobrezinha. Seus dias estavam tão cheios que ela com frequência cochilava durante o jantar. Decidi terminar de arrumar as roupas. Quando acabei, comecei a organizar a cozinha, tirando panelas, pratos de inox, xícaras e copos do baú. As sacolas cheias de um pouco de tudo teriam que esperar até o outro dia. Olhei em volta, satisfeita.

Radha ainda não havia se mexido. Fui até a cama no canto do quarto para admirar minha irmã adormecida. O vestido de Madhubala se esticava em volta de seus quadris redondos. O cabelo brilhava com óleo de coco. A pele estava corada. Ela não parecia doente; parecia em paz, bem. Talvez fosse bom eu preparar para ela um pouco de água com gengibre e mel. Isso sempre fazia maravilhas por mulheres que sofriam de náusea no começo da gravidez.

A palavra começou como um formigamento em minha orelha, escorreu pela garganta e serpenteou por minha espinha. Radha estava com náuseas. Seus seios estavam sensíveis. Ela estava sempre cansada. Lembrei de ela ter me contado que já havia começado a menstruar. Ela poderia estar *grávida*?

Com quem ela teria estado? Ela frequentava uma escola de *meninas* e não conhecia nenhum menino. Malik era novo demais. Havia Manu, o marido de Kanta, mas eu não podia imaginar que ele fosse se aproveitar dela. O sr. Iyengar? Baju? Quem?

A resposta aterrissou em meu coração como um touro brahman de mil quilos.

Cheguei ao Bazar da Cidade Rosa. O ar recendia a óleo de cozinha usado, verduras apodrecidas, escapamento a diesel.

Encontrei Malik sentado em um muro baixo na frente de sua barraca de *chaat* favorita, dividindo um Red & White com os amigos (cigarros ingleses eram mais caros que os *beedis* indianos, e, desde que começara a ir ao palácio, os gostos de Malik ficaram mais refinados).

Ele estava descrevendo para os amigos algum prato que o chef havia preparado para ele na última vez que estivera no palácio das maranis. Quando me viu, parou no meio da frase.

Eu devia estar parecendo um guepardo espreitando a presa: selvagem, perigosa. Um lado do meu cabelo tinha se soltado do coque. O sári estava todo amassado de desfazer baús, abaixar, inclinar, arrumar. Meus olhos faiscavam de raiva.

Malik pulou do murinho e passou o Red & White quase acabado para outro menino.

— Tia Chefe?

— Você pode me levar até Hari?

Ziguezagueamos pelas ruas estreitas, Malik parando em barracas de chá ou de *paan* para perguntar aos proprietários se tinham visto Hari. Os chai-*wallas** e seus clientes olhavam intrigados para mim. Eu os encarava de volta. Passamos apressados por uma mulher no Mercado de Refugiados que havia montado uma barraca na beira da rua. Ela estava sentada em um pano de algodão, com suas ferramentas de sapataria alinhadas ordeiramente. Olhou para minhas sandálias.

— *Ji*, as tiras estão soltando — disse.

Chegamos a um prédio comum que, como os outros, tinha sido decorado décadas antes com reboco cor-de-rosa. Lojas ocupavam o piso térreo. Em uma delas, um homem remendava uma grande câmara de pneu. Em outra, um alfaiate discutia preços com o cliente enquanto seus dois assistentes, inclinados sobre pequenas máquinas de costura, trabalhavam sob a luz fraca de uma lâmpada pendurada. Na sequência vinha um atarefado vendedor de *lassi*. Havia homens parados na frente dessa loja, conversando e rindo, descartando negligentemente seus copos de argila vazios na vala ao lado da rua.

Malik entrou por uma passagem estreita. Eu o segui. Subimos um lance de escadas até um patamar diminuto e mal iluminado. Ele se movia em silêncio, espiando pela porta de cada aposento. Por fim, se virou e fez um sinal com a cabeça para mim.

Na sala, dois rapazes jogavam cartas no chão de madeira. Eles levantaram os olhos quando entrei. Não havia nenhuma janela e o ar era fétido. As paredes eram irregulares onde pedaços do reboco haviam caído. A única mobília era um *charpoy*, em que um terceiro homem dormia. *Hari*. As cordas da cama estavam tão estendidas que seu corpo pendia a não mais que uns cinco centímetros do chão tosco de madeira.

Senti uma dor aguda no peito e pulei sobre ele. De dentro de mim explodiu a raiva que eu não tinha sido capaz de expressar na primeira vez que o encontrara em Jaipur. Soquei seus braços. Bati em suas orelhas. Esmurrei seus ombros. Se pudesse ter quebrado seu crânio com minhas próprias mãos, eu o teria feito.

Hari levantou os braços em volta da cabeça para se proteger e virou de costas.

— *Arré!* — exclamou.

— *Maderchod!* — gritei. — *Saala kutta!*** — Obscenidades que só tinha ouvido homens usarem.

---

* Chai-*walla*: vendedor de chai.
** *Saala kutta*: cachorro sujo, uma expressão depreciativa.

Os rapazes pararam o jogo no meio. Malik gritou para eles saírem, agitando os braços como se estivesse espantando pombas. Eles se levantaram e foram para a porta, deixando as cartas no chão. Viraram-se antes de sair, com ar de espanto, mas Malik correu até eles, pôs os dois para fora, saiu em seguida e fechou a porta.

Hari conseguiu virar e sentar. Ele tentou segurar meus braços, mas minha raiva me dava a força de Shiva. Libertei um braço da mão dele e estapeei sua cabeça repetidamente com a palma da mão.

Eu estava gritando tão alto quanto meus pulmões permitiam; não me importava com o que os vizinhos ou os consumidores de *lassi* pudessem pensar.

— Ela é uma criança! Ela é como a sua irmã! Você faria isso com a sua *irmã*? Canalha! Maldito! Imundo!

Hari se arrastou para fora da cama e perdeu o equilíbrio, virando o *charpoy*. Então rastejou para trás até a parede. Eu o segui, chutando, batendo, socando. Minhas mãos estavam doendo, e olhei em volta para ver se havia algum objeto com que eu pudesse bater nele. Nesse instante, Hari se levantou e me segurou, prendendo-me contra a parede.

— Pare! — ele gritou, segurando meus braços para baixo. — Você ficou louca?

Vi o terror nos olhos dele.

— O que deu em você? — Sua têmpora estava sangrando e havia vergões vermelhos na testa e nas faces.

Ele me segurava com tanta firmeza que não consegui soltar os braços, por mais que tentasse. Nós dois ofegávamos, como cachorros brigando por um pedaço de carne. Cuspi nele, pegando-o desprevenido, e a saliva escorreu por seu rosto.

Ele me deu um tapa tão forte na cara que eu mordi a bochecha por dentro e senti o gosto de sangue.

— *Buss!* — rosnou. *Chega!*

Eu não podia suportar a ideia da carne de Radha de encontro à pele dele, seu fedor suado nela. Radha, treze anos. Uma criança ainda, sem idade suficiente para saber o que os homens esperam de uma mulher. *Eu* era responsável. Se eu tivesse ficado com ele, como uma boa esposa ficaria, Hari nunca teria reivindicado Radha para si. Ele não a teria violado. Agora, ela estava carregando um filho dele.

Deslizei pela parede até o chão. Puxei os joelhos para o queixo, abracei-os e balancei para a frente e para trás. Fechei os olhos. Gemi. Que droga eu tinha feito com a minha vida, com a vida dos meus pais, da minha irmã! Se eu não tivesse sido tão egoísta, isso não teria acontecido. Minha irmã não teria sido desonrada. Minha sogra não teria morrido sem mim para confortá-la. Meus pais não teriam sido humilhados. E para quê? Para que eu pudesse viver minha própria vida? Como eu havia sido egoísta!

Malik abriu a porta e ficou ali, pequeno e assustado.

— Tia Chefe?

Não respondi, e ele veio até mim e sacudiu meus ombros.

— Tia Chefe. Sou eu. — Repetiu isso várias vezes, até que abri os olhos e vi como ele estava aterrorizado. Seu jeito autoconfiante havia desaparecido, ele estava com os ombros encolhidos de medo. Por que eu o havia trazido para aquele lugar horrível?

— Por favor — eu disse —, vá para casa.

Seu olhar ficou duro e ele sacudiu a cabeça, não. Então saiu da sala e fechou a porta. Eu deveria saber que ele não me deixaria com tanta facilidade quanto eu havia deixado minha família. Ele ficaria comigo a noite inteira se fosse preciso.

Hari levantou o *charpoy* e se sentou, mantendo os olhos atentos em mim o tempo todo.

— Por que você veio aqui?

Sua testa estava sangrando. O cabelo crescido descia irregular em volta das orelhas. Ele deixara a barba crescer também, esparsa e com falhas, fazendo-o parecer um nômade da Caxemira. Suas roupas eram baratas, mas limpas, as sandálias novas.

Qual de nós merecia mais culpa pelo que eu estava prestes a perguntar?

— Há quanto tempo você está se deitando com Radha?

Ele se sentou mais reto, os olhos arregalados.

— De onde você tirou essa ideia?

— *Quanto tempo?*

— Eu nunca... Ela é uma criança!

— Eu acreditei em você quando o vi com aquela menininha. Achei mesmo que você estivesse ajudando as mulheres daqui. Mas você estava mentindo, e continua mentindo!

— Eu nunca toquei na sua irmã! — Ele desviou o olhar e esfregou as mãos.

— Ela se ofereceu, mas...

— Ela *se ofereceu?*

O lábio inferior de Hari estava ficando roxo; ele o tocou de leve com a língua.

— Quando ela foi me procurar, na minha aldeia, disse que me daria dinheiro se eu a levasse até você. Eu não acreditei. Então ela disse que me deixaria fazer o que eu quisesse com ela. — Ele ergueu o queixo, desafiador. — Eu *poderia* ter feito... mas *não fiz*. Eu *não faria* isso.

— Então *como* ela ficou grávida?

Ele me olhou boquiaberto.

— Logo vai começar a aparecer — falei.

Ele sacudiu a cabeça.

— Não!

— Sim!

Ele se levantou, veio até mim, agachou e segurou meus braços.

— Lakshmi, não fui eu. — Se ele estivesse mentindo, estaria cobrindo a cicatriz no queixo.

Percorri minha memória: Radha quando a vi pela primeira vez, com seus cabelos desgrenhados; Radha me recebendo em casa com *dal baati* e *subji*; Radha no pátio, regando as camélias e jasmins como prometera à sra. Iyengar que faria; Radha e Malik brincando de cinco-marias no chão do nosso quarto.

Minhas lembranças ficaram mais turvas mais ou menos na época em que comecei a trabalhar no palácio. Desde aquele dia, eu tinha visto Radha com menos frequência e só por breves períodos. Se ela não estava na escola ou na casa de Kanta, por onde teria estado?

Franzi a testa.

— Ela estava com hematomas quando chegou aqui.

Hari voltou ao *charpoy* e se sentou. Levou um dedo à testa, de onde agora escorria sangue, e fez uma careta.

— Nós não pegamos o trem. Eu usei o seu dinheiro para pagar dívidas. Viemos em caminhões e carroças de fazendas. — Ele engoliu. — Uma noite, estávamos em um caminhão carregado de carneiros. O motorista parou para urinar e eu também fui. Quando voltei ao caminhão, ele estava tentando... — Hari olhou para mim, rapidamente, antes de desviar os olhos. — Mas eu o impedi. Nada aconteceu. Radha ficou bem.

Cobri os olhos com a mão. *Tudo culpa minha.* Eu ouvia os homens conversando, rindo, do lado de fora.

Por um longo tempo, nenhum de nós disse nada.

— Você vai tirar o filho dela? Como tirou os nossos? — ele perguntou.

Baixei a mão e olhei para ele.

— *O quê?*

— Você tirou nossos filhos. Por quê? — Seus lábios tremeram.

Engoli em seco.

— Que filhos?

Seus olhos se encheram de lágrimas.

— Maa sempre soube o que você estava fazendo. — Ele pressionou a palma das mãos. — Como você pôde?

— Você está falando bobagem.

— Nossos filhos eram presentes de Bhagavan.

Eu me controlei para não gritar. *Presentes de Deus?* Durante o dia eu tomava os tônicos, caldos, sementes e infusões que *saas* me dava para aumentar a fertilidade. Mas, enquanto ela e meu marido dormiam, eu preparava o chá que me manteve sem filhos pelos dois anos do nosso casamento. Assim que meus seios ficavam sensíveis e eu sentia enjoo quando comia, bebia o chá de casca de raiz de algodão da minha *saas*. O alívio só vinha depois que o sangramento começava. Quando eu sabia que minha gravidez tinha sido interrompida.

Foi a mãe dele que me abriu os olhos. Como eu poderia explicar isso a Hari?

Dia após dia, eu trabalhava ao lado dela para curar mulheres, a maioria ainda crianças, vinte anos ou menos, o corpo fraco de tantos partos, muitos deles difíceis. Seus dias eram cheios de preocupação sobre como alimentar os filhos; à noite, elas rezavam para que seus maridos chegassem do trabalho cansados demais para aumentar ainda mais seus problemas. Um dia, Saasuji me ensinou a preparar o chá contraceptivo. E eu percebi que a casca de raiz de algodão podia mudar a vida de uma mulher — podia permitir que ela escolhesse por si.

Era isto que *eu* queria: uma vida que pudesse me realizar de uma maneira que filhos não poderiam. A partir desse dia, guardei todo o conhecimento que minha sogra podia me dar. *Que ela seja o rolo que transforma a bola de massa em chapatti.* Quase da noite para o dia, meu mundo se encheu de possibilidades.

Hari se levantou e começou a andar de um lado para o outro.

— Eu achei que você tivesse me deixado por outro homem. Pensei... todo tipo de coisa. Me preocupei que alguém a tivesse machucado. Você podia estar caída dentro de uma vala. Podia estar doente ou ferida. Procurei você por toda parte. Não conseguia dormir. Não conseguia trabalhar. E Maa. — Ele olhou para mim, seus olhos cheios de dor. — Ela nunca mais foi a mesma depois que você foi embora.

Fechei os olhos. Podia imaginar minha sogra como se ela estivesse de pé ali conosco, asseada e bem-arrumada em seu sári de viúva e seus óculos redondos. Sempre gentil, sempre boa. *Desculpe, Saasuji.*

Enxuguei bruscamente os olhos, o nariz.

— Você não merecia a mãe que tinha — falei para Hari.

No mesmo instante, os olhos dele se inflamaram.

— Minha mãe sempre ficou do *seu* lado. Quando entendemos que você tinha ido embora para sempre, ela pegou o jarro e descobriu que você tinha levado todo o dinheiro e o frasco de ervas dela. Achei que fosse ficar brava, mas ela disse "*Shabash*". Ela achou que eu não a tivesse ouvido comemorando por você, mas eu ouvi. Minha Maa escolheu *você*!

Suas lágrimas eram reais; ele as enxugou com a palma da mão.

Nunca me ocorrera que a mãe dele *queria* que eu usasse o dinheiro. Nós nunca conversamos sobre as surras que Hari me dava por ser estéril. Raramente ele me batia no rosto, e o sári cobria os hematomas no corpo. Só agora me lembrei de que, quando ela tratava mulheres com o rosto inchado, insistia que eu preparasse o cataplasma. Seria para me mostrar como tratar a mim mesma?

— Você me deixava caída no chão cheia de hematomas toda vez que ficava sabendo que a minha menstruação tinha vindo. — Eu ainda me lembrava de como sentia medo. — Eu ficava pensando que um dia você acabaria indo longe demais.

Ele fez uma careta.

— Eu... Eu tentei me redimir.

Ora, isso era surpresa.

— Como? Me seguindo pela cidade e pegando meu dinheiro?

Ele começou a falar e parou. Tocou devagar a testa e sentiu o inchaço.

— Eu ajudo mulheres que precisam de ajuda.

— As dançarinas?

Ele sentiu o ceticismo em minha voz e sacudiu a cabeça.

— Você não acredita em mim. Tudo bem. Eu mesmo não teria acreditado dez anos atrás. Só que... Maa me ensinou o que ensinou para você, depois que você foi embora. E eu entendi, finalmente, por que aquelas mulheres a procuravam. Ela era a última esperança que elas tinham.

Ele deve ter visto o choque no meu rosto e suspirou.

— Eu sabia dos sachês dela. Ficava furioso pelos homens que estavam sendo privados de seus filhos. Então você começou a ajudá-la. E, uma noite, você não percebeu, mas eu vi você bebendo o chá. Fiquei tão... bravo... e envergonhado porque *você* não queria os *meus* filhos. Aí você... foi embora, e Maa ficou doente.

Ele parou, passou a mão nos olhos.

— Uma mulher veio procurar a ajuda dela. Ela estava... sangrando no útero.

— Ele desviou o olhar. — O marido dela tinha enfiado um... um cabo de vassoura lá porque ela riu de uma piada de outro homem. Ela tinha perdido muito sangue, estava quase morta. Maa me disse o que fazer, onde colher as ervas de que precisávamos, como aliviar a dor da mulher.

Minha respiração acelerou. Eu podia ver muito claramente diante de mim a cena que Hari descrevia. Tinha visto outras semelhantes enquanto trabalhava com a mãe dele. A urgência. Os gritos de dor das mulheres. Os ferimentos brutais.

Hari esfregou as mãos.

— Ela resistiu. Mas então veio a infecção. Eu fiz tudo como Maa instruiu. Mas a mulher acabou morrendo. — Ele engoliu em seco. — Ela tinha só dezesseis anos, Lakshmi. Então eu pensei em você. Eu não queria, mas pensei em como tinha machucado você. Quantas vezes... E eu... tive vergonha. Pouco a pouco, comecei a ajudar Maa. As mulheres. As crianças. Eu vi muita... dor, sofrimento, fome. — Ele passou a mão no cabelo.

Apoiei a cabeça na parede. Não queria acreditar nele. Fechei os olhos para poder ouvir a verdade em suas palavras.

— Quando cheguei aqui, fui mesmo para o Distrito do Prazer. Estava sozinho. Principalmente quando percebi que Radha tinha mentido para mim sobre o que havia na sua carta.

Abri os olhos, surpresa.

— Quando me recusei a ajudar Radha a vir para Jaipur, ela me mostrou sua carta e disse que você tinha escrito que queria me ver de novo. Eu fiquei tão feliz.

Fiquei boquiaberta com o absurdo da ideia e com o atrevimento de Radha. Ela devia ter enrolado Hari, inventando uma história para ele me encontrar. Ela apostou na chance de que Hari não soubesse ler.

— Ela finalmente encontrou um jeito de eu fazer o que ela queria. — Ele sacudiu a cabeça, como se não pudesse acreditar que tivesse sido enganado por uma menina. — Enfim, quando conheci o Distrito do Prazer aqui, encontrei mulheres que precisavam de ajuda. Do tipo de ajuda que Maa dava. *O meu* tipo de ajuda agora. E usei o seu dinheiro para fazer o que eu podia.

Mas preciso de mais, preciso de remédios mesmo. Para coisas que as ervas não conseguem mais curar. — Ele parecia muito sério agora. — Algumas foram machucadas pelos homens que elas... atendem. Ossos quebrados. Algumas têm infecções frequentes em suas... partes íntimas.

— Por que você não me contou?

— Eu tentei. Mas você não quis acreditar em mim e... — Ele baixou os olhos para o chão. — Eu não a culpo. Eu... — Ele esfregou as mãos. — Entendo muitas coisas agora que não entendia antes.

Senti um aperto no peito. Hari estava tentando. Ele estava corrigindo seus erros. Estava levando adiante o trabalho de sua mãe de uma maneira que eu havia falhado em fazer. Ela teria aprovado. Eu não podia perdoar o Hari mais jovem, o que achava que era meu proprietário, que me deixara com cicatrizes duradouras. Eu havia mudado, ficado mais forte. Seria tão difícil acreditar que Hari tivesse mudado também e ficado mais bondoso? Será que eu não poderia começar a fazer as pazes com esse Hari, a quem sua mãe teria dado sua bênção? Pensei na menininha com o corte na perna e como eu quis que Hari a mandasse embora. Saasuji teria tido muito menos orgulho de mim por isso.

— A menininha... como está a perna dela? — perguntei.

— Bem. Ela levou pontos no hospital.

Assenti com a cabeça.

Apoiei as mãos na parede para me equilibrar e me levantei. Meus ossos pareciam fracos, como se eu tivesse andado por dias, talvez semanas.

Hari observou enquanto eu prendia o cabelo atrás das orelhas. Ele sorriu.

— Eu estava de olho em você muito antes de nos casarmos.

Eu o encarei, intrigada.

— Eu andava quilômetros da minha aldeia até o rio para ver as mulheres lavando roupa, ouvir suas conversas. Meu pai tinha morrido fazia muito tempo e minha Maa estava ocupada cuidando das mulheres. Eu via você às vezes, na outra margem, indo para o forno da aldeia para assar ervilhas. Você sempre parecia estar cumprindo uma missão importante. Tão nova. Tão séria. — Ele sorriu. — Eu disse para minha mãe que, quando fosse a hora, só queria você. Ela foi até o rio comigo uma vez. Nós observamos você de longe. Depois ela pegou minha mão e fez um afago. "Sim, *bheta*, sim", ela falou.

Um pouco tarde demais, pensei, sacudindo a cabeça.

— Eu pretendo manter minha promessa, Lakshmi. A que eu fiz para Maa. Estou fazendo algo bom aqui agora. Se ao menos... — Ele começou a andar pela sala. — Precisamos de remédios para a febre das crianças. E várias das mulheres de *nautch* mais novas vão ter bebês logo.

O que ele estava me dizendo era verdade. Eu tinha visto com meus próprios olhos. Mas meu bolso não era sem fundo. Eu também tinha dívidas para pagar.

A porta se abriu. Malik entrou no quarto. Sua orelha estava vermelha de ficar pressionada contra a porta.

— Tia Chefe — disse ele. — Eu sei um jeito de ajudar.

A luz da rua estava brilhando dentro da minha casa em Rajnagar. Vi o corpo de Radha encolhido na cama, os baús de metal, um amontoado de sacolas cheias de coisas diversas. Remexi em nossos pertences no escuro, sem me preocupar muito com o barulho, desejando ter tido dinheiro para ligar a eletricidade.

— Jiji?

— Fósforos. Onde você guardou?

Levantei uma sacola e despejei o conteúdo. Ervas envoltas em folhas de jornal, colheres, palitos de dente. *Os contos de Krishna* que Radha havia trazido consigo.

Ela se ergueu sobre o cotovelo.

— Que horas são?

— Fósforos! Será que eu esqueci de pôr na lista de compras de Malik na semana passada?

Ela se arrastou para fora da cama e enfiou a mão na sacola de plástico perto da porta.

— Aqui. — Bocejou.

Peguei a caixa da mão dela. Meus dedos tremiam quando acendi um fósforo. Esvaziei outra sacola no chão, examinando os rótulos em frascos e pacotes.

— O que você está procurando agora? — Ela esfregou os olhos.

Interrompi a busca para olhar irritada para ela.

Radha piscou, acordada agora.

Meu coque tinha se soltado. Os cabelos emaranhados caíam sobre meu rosto. Meu sári estava úmido e cheirava a vômito; eu tinha vomitado meia dúzia de vezes no caminho para casa.

Meu dedo começou a arder. Sacudi o fósforo para apagar o fogo.

— Fui falar com Hari.

No escuro, o branco dos olhos de Radha brilhava.

— Por quê?
— Radha, eu não sabia...
Fiquei com medo de chorar de novo. Levantei de onde estava agachada e procurei as mãos dela. Ela se encolheu e se afastou no escuro.
— Sente-se. — Indiquei a cama. — Por favor.
Ela se acomodou com cuidado na beirada do *charpoy*. Suas mãos se agitavam no colo. Ajoelhei no chão na frente dela.
— Radha, quem quer que tenha feito isso com você, não é sua culpa! Se eu soubesse... que Maa tinha tido outra filha depois de mim, que eu tinha uma irmã, que você estava sozinha... eu não teria ido embora. Eu teria...
Eu não sabia bem o que teria feito.
Ela franziu a testa.
— E pensar que você chegou a *se oferecer* para Hari... Isso é terrível. E é minha culpa. Por favor, me perdoe.
Eu me sentei ao lado dela.
Ela se afastou de mim, temerosa.
— Eu devia proteger você. E não protegi. Eu deixei isso acontecer. Ele...
— Jiji, você está me assustando. — Ela parecia prestes a chorar. — Do que você está falando?
Meus olhos baixaram para sua barriga. Ela seguiu meu olhar pelo vestido amassado, franzindo a testa, e olhou para mim de novo. *Ela não sabia?* Claro que não! Ela era uma criança!
— Seus seios estão sensíveis?
Ela levantou as sobrancelhas.
— Você está indo ao banheiro toda hora? Está sentindo enjoos?
Sua boca se entreabriu.
— Quanto tempo faz que você teve sua última menstruação?
Ela olhou para além de mim, para o chão, respirando pela boca. Relanceou sua barriga. Então seus olhos se enterneceram, como se estivesse tendo uma lembrança boa.
— Deixe isso comigo, Radha. Se você não estiver com mais de quatro meses, é seguro. Me ajude a procurar a casca de raiz de algodão. — Prendi o cabelo em um nó na nuca e levantei. — Você se lembra da sra. Harris? Que bebeu meu chá?
Ela fez uma careta.
— Mas ela está bem agora! Você também vai ficar bem. Quem quer que tenha feito isso... Me diga que não foi o sr. Pandey!

Ela sacudiu a cabeça e alisou o chiffon amarfanhado sobre as coxas.
Eu não conseguia decifrar sua expressão; ela devia estar em choque.

— Tente lembrar onde pusemos a casca de raiz de algodão.

— Jiji.

— Talvez na sacola xadrez? — Fui depressa até a sacola e a esvaziei no chão abarrotado de coisas.

— Jiji.

Eu precisava de mais luz. Onde eu tinha posto os fósforos? Fiquei de quatro procurando-os no meio da bagunça. Empurrei para o lado um pacote de livros. Um carretel de linha caiu no chão.

— E se eu ficar com o bebê?

Fiquei olhando a linha se desenrolar pelo piso de mosaico. *O que ela disse?*

Não sei quanto tempo se passou até eu conseguir me mover. Lentamente, eu me virei para Radha.

Ela estava mordendo o lábio, evitando meu olhar.

— Você não *precisa* ficar com ele — falei. — Não aprendeu nada comigo?

Ela baixou o queixo, olhou para o colo. Eu sentia as bordas escorregadias de sua culpa. *Foi por vontade própria. Ela deixou um homem tocá-la, talvez mais de uma vez. Ela quis.* Enquanto eu trabalhava. Enquanto ela morava em minha casa. Que idiota eu tinha sido!

Eu tinha sentido empatia por ela. Dito a mim mesma que ela precisava de tempo para me perdoar. Ela iria se animar. Acabaria dando valor ao que eu estava tornando possível: um lar, *chapatti* suficiente para ela nunca passar fome, a Escola da Marani e a possibilidade de uma vida melhor do que qualquer uma de nós poderia ter imaginado.

Fiquei de pé e estiquei o braço para ela. Sem pensar, segurei seu vestido. Ela escapou, tentou correr. Eu a agarrei pelo coque. Ela gritou. Eu lhe dei um tapa. Ela se desequilibrou e caiu.

Meu coração batia acelerado. Eu a vi tossir e pigarrear. Ela estava deitada no chão no meio do conteúdo das sacolas, as pernas dobradas de lado. Seu lábio sangrava, seu rosto se contorcia de dor.

Eu me postei acima dela.

— O que ele fez, esse seu *Devdas*? Prometeu amor eterno?

— Pare!

— Deu presentes para você?

— Não foi assim!

— Ou você *se ofereceu* em troca de alguma coisa... como fez com Hari?

Seu rosto ficou vermelho.

— Que escolha eu tinha? Eu precisava encontrar você e não tinha como fazer isso sozinha. E daí que eu usei Hari para chegar a Jaipur? Você escolheu um jeito de escapar e eu escolhi outro! Eu não culpei você, então por que você está me culpando?

— O que quer que seu namorado tenha dito a você, não é verdade. E se você pensa que ele vai assumir...

— Ele vai!

— Como você pode ser tão burra? Ouça o que eu digo, Radha. Essa criança não tem futuro!

— Tem, sim!

— Eu conheço o mundo, Radha. Você não. Se acha que o pai vai se casar com você, está sonhando!

Ela baixou a cabeça. Estava chorando agora.

— Ele me ama.

Limpei as mãos no sári e fui até o fogareiro, onde uma panela cheia de água estava pronta para o chá do dia seguinte. Olhando em volta, vi um fósforo solto no chão. Eu o peguei, acendi na bancada de pedra e o segurei junto ao queimador. A chama azul iluminou o aposento.

— Venha me ajudar, Radha — pedi, forçando a voz a ser gentil, como havia feito milhares de vezes para deixar minhas senhoras de bom humor. Segurei a alça da panela com as duas mãos para ela não ver como eu estava tremendo.

— Amanhã, tudo vai estar do jeito que era. De volta ao normal. — Minha voz tensa desmentia minhas palavras.

— Você está preocupada com o que as suas senhoras vão pensar.

Enrijeci.

— Suas respeitáveis *MemSahibs*, que não sabem o que você faz fora da sala de estar delas — disse ela, cheia de sarcasmo. — Que você faz bebês desaparecerem. — Ela soava tão diferente, essa Radha, cujas palavras tinham o gume de uma adaga.

Eu me virei para encará-la.

— O que elas diriam se soubessem que você se livrou dos seus próprios bebês?

Ela deve ter percebido a expressão de choque em meu rosto.

— Hari me contou. Então, depois de Joyce Harris, eu entendi tudo. O que você fez para não ter os seus próprios bebês.

Eu estava com dificuldade para respirar.

— Isto aqui não tem nada a ver comigo! É com você. Você tem treze anos! Uma menina com uma chance de fazer mais, de ser mais...

— Você está falando de si mesma, não de mim! Eu não sou *você*.

Pressionei a mão contra o peito.

— Não, estamos falando de você. Uma menina com um bebê e sem marido — arquejei.

Ela levantou o queixo.

— Nós vamos nos casar.

Ela estava abalada. E totalmente iludida. Segurei-me à borda da bancada de pedra para me equilibrar.

— A esta hora amanhã, Radha, você nem vai lembrar mais que bebeu o chá. Você estará íntegra outra vez, e limpa. Amanhã vamos começar de novo.

— Você não está escutando. Você nunca escuta! Eu vou contar para o pai e nós vamos nos casar. Vamos ficar com o bebê.

— E se ele se recusar, Radha? O que você vai fazer? Pense bem. Quem vai vestir o seu filho e lhe dar *dal* para comer quando você voltar para a escola?

Seus olhos ficaram enormes no rosto, o rosto de Maa. Até aquele momento, inacreditavelmente, ela ainda não havia pensado nisso.

— Eu não vou voltar para a escola. Vou trabalhar. Como você.

Sacudi a cabeça.

— Você acha que é assim tão fácil? Esta casa me custou treze anos de trabalho duro e *Sim, Ji* e *Não, Ji* e *Como quiser, Ji*. Você nunca terá que fazer isso se for para aquela escola. Vai ter muito tempo para ter um bebê depois que terminar os estudos. Escute, Radha. Por favor. A Escola da Marani é um prêmio, poucas entram lá, e você está lá sem pagar nada. Você pode ser algo melhor do que uma artista de henna. Melhor do que eu. Você pode ter uma vida significativa. — A água estava quase fervendo. — Só... por favor, me ajude a encontrar a casca de raiz de algodão.

A voz dela tremeu.

— Ele disse que eu sou só mão de obra barata para você. Seu negócio só deslanchou depois que eu cheguei. Você mesma me falou que tem mais trabalhos agora por causa da minha henna. Se isso é verdade, por que não pode confiar em mim para pensar por mim mesma?

Ela se aproximou e parou na minha frente, seu rosto a centímetros do meu. O sangue em seu lábio brilhava.

— Você não confiou em mim na festa de fim de ano e não confia em mim agora — disse ela. — Não importa quanto eu trabalhe, quanto eu faça. Você nunca vai ter fé em mim!

Mais que suas palavras, o tom de sua voz, sua acidez, era pior que qualquer insulto que eu já havia suportado das minhas senhoras. O que eu havia feito para essa menina além de abrigá-la, alimentá-la, vesti-la? Meu coração se fechou em si mesmo, apertado em uma bola.

Apontei um dedo para o peito dela.

— Você vai tomar isto até a última gota antes do amanhecer.

— Não vou. Vou provar que você está errada!

Ela fugiu tão depressa quanto um beija-flor. Quando passou por mim, sua saia de chiffon roçou os pelos do meu braço. Tentei agarrá-la, mas me sentia como se estivesse me movendo na água e só consegui rasgar o tecido delicado do vestido. Ouvi o som de seus pés descalços no pátio e ela se foi.

Fiquei olhando a luz azul do fogareiro tremeluzir, ouvindo a água ferver. Não precisaria dela agora. Desliguei o fogo.

Atravessei o aposento e desabei no *charpoy*. Deviam ser mais de três horas da manhã.

Aquele era um dia que deveria ter terminado em comemoração, cheio de esperança para o futuro. Em vez disso, eu sentia um vazio tão vasto e profundo quanto o rio Ganges.

Sem meus pais para testemunhar a longa estrada que eu havia percorrido para chegar até ali, a luta para construir minha casa parecia sem sentido. Em vez deles, eu havia recebido Radha para cuidar, e tinha arruinado o futuro dela também.

Para onde ela iria àquela hora da noite? Para a casa de seu amante? Quem seria ele? Se não era o leiteiro, o sr. Iyengar ou o sr. Pandey, quem?

As professoras da Escola da Marani eram mulheres. Não poderia ter sido o velho porteiro desdentado. Impossível!

Com um sobressalto, pensei: *Samir?* Ele havia admirado a beleza dela. Mas... não. Radha não se encaixava no padrão dele: não era viúva, e era jovem demais, não era?

Para onde quer que Radha estivesse indo, ela teria que andar. Todos, incluindo os *tonga-wallas* e os riquixá-*wallas*, estavam dormindo. Radha não tinha dinheiro para pegar um trem ou mesmo um ônibus. Será que ia dormir na rua, como ela e Hari tinham feito quando vieram para Jaipur? Ela não iria procurar Hari, iria?

Kanta saberia. Eu devia telefonar para ela. Mas como? Em meu alojamento, eu usava o telefone da sra. Iyengar com sua permissão, mas não tinha como arcar com uma linha telefônica aqui. O correio, onde eu às vezes pagava para usar o telefone, estava fechado.

Se Radha não voltasse até o amanhecer, eu mandaria Malik à casa de Kanta com um bilhete. Suspirei. Mais um constrangimento. Meninas de boa família não fugiam de casa. O que provavelmente era o que as fofoqueiras haviam falado de mim treze anos antes.

De manhã, ainda não havia sinal de Radha. Não dormi a noite inteira. Fiquei o tempo todo a imaginando na rua, sozinha. Via a mim mesma na idade de Radha, tímida demais para olhar para meninos ou homens, quanto mais falar com eles. Maa tinha garantido que fosse assim: *Homens comem até fruta verde se estiver na frente deles.* Quando minha irmã tinha parado de dar atenção a essas advertências? Ou será que Maa estava tão desalentada com a minha fuga que desistira de ensinar a Radha as mesmas coisas que havia me ensinado? Ela talvez tenha sentido que, se seus conselhos não me mantiveram no caminho do bom comportamento, não funcionariam com minha irmã também.

Tentei imaginar um passado em que eu tivesse ficado com Hari, me permitido ter filhos, visto Radha crescer com eles. Teria mesmo sido tão ruim? Radha teria ficado segura. Não teria acabado nesta cidade desconhecida, com homens devassos em cada esquina.

Quando Malik apareceu ao amanhecer para o trabalho, eu o enviei imediatamente à casa de Kanta. Mantive-me ocupada abastecendo os *tiffins* de que precisaríamos durante o dia. Em menos de uma hora, ouvi um carro do lado de fora. Corri para a janela. Um grande sedã cinza tinha parado na frente da minha casa. Baju estava ao volante. Ele saiu e abriu a porta de trás. Malik desceu do carro e se virou para ajudar Kanta.

Em segundos eu estava fora de casa, saindo pelo portão. Quando me viu, Kanta gritou:

— Lakshmi! — Ela estava muito pálida.

Meu coração pulava no peito. *Oh, Bhagavan, faça Radha estar em segurança! Não deixe nada acontecer com ela!*

— Ela está na minha casa. Ela está bem. Mas eu sou a pior tia que poderia ser! Como eu não percebi, ou pelo menos...

Assim que a ouvi dizer *bem*, meu corpo relaxou. Radha estava em segurança.

Kanta falava alto o suficiente para atrair a atenção da minha vizinha, que havia saído de casa e fingia regar uma frágil muda de limoeiro em seu quintal.

— Kanta! — exclamei severamente. — Entre para tomar um chá.

Ela fechou a boca diante da minha repreensão e deixou que eu e Malik a levássemos para dentro. Baju voltou para o carro.

Assim que fechei a porta, Kanta começou a se lamentar, abraçando a barriga.

— Se eu soubesse o que isso estava fazendo com ela! Mas achei que mostrar a ela os costumes ocidentais a prepararia melhor, você entende, para a vida moderna, a vida de mulher adulta. Pensei nisso como educação! Eu estava tão satisfeita com meu próprio modo de pensar contemporâneo! Achei que você ficaria contente também. Eu nunca... Eu não pensei...

Acendi a lamparina de querosene com dedos trêmulos.

— O que Radha contou a você?

— Tudo. — Kanta começou a respirar ofegante, como se o ar tivesse de repente ficado rarefeito. — É terrível.

Percebi agora que ela havia chorado. Seus olhos estavam inchados, o rosto pálido. Pus o braço em seus ombros, levei-a até o *charpoy* e sentei ao lado dela.

Malik serviu um copo de água do *mutki* e o entregou a Kanta. Depois foi acender o fogareiro para fazer o chá.

O ar no aposento estava abafado com os cheiros da cerimônia de inauguração da casa no dia anterior, mas eu não ousava abrir as janelas, com medo de que os vizinhos nos ouvissem. Kanta trazia consigo uma fragrância ainda mais opressiva: medo.

— Ela... Eu... Ah, Bhagavan! Por onde começo? — Ela pôs a mão na testa.

— Aqueles meus romances, os ingleses que ela lê para mim. Eu pensei: *Isso vai ajudá-la com o inglês. Vai lhe ensinar coisas sobre o mundo. E ela vai se sair melhor do que aquelas esnobes da sua escola.* E os filmes que eu a levei para ver! Ah, meu Deus! Eu não imaginava que ela fosse confundir uma história em um livro ou filme com a sua própria vida.

Fechei os olhos. A imaginação de Radha, tão restrita até seis meses antes, se abrira de repente. Sem os pais para refrear seus sonhos românticos, a imaginação a fizera transformar ficção em fato.

Kanta era mais velha que Radha e deveria ter tido mais discernimento, mas era eu, afinal, a responsável por minha irmã. Que tipo de cuidadora eu tinha sido?

Kanta continuava falando, com a voz chorosa:

— E toda aquela conversa de amor e romance. Isso serve para as meninas inglesas, não para as indianas. — Ela parecia sua *saas* falando. — Eu devia ter percebido como ela é jovem, como é impressionável. Ela leva tudo a sério, absorve como uma esponja! E aprende tão depressa... Eu ficava lisonjeada por ser sua professora. Nós estávamos nos divertindo...

Desviei os olhos; não podia deixar Kanta me ver desmoronar. Olhei para o mapa da minha vida no piso de mosaico enquanto as lágrimas embaçavam minha visão. O desenho tinha mudado. As formas se transformaram em algo que eu não reconhecia mais.

Kanta sufocou mais um soluço.

— Ah, Lakshmi! Eu não acredito que a nossa Radha está com um bebê na barriga! Ela não me contou quem é o pai. Quer que você esteja junto quando ela contar.

Radha quer confessar em público. Como as chuvas de monções, tão violentas que desgastavam as frisas dos templos, minha irmã estava prestes a destruir a fortaleza que eu havia construído. Não havia dúvida quanto a isso: minha vida, como eu a havia definido, iria mudar. Planos, meticulosamente projetados, iriam se desfazer. O aposento girou em volta de mim. Perdi o equilíbrio e segurei na borda da janela para não cair.

Malik correu para me amparar, mas Kanta chegou primeiro. Ela me baixou suavemente até o chão.

— Eu enchi a cabeça dela de *bukwas!** Eu e meus livros e meus filmes e minhas revistas e minhas ideias. A gravidez atrapalhou minha mente! Essa é a única explicação que posso imaginar. Achei que tudo isso estivesse sendo bom. E é Radha quem vai pagar o preço. E você, Lakshmi.

Ela chorou mais forte ainda, e, aflita, me perguntei se meus vizinhos iam achar que tinha havido alguma morte na família.

— Desculpe — disse ela. — Desculpe.

Ela me abraçou, molhando meu rosto com suas lágrimas quentes, mas meu corpo estava entorpecido, exausto. Eu não podia confortá-la.

---

* *Bukwas*: bobagem, absurdo.

Doze

21 de abril de 1956

Kanta e eu nos sentamos lado a lado no sofá de sua sala de estar. Radha estava de pé à nossa frente, como se estivesse diante de um tribunal da inquisição britânica. Ela usava um vestido emprestado de Kanta; aquele igual ao de Madhubala ficara arruinado.

Minha irmã olhou nervosa para o tapete, então para nós, depois para as fotos de Gandhi-*ji* e da deusa mais recente de Kanta, Sarasvati, na parede.

— Vá em frente, *bheti* — Kanta a incentivou.

Radha lambeu o corte no lábio, o ferimento que eu fizera nela na noite anterior.

— Eu passava pelo Clube Jaipur todos os dias no caminho da escola para a casa da Tia Kanta. Vocês sabem, o campo de polo, do lado da estrada?

Eu ia responder, mas Kanta pôs a mão em meu braço para me silenciar.

Radha mordeu a bochecha por dentro.

— Eu o via jogando polo nos feriados, e um dia ele me viu. Estava levando o cavalo para os estábulos. Aí ele parou e nós começamos a conversar. Ele me disse que estava trabalhando em uma peça de Shakespeare na escola e perguntou se eu poderia ensaiar com ele. Então era isso que a gente fazia. Às vezes meia hora, às vezes uma hora.

Enfiei as unhas nos cordões do bordado do sofá, tentando conter a impaciência.

— E um dia ele me falou que eu parecia Madhubala. — Ela enrubesceu e desviou o olhar. — Ele disse que nunca tinha conhecido uma menina tão bonita e que, se pudesse, passaria o tempo todo comigo. Que não pensava em mais nada, só em mim, o dia inteiro. — Minha irmã me olhou de relance, depois voltou a fitar o chão. — Foi como nos filmes.

Kanta gemeu. Meu coração acelerou.

Radha apertou as mãos à sua frente.

— Eu gostei dele. Ele pediu desculpas pela festa de fim de ano. Pelo jeito como a mãe dele tinha falado comigo. Eu contei a ele todo o problema que tive com você por causa daquilo, Jiji.

A sala parecia estar se fechando sobre mim. Minha visão se afunilou.

— Ele disse que você tinha inveja de mim. — Ela me olhou sob as pálpebras abaixadas. — Porque você não tinha ninguém na sua vida, e eu tinha.

Uma sensação de frio se espalhou pelo meu corpo. A voz de Radha soava fraca, distante.

Ela estava falando de Ravi Singh.

Quando recobrei os sentidos, minha cabeça estava no colo de Kanta e ela pressionava a ponta do meu sári em minha testa. Estava frio. Vi que ela o havia enrolado em gelo. Radha estava sentada na poltrona em frente, esfregando as mãos nervosamente no estofamento.

Tentei me sentar, mas minha cabeça girou. Kanta me deitou de novo pelo ombro. Fiquei olhando para o lento *tac-tac-tac* do ventilador de teto. Meu cérebro ainda estava atordoado com a notícia de que Ravi Singh era o pai do bebê da minha irmã.

— De todas as pessoas no mundo... *o filho de Parvati*?

Radha parecia assustada, mas desafiadora. Ela olhou para Kanta em busca de apoio.

— É por isso que eu precisava de você aqui, Tia. Eu sabia que ela não ia entender, mas você entende, não é?

A testa de Kanta se franziu de inquietação. Ela abriu a boca para falar, mas nada saiu. Ela desviou o olhar.

Radha suplicou:

— Faça minha irmã entender, Tia. Ele me ama. Ele se preocupa comigo. Ele quer esse bebê tanto quanto eu...

Hai Ram! Até agora eu estava achando que poderíamos manter a gravidez em segredo se eu conseguisse convencê-la a usar meus sachês.

— Ele já sabe do bebê?

Como se estivesse falando com uma criança, Radha explicou:

— Ele não sabe... ainda. Mas, quando eu contar, vai ficar muito feliz. Ele me disse que nunca gostou de outra menina como gosta de mim.

— Isso é ridículo! Ele tem dezessete anos! Você tem treze! — exclamei.

Radha estreitou os olhos.

— Quando comecei a menstruar, você me disse que eu me tornei uma mulher.

— Isso não quer dizer que você estivesse *pronta* para ter filhos!

— As meninas na nossa aldeia têm filhos com treze anos. Por que eu não posso? Elas têm uma família inteira antes dos vinte anos. Eu nunca tive uma família. Não de verdade. Com Maa triste o tempo todo. Pitaji bêbado. E você... você fugiu de Hari e só Deus sabia onde estava até eu te encontrar!

À menção do nome de Hari, dei uma olhada constrangida para Kanta. Quando ela fora à minha casa pela manhã, eu lhe contara sobre meu passado, sobre Hari, as agressões, tudo. Contara mais do que já havia contado a qualquer pessoa em minha vida. Embora a história a tivesse perturbado, ela a aceitou sem julgamentos.

Radha soluçou.

— Ravi e eu vamos nos casar assim que ele souber que tem um filho. O bebê *é dele*!

— Lakshmi — Kanta murmurou, pondo a mão na frente da boca. — O que vai acontecer quando Parvati descobrir?

Era exatamente o que eu estava pensando.

Radha olhou de mim para Kanta.

— Por que vocês estão preocupadas com a mãe dele? Ravi é o pai. É só ele que importa!

Até então eu não havia percebido completamente quanto Radha era ingênua, quanta fantasia secreta ela guardava dentro de si. Como eu entendia pouco os seus sentimentos. Como me *esforçara* pouco para entendê-los.

Eu não *quis* ter que conversar com ela sobre as coisas que deviam estar girando em sua cabeça. Por exemplo, o amor. Como saber quando se está apaixonada? Como era isso? Mas o que *eu* sabia sobre o amor? Eu nunca o havia experimentado. Detestava admitir que eu não poderia ter respondido às suas dúvidas. Eu tinha tido a esperança de que Kanta estivesse fazendo isso.

Sentei-me lentamente no sofá. Minhas têmporas latejavam.

— Radha, desculpe. É minha culpa. Eu devia ter conversado mais com você... Mas me escute agora. Você não pode se casar com Ravi Singh.

— Não, não, não. Eu não vou escutar! — Ela estava chorando, a boca contorcida. — Primeiro você me diz que eu não posso ir ao palácio. Depois me põe em uma escola em que dão risada do meu cabelo, do meu sotaque, das minhas roupas. O que eu fiz para você? Por que *você* pode fazer tudo que quer na vida, mas *eu* tenho que fazer tudo que você me manda fazer?

Eu sabia que ela tinha ficado brava por eu não ter permitido que fosse ao palácio, mas achei que isso já houvesse ficado para trás. Ela agora tinha vestidos ao estilo de Bombaim. Um corte de cabelo moderno. Estava aprendendo danças ocidentais e como oferecer chá à moda inglesa para oito convidados. Coisas que eu jamais teria podido ensinar a ela.

Talvez tenha sido o espanto em meu rosto que fez Radha sair de sua poltrona e agachar ao meu lado. Ela segurou minhas mãos. As dela estavam molhadas de enxugar lágrimas.

— Jiji, Ravi não é tudo que você poderia querer em um marido para mim? Ele é bonito como um artista de cinema. Ele é educado. É talentoso. — Parecia a lista que eu havia feito quando propus uma noiva para Ravi.

Ah, menina tola, eu tinha vontade de gritar. Mas mantive a voz baixa.

— Radha, Parvati Singh jamais vai permitir que o filho se case com você. Na verdade, ela não vai permitir que ele se case com ninguém até se formar na faculdade.

Ela apertou minhas mãos com mais força.

— Tia Kanta diz que o amor floresce nos lugares mais inesperados. — Ela recorreu a Kanta. — O sr. Rochester não se apaixonou por Jane Eyre, Tia, mesmo ela não tendo nenhum dinheiro? E Lady Chatterley! Apesar de toda a sua riqueza, ela amava um caçador pobre. E você, Tia, casou com Manu por amor, não por dinheiro. Por que é impossível vocês acreditarem que Ravi e eu podemos nos casar por amor?

Kanta fez uma careta e fechou os olhos.

— *Hai Ram!*

Eu suspirei.

— Porque Parvati Singh não permitirá um casamento por amor.

Radha jogou minhas mãos para o lado. Sua voz borbulhava de fúria.

— Você não se importa com os *meus* sentimentos. Ou os de Ravi.

Eu já tinha ouvido o suficiente.

— Kanta, conte a ela.

— Se eu soubesse...

— Conte a ela!

Os lábios de Kanta se apertaram com tristeza. Ela olhou para Radha.

— *Bheti* — disse ela. — Eu faria qualquer coisa para poupar você. Mas, quando Sheela Sharma fizer dezoito anos, ela vai se casar com Ravi Singh. Os Sharma fizeram o anúncio em um jantar de comemoração duas noites atrás.

Minha irmã pareceu perplexa. Ela tateou atrás de si em busca da poltrona e se sentou.

Kanta continuou:

— Manu e eu estávamos lá. Ravi também.

— Mas... ele me disse que seus pais nunca arrumariam um casamento para ele sem seu consentimento!

— Eles perguntaram — Kanta disse. — E ele concordou.

Os olhos de Radha se encheram de lágrimas.

— *Bheti*, ele disse mesmo que ia se casar com você? — perguntou Kanta, com a voz muito gentil.

Minha irmã havia se recolhido dentro de si mesma. Parecia tão perdida que tive vontade de abraçá-la, mas eu sabia que ela não me deixaria.

— Ravi não é quem você pensa que ele é — falei, tão delicadamente quanto pude.

— Você só está dizendo coisas para me magoar. Você sempre faz isso. Nunca quis que eu encontrasse você. Nunca quis que eu morasse com você. — Ela se virou para Kanta com os olhos vermelhos. — É por isso que eu quero uma família, Tia! Ela não é minha família de verdade. Não do jeito que importa! Você e o Tio* são mais família para mim do que ela!

Suas palavras caíram como um golpe de martelo. Kanta olhou para mim, me apoiando.

Ninguém disse nada por um tempo. Por fim, Kanta soltou um longo suspiro e se levantou. Então se sentou no braço da poltrona de Radha e levantou o queixo dela com dois dedos.

---

* Tio: tratamento respeitoso e afetuoso para um homem mais velho.

— Escute Lakshmi. Ela é sua *jiji*. Ela fez tudo que pôde para garantir que você tenha um bom futuro, o melhor futuro. Você não pode falar com ela desse jeito. Não na minha casa.

Olhei para Kanta com gratidão. Ela me defendera de um jeito como mais ninguém havia defendido. Eu me virei para minha irmã.

— Radha, fui eu que arranjei esse casamento. Eu fiz isso para...

— *Você* fez isso comigo?

— Eu não *fiz* nada com você. Eu nem sequer sabia que você...

Radha piscou.

— Mas espere! Ainda vai levar anos para Ravi se casar! Tanta coisa pode mudar! E o jeito como as suas senhoras ouvem você... Talvez se *você* falasse com a mãe de Ravi, Jiji... — Ela estava desesperada para mudar seu futuro. Como eu havia estado aos quinze anos.

Sacudi a cabeça.

— Parvati já tinha todo o futuro do filho planejado antes de ele ter o primeiro dente. Foi a mesma coisa com ela e Samir e com todas as gerações de Singh.

Kanta soltou um suspiro aflito.

— E se... se ele não quiser o bebê...

— Radha não precisa ter o bebê.

— Não! Eu não vou fazer nada para prejudicar este bebê! Você pode fazer isso com outras mulheres, mas não vai fazer comigo!

O choque no rosto de Kanta me informou que mais um segredo estava sendo revelado.

Eu me virei para ela.

— Kanta, não me diga que você nunca conheceu mulheres que fizeram um aborto. Que se apaixonaram e não levaram em conta as consequências. Na universidade? Na Inglaterra?

Kanta cobriu a boca com a mão, voltando os olhos arregalados para mim, depois para o chão.

Radha esperou, seus olhos implorando que minha amiga ficasse do lado dela. No silêncio, o zumbido do ventilador de teto ficou mais alto. Depois de uma pausa, Kanta apertou gentilmente o ombro da minha irmã.

— Elas acabaram se casando mais tarde, muitas vezes com outra pessoa. E tiveram outros filhos.

Radha sacudiu a cabeça.

— Não!

— Lakshmi está fazendo a coisa certa.

Mas isso não era o que Radha queria ouvir. Ela fechou os olhos com força. Eu podia imaginar o que ela estava pensando: *O que Jiji já fez além de me dar bronca e me impedir de ter o que eu quero?*

Kanta pôs a mão na face molhada de Radha.

— Não faça essa cara. Você é bonita demais. Lakshmi me contou que nem sabia da sua existência até seis meses atrás. Ela ficou chocada quando você apareceu, mas nunca passou pela cabeça dela mandar você embora. Olhe para mim, Radha. Sua irmã tem um senso de responsabilidade muito forte, que eu admiro. Você pode estar brava com ela, mas ela a acolheu em sua casa. Pôs você em uma escola excelente. Você amadureceu tanto que é fácil esquecer que só tem treze anos. — Kanta ajeitou o vestido de Radha. — Lakshmi não teve uma vida fácil. — Ela olhou em minha direção. — Eu entendo por que ela deixou o marido. Também quero que saiba que eu não julgo você ou sua irmã pelo que aconteceu. Ela tentou ensinar a você como o mundo funciona. Ela é rígida, eu já percebi isso. Mas esse é o dever dela como irmã mais velha. Enquanto *eu*... — e aqui ela suspirou — ... eu fui uma tia muito desmiolada.

Radha se sentou mais reta e apertou as mãos.

— Mas eu adorei ter você como tia! Ninguém poderia ser melhor!

— Eu gosto demais de você — disse ela. — Mas não sou uma *jiji* responsável. Fiz você ler aqueles livros para mim quando você não estava pronta para eles. — Ela fez uma careta. — Ainda não acredito que fui tão inconsequente. Eu estava entediada e queria companhia, e você foi uma companhia maravilhosa.

— Eu adoro aqueles livros! — Radha protestou. — Onde mais eu teria a chance de ler algo parecido? — Ela virou o olhar cortante para mim. — Ela nunca passa tempo comigo. Tudo que ela faz é trabalhar!

Cada uma das acusações de Radha era como um tapa na minha cara.

— Ela tem que se sustentar. — Kanta segurou a mão de Radha. — E sustentar você. E Malik. Ela é corajosa e muito determinada. Vocês duas, na verdade, são bastante parecidas.

Parecidas? Eu nunca havia pensado que Radha e eu compartilhássemos alguma coisa além da cor de aquarela dos nossos olhos.

— Eu sou privilegiada, Radha — Kanta continuou. — Nunca tive que me sustentar. Nunca tive que me preocupar com dinheiro. Até hoje meu pai nos ajuda quando os ganhos de Manu ficam abaixo das nossas despesas. Minha situação é muito diferente da sua. — Ela suspirou. — Eu gostaria que não fosse assim, mas é a realidade. Vocês precisam pensar em dinheiro, em como pagar o aluguel, como comprar um novo par de sapatos, comida. Do jeito que sua irmã sempre fez. Eu aceito a responsabilidade pelo que fiz, Radha. Sua irmã não tem culpa. E nem você.

Radha soltou a mão de Kanta.

— Primeiro Jiji arruma o casamento de Ravi com outra pessoa! Depois vocês me dizem para matar o meu bebê?

Kanta se recostou.

— Eu quero que você tenha uma boa vida, Radha. — Com movimentos gentis, ela acariciou as costas da minha irmã. — *Nós duas* estamos do seu lado. Mas você é muito nova para ser mãe. Sua vida mal começou, *bheti*. Você pode ir muito mais longe. Cada vez mais mulheres...

— Pare! — Radha soluçou. Ela apertou os olhos e mais lágrimas desceram. Suas faces ficaram rosadas.

Cansada, Kanta se levantou.

— Vamos dar um tempo para ela agora, Lakshmi.

O ventilador de teto foi diminuindo a velocidade e parou.

Kanta gemeu.

— *Baap re baap!* Já é a terceira vez hoje que acaba a eletricidade. Só estamos em abril e já começou a ferver. — Ela enxugou a transpiração do pescoço com o sári. — Vamos pensar em alguma coisa. Mas, por enquanto, precisamos manter isso apenas entre nós: você, eu, Radha e Manu. Radha pode ficar conosco até chegarmos a uma solução. — Ela não olhou para nenhuma de nós duas quando disse isso, provavelmente para nos poupar do constrangimento de reconhecer o grande abismo entre nós.

Kanta puxou seu *pallu* sobre os ombros e o enfiou dentro da anágua.

— Que tal um chá para refrescar os ânimos?

Pensei na festa de fim de ano na propriedade dos Singh, onde tudo havia começado. Onde Ravi e Radha se conheceram. Onde Samir me falou sobre o trabalho no palácio. No começo daquela noite, eu me sentia esperançosa; Radha e eu chegaríamos a um entendimento como irmãs. Ela estava aprendendo os costumes da cidade. Eu a estava ajudando. Mas aquela noite terminara de modo totalmente diferente, em recriminações e mágoas.

Eu não precisava de chá. Precisava arejar os pensamentos. Pedi desculpas e fui embora, notando o alívio no rosto de Kanta.

Treze

Eu tinha pedido a Malik para cancelar nossos compromissos do dia. Não havia nenhum lugar a que eu precisasse ir. Então, depois de sair da casa de Kanta, caminhei. Durante horas. Sem destino. E pensei, pensei. Sobre meus fracassos. Fracassei como esposa para Hari. Fracassei como filha para meus pais. Fracassei como irmã para Radha. Fracassei até para terminar minha casa. O pátio era só terra batida; a cerca dos fundos estava incompleta. A cama gasta continuava gasta. Tudo que eu sempre quis era trabalho para me sustentar. O que ia acontecer com isso agora?

Imaginei as consequências da gravidez de Radha. Os sussurros pelas minhas costas. O falatório que começaria pelos criados, depois se espalharia como fogo no mato entre as minhas senhoras. As olhadelas nervosas, o desprezo mal disfarçado, as repreensões diretas. Eu não conseguiria andar de cabeça erguida em nenhum lugar. Até os comerciantes do Mercado de Refugiados poderiam se recusar a me atender. Eu ficava mais desesperançada a cada hora, imaginando como pagaria o empréstimo de Samir se minhas senhoras me abandonassem.

Na hora do jantar, eu me vi em GulabNagar, o Distrito do Prazer. Como em Agra, ali havia uma casa para cada gosto, e para cada bolso. Primeiro vinham as casinhas mais deterioradas. Prostitutas com cabelo desarrumado e anágua feita em casa recostadas nas paredes ou sentadas em cadeiras diante da porta aberta:

meninas de aldeia de dez ou doze anos, fugitivas ou órfãs, que atendiam por duas ou três rúpias. Talvez fosse aqui que Hari passava seus dias, ajudando essas meninas de uma maneira que eu havia falhado em fazer.

Depois desses casebres vinham bangalôs imponentes, com os sinais de desgaste do tempo e do abandono. Aqui as mulheres eram um pouco mais velhas, olhos pintados com *kohl*,* mais endurecidas. Cobravam vinte a trinta rúpias pela noite. Quando passei, elas olharam para minhas roupas, meu cabelo, minhas sandálias e desviaram o rosto. Mais uma benfeitora enviada para salvá-las, ou a seus filhos, de sua vida depravada.

Nem um pouco isso, eu estava pensando quando vi uma menina com maquiagem carregada na frente de um bangalô vermelho. Seu sári barato cor de laranja não escondia a barriga inchada. Quando me aproximei, ela entrou na casa. Seria — *não podia ser* — a sobrinha de Lala? Eu estava vendo coisas. Mas isso me fez pensar no que teria acontecido com as duas criadas que Parvati dispensara.

Logo cheguei ao final do distrito, às propriedades das cortesãs ricas, muitas delas muçulmanas. Como minhas velhas amigas Hazi e Nasreen, essas mulheres eram treinadas nas antigas artes da música, da poesia e da dança. Elas só atendiam *nawab*s, pessoas da realeza e empresários de sucesso. Nunca abriam suas casas antes do anoitecer e jamais para o público. Uma única noite com elas podia custar mil rúpias. Elas não precisariam de alguém como Hari para ajudá-las; podiam pagar médicos, especialistas. Também podiam comprar meus óleos para cabelo, cremes clareadores de pele e, claro, meus sachês de ervas, que Malik entregava mensalmente.

Continuei andando. Meia hora mais tarde, cheguei ao Distrito Europeu, assim chamado porque os franceses, alemães e escandinavos moravam ali, ao lado de indianos ricos. Se não estivesse em seu escritório ou no Clube Jaipur, Samir poderia ser encontrado ali. Talvez esse fosse o meu destino inconsciente o tempo todo.

Procurei o bem cuidado bangalô branco. Era uma propriedade pequena demais para empregar um porteiro. Entrei no reduzido pátio rodeado de rosas magenta. Seu perfume inebriante era mais forte àquela hora da noite.

Os degraus que levavam à varanda eram largos e graciosos. Quando bati à porta, ouvi o som de uma veneziana no andar superior. Dei um passo para trás e olhei para cima. Uma mulher jovem e bonita em um sári de crepe georgette tinha aberto a janela no segundo andar. Eu sorri e uni as mãos em saudação.

Ela hesitou.

---

* *Kohl*: o mesmo que *kajal*, um delineador de olhos preto.

— Eu vou descer.

Logo ela estava à porta: a amante de Samir, Geeta.

Todas as mulheres de Samir tinham as mesmas coisas em comum. Eram viúvas de uma determinada idade, bem penteadas, bem-arrumadas. Mulheres que usavam pó compacto no rosto.

Samir teria achado sem graça um jardim com apenas um tipo de flor, e suas mulheres difeririam em altura, tamanho dos seios, formato do nariz, curvatura dos lábios. Geeta, uma viúva de trinta e poucos anos, tinha sido abençoada com olhos tão grandes quanto nozes-de-areca. Seu nariz pequeno e a boca delicada, bonitos, mas nada excepcionais, atraíam ainda mais atenção para os olhos. Ela estava segurando um livro.

— Desculpe por incomodar você a esta hora.

Ela olhou para a rua atrás de mim, virando-se em ambas as direções.

— Entre — disse, abrindo mais a porta para me dar passagem.

— Eu preciso falar com Samir *Sahib* — eu lhe disse.

— Pode deixar comigo.

Ela achou que eu tinha trazido sachês.

— Não vim para isso. — Eu sorri. — Preciso conversar com ele.

Houve uma pausa.

— Ele não está aqui.

— Ele vai vir?

Outra pausa.

— Mais tarde.

— Posso esperar?

Ela deixou o livro em uma mesa no saguão de entrada. Será que detectei um suspiro?

— Claro. Entre, por favor. — E indicou a sala de estar.

No momento em que entrei na sala, senti que ia desmaiar. O sangue subiu à minha cabeça. Minhas pernas doíam. Encostei no batente da porta para me equilibrar.

Geeta segurou meu braço.

— *Hai Ram!* — Ela parecia preocupada. — Você está bem?

Lembrei que não havia comido nada o dia inteiro e que havia desmaiado na casa de Kanta. Toquei o inchaço em minha testa.

— Eu aceito um suco. *Nimbu pani*,* se você tiver. — Sentei em uma poltrona bergère francesa.

---

* *Nimbu pani*: água com limão adoçada.

— Claro.

Sorri em agradecimento e recostei a cabeça no encosto da poltrona.

Na prateleira sobre a lareira, um relógio tiquetaqueou, depois trinou delicadamente. Era decorado em esmalte verde-esmeralda e muito mais fino do que os pesados relógios ingleses de que muitas das minhas senhoras gostavam.

— É francês — disse Geeta, colocando um copo de limonada com açúcar na mesa ao meu lado. — Meu falecido marido era francófilo. Os ingleses nunca foram suficientemente bons para Jitesh. No fim, ele estava certo. — Ela sorriu, revelando covinhas charmosas, e eu vi por que Samir se sentira atraído por ela. Ela se sentou no sofá.

Tomei um gole da minha bebida, depois virei o resto; não tinha me dado conta de que estava com tanta sede.

— Quer mais? — Ela se levantou, mas eu sacudi a cabeça.

— Obrigada, já estou me sentindo um pouco... Se não for pedir demais... será que eu poderia deitar, *Ji*?

— Você está doente? — Ela pegou o copo da minha mão. — Posso mandar chamar alguém, se quiser.

— *Nahee-nahee*. Eu trabalho demais... e esqueço de comer.

Percebi que ela não estava satisfeita com a situação, mas mesmo assim me levou ao andar de cima, para um quarto que devia ter sido de hóspedes. Não havia fotos, nem quadros, nem livros. As paredes eram pintadas de amarelo-claro. A mobília, uma cama estreita com cabeceira entalhada e uma cômoda, era em estilo império francês. Deitei na cama e fechei os olhos. Ao contrário da juta dura da minha própria cama, o colchão de penas se amoldou sob meu corpo e eu dormi.

Acordei com um clique seco. Abri os olhos e vi Samir fechando a porta. Ele se sentou ao meu lado na cama e pôs a mão em meu braço. Estava com a testa franzida.

— O que aconteceu? Você está machucada?

Eu não sabia onde estava ou como tinha ido parar ali. O quarto estava escuro. Estaria sonhando?

— Que horas são? — Estava zonza de sono e fechei os olhos de novo.

Ele acendeu o abajur na mesinha de cabeceira e conferiu seu relógio de bolso.

— Meia noite e quinze.

Suspirei.

— Qual é a emergência?

Relutante, abri os olhos. Ele afastou o cabelo da minha testa para examinar o inchaço. Seu rosto estava a centímetros do meu. Eu via a borda cor de cobre de suas íris, o centro verde-escuro. Como seus cílios eram longos! E as linhas finas no canto dos olhos, mais fundas agora que ele estava franzindo a testa. Estendi os dedos e as alisei, e deixei a mão se demorar ali. Acariciei sua face, sentindo a pele macia sob os fios da barba áspera na ponta dos meus dedos. Deslizei o polegar sobre seu lábio inferior.

Ele me observava com um sorriso intrigado.

Sorri de volta. Ele sempre me deixava segura. Era meu conforto, fazia os grandes problemas irem embora. Como quando o proprietário do terreno onde eu estava construindo minha casa se recusou a vendê-lo a uma mulher e Samir interveio e o convenceu. E quando ele me emprestou dinheiro para as ervas assim que cheguei a Jaipur. Ele estava do meu lado, sempre.

Separei os lábios dele com o polegar e senti a carne úmida ali dentro. Ainda olhando em meus olhos, ele lambeu meu polegar. Quando arfei, ele fechou os lábios em volta do meu dedo e o sugou. Minha barriga enrijeceu. Levei a mão aberta ao peito dele, sentindo o ritmo *thaka-thaka-thaka* de seu coração. Os dois botões superiores de sua camisa estavam abertos. Deslizei os dedos pela abertura e rocei as unhas no peito dele; senti seu coração bater mais rápido.

Ele se inclinou sobre mim e moveu os lábios pelo contorno do decote da minha blusa. Meus seios se intumesceram. Minhas costas arquearam. Minha pele ficou quente.

Eu o beijei. Ele me beijou de volta.

Tirei a camisa dele de dentro da calça e enfiei as unhas nos músculos de suas costas. Ele abriu minha blusa e passou o dedo pelo elástico do sutiã, até encontrar o fecho.

Sua língua quente e molhada em meus mamilos causou uma onda de eletricidade entre minhas pernas. Todo o meu corpo estremecia, a pele delicada sob as axilas, o umbigo, o lugar sensível no interior das coxas. Empurrei Samir para ele se sentar. Puxei sua camisa sobre a cabeça e beijei seus mamilos. Ele gemeu. *Então é essa a sensação. É isso que* ela *sente.*

Rolamos sobre os lençóis e eu pus uma perna de cada lado do corpo dele. Desci o zíper da calça e o acariciei. Ele grunhiu e buscou meus lábios. Beijou-me com força, e continuou me beijando, sua língua explorando minha boca, minha língua, meu pescoço, meus seios. Ele soltou o cordão da minha anágua, as pregas do tecido se desfizeram e meu sári se desenrolou à nossa volta, deixando cair minha caderneta, o porta-níqueis, o relógio de bolso. Samir os empurrou para fora da cama e tirou a calça. Suas coxas apertaram as minhas. Puxei seu lábio com os dentes, inalei seu hálito de cardamomo. Ele me virou de lado e se encaixou atrás de mim, sua barriga pressionando minhas nádegas, sua boca no lóbulo da minha orelha, em meu ombro, sua mão afagando a pele quente entre minhas pernas, me embalando para a frente e para trás, para a frente e para trás, como água batendo na margem do rio. Quando ele me penetrou, eu não consegui mais pensar, só sentir prazer. Não me sentia mais presa ao meu corpo, ou à cama. Sentia tudo e nada ao mesmo tempo.

Acordei com um sobressalto, sem ter me dado conta de que havia adormecido outra vez. Samir estava se vestindo.

Durante a última hora, eu havia afastado tudo exceto o desejo. Não havia lhe dito o que tinha ido ali para dizer.

Quando ele viu que eu o observava, sorriu e me deu a mão para me levantar. Ajudou-me a vestir a anágua e o sutiã. Fechou os botões na frente da minha blusa.

O que eu estava prestes a dizer poderia mudar tudo entre nós. Por onde começar?

Ele pegou meu sári na cama, todo amassado agora, juntou o tecido e começou a enfiá-lo na anágua. Seus movimentos eram seguros, exatos, como se ele tivesse feito aquilo milhares de vezes. E sem dúvida tinha mesmo. Ele arrumou o *pallu* sobre meu ombro e deu um passo para trás a fim de inspecionar seu trabalho.

Depois sorriu e se inclinou para me beijar.

Pus a mão em seu peito e o detive.

— Samir.

Ele inclinou a cabeça, intrigado.

— Tem uma coisa...

Ele levantou as sobrancelhas.

Quando eu não disse nada, ele procurou o maço de cigarros no bolso da calça e acendeu um Red & White. Fiquei olhando enquanto ele tragava e soltava uma baforada. Então ele se sentou na cama e abriu as mãos, em um gesto que indicava que estava ouvindo.

Pigarreei.

— Seu filho e minha irmã... — Dei uma olhada para os lençóis amarfanhados na cama e ele seguiu meu olhar. — Passaram tempo... juntos... assim.

Ele olhou para a cama, depois franziu a testa para mim e sorriu, hesitante. Achou que eu estivesse brincando.

— Eles se conheceram na festa de fim de ano. — Apertei os lábios. — Ela está grávida.

— O quê? Quem?

— Minha irmã, Radha, está grávida.

— *Grávida?*

— Radha está grávida. Ravi é o pai.

— Sua irmã só tem...

— Treze anos.

— Mas... como você sabe que é de Ravi?

Era uma pergunta razoável, mas fiquei ressentida com Samir por fazê-la. Radha vinha escondendo tantas coisas que eu também me fizera a mesma pergunta. Mas vi o jeito como o rosto dela se iluminava quando falava de Ravi; isso tinha sido resposta suficiente. De qualquer modo, uma coisa era eu duvidar da minha irmã, e outra bem diferente era Samir fazer isso.

— Eu acredito nela. Mas você devia perguntar para o seu filho.

— Não, não, não, não, não! — Ele se levantou, sacudiu a cabeça e apontou o cigarro aceso para mim. — Já tivemos problemas com criadas antes.

Criadas. As palavras ficaram suspensas no ar. Era assim que Samir pensava em Radha? Em mim?

Já tivemos problemas com criadas antes. Essa não era a primeira vez?

Senti as palavras em minha boca antes de conseguir lhes dar voz.

— Foi por isso que Parvati quis se livrar da sobrinha de Lala? *E* de Lala?

Ele me lançou um olhar furtivo antes de desviar o rosto.

Hai Ram! Meu corpo tremeu de raiva.

— É assim que vocês resolvem seus problemas? Removendo-os de vista? Enquanto seu filho continua a... a... Não acreditei em Radha a princípio! Mas ela estava dizendo a verdade. Eu...

— Foi *você* que deixou isso acontecer. — Ele franziu a testa. — Ela é *sua* irmã.

— E seu filho? Quem é responsável por ele?

Ele me deu as costas, examinou o tapete, fumou.

— Você não pode se livrar disso? Afinal não é para isso que nós pagamos a você? Para cuidar desse tipo de coisa?

Apenas uma hora antes, eu havia pensado que Samir viria em minha ajuda. Tinha nos imaginado tentando encontrar uma solução para isso juntos. Que idiota eu era! Claro que eu mesma já havia sugerido interromper a gravidez. Mas, partindo de Samir, parecia cruel. Seria assim que havia soado para minha irmã?

Baixei os olhos para as mãos, esfreguei uma na outra.

— Eu ofereci meus sachês, mas ela não quer. Radha acha que Ravi vai se casar com ela.

— Que tolice! Ele não é tão desmiolado.

— É mesmo? — Franzi a testa para ele. — *Tal pai, tal filho?* — Assim que eu disse o provérbio, soube que era verdade. Tinha havido criadas no passado de Samir também.

Ele evitou meu olhar. As cinzas do cigarro caíram em sua camisa, mas ele não notou. Ele apontou para a cama.

— Foi por isso, então?

— O quê?

— O que nós acabamos de fazer!

— Não! — Massageei as têmporas. — Você acha que eu viria até a casa da sua amante fazer... fazer isso... para conseguir que você... o quê? Fizesse Ravi se casar com minha irmã? Me desse dinheiro para ficar de boca fechada?

Ele baixou os olhos e soltou um suspiro tenso.

— Lakshmi, tudo isso foi um choque tão grande. Eu... Casamento está fora de questão.

Foi o que eu disse a Radha. Sentei, devagar, no banquinho na frente da cômoda.

— Você falou com Ravi? — perguntou ele.

Eu o encarei.

— Acho que isso cabe a você.

Samir coçou o pescoço.

— Onde a sua irmã está agora?

— Com amigos.

Parte da tensão se dissipou de seu rosto. Ele apagou o cigarro no cinzeiro de cristal na mesinha de cabeceira.

— Os Sharma...

— Os Sharma. — Que irônico. Eu havia acertado o casamento entre Sheela e Ravi sugerindo uma solução que todos acharam satisfatória: Samir projetaria uma casa, separada da residência principal, na propriedade dos Singh para Sheela e Ravi. O sr. Sharma a construiria. No entanto, durante todo o tempo em que eu estivera arquitetando e planejando, Ravi e minha irmã estavam... Como eu poderia criticar Samir por me culpar quando eu mesma me culpava?

Ele acendeu outro cigarro e tragou profundamente. Então se sentou na cama de novo, de frente para mim.

— Muito bem. O que você sugere que nós façamos agora?

— Radha não concorda com o aborto, mas talvez concorde com uma adoção. Um orfanato está fora de questão. Você e eu sabemos que esses lugares são pouco melhores que uma prisão.

Poucas famílias indianas adotavam; a maioria das crianças ficava em casas de acolhimento até chegar à maioridade. Talvez fosse diferente se os casais não achassem tão vergonhoso admitir que não podiam ter filhos.

— Mas há *uma* família para quem a adoção é uma maneira de salvar as aparências em vez de prejudicá-las. — Pressionei as mãos e as levei aos lábios. — O palácio está procurando um novo príncipe herdeiro para adotar.

— Você está querendo dizer...

— O marajá baniu seu filho legítimo para a Inglaterra porque o astrólogo lhe disse para *adotar* o futuro governante. O bebê de Radha seria o candidato perfeito para adoção, porque o filho de Ravi terá sangue real pelo lado de Parvati. Ele será bem cuidado, mandado para as melhores escolas, terá tudo. Um orfanato não pode lhe dar nada. Você não prefere essa vida, e não a outra, para o filho de seu filho?

Ele fez uma careta.

— A marani Indira gosta muito de você, Samir. Ela confia em você. Uma palavra no ouvido dela é ainda melhor do que falar com o marajá. Ela fará parecer que a ideia partiu dela.

— Ravi é meu filho. O que você está me pedindo para fazer vai deixá-lo exposto...

— Ele é o *pai* do bebê de Radha. — Eu o olhei com irritação. Não havia pretendido levantar a voz.

As narinas de Samir se dilataram de raiva, não sei se de mim, de Ravi ou da verdade.

— Eu também quero que isso seja mantido em segredo, Samir. Mas precisamos de um exame de sangue de Ravi para provar a paternidade e a linhagem. Assim você também saberá que Radha está falando a verdade.

Virei em meu banquinho e o observei pelo espelho enquanto trançava o cabelo. Eu sabia que ele estava pensando nos Sharma, se conseguiria que a história toda ficasse em segredo para eles, em como o nome dos Singh ficaria manchado se não conseguisse.

E o contrato do Palácio Rambagh? Se seus clientes descobrissem sobre um bebê ilegítimo, ou se os membros do Clube Jaipur descobrissem, isso poderia pôr em risco seu meio de vida e seu próprio lugar na sociedade. Fazia uma década que Samir era meu amigo e parceiro de negócios. Sempre afável, alegre. Meu humor melhorava quando eu o via. No entanto, agora eu tinha dúvidas se de fato o conhecia bem. Eu estaria olhando para o Samir real no espelho, o que se preocupava mais com seu status social do que com as lições que estava ensinando, ou *não ensinando*, ao seu filho?

Ele pigarreou.

— Se ela não concorda com um aborto, o que a faz pensar que concordará com a adoção?

— Talvez ela não concorde. — Encolhi os ombros. — Mas, como sua guardiã legal, eu posso pressioná-la. — Encontrei os olhos dele no espelho. — E vou fazer isso.

Enrolei o cabelo em um coque no alto da cabeça e comecei a prendê-lo com grampos.

Ele continuava fumando.

— Essas adoções da realeza são feitas com muito cuidado. Todos os guardiões legais precisam assinar o contrato. Terei que contar a Parvati — ele disse.

À menção do nome dela, o grampo que eu estava segurando escorregou e arranhou meu couro cabeludo.

— Faça o que achar que deve.

Ele abriu a mãos.

— Por causa do beb... — Eu podia ver pela torção de seus lábios que a própria palavra era detestável para ele. — Vamos ter que mandar Ravi para a Inglaterra antes do que planejávamos. Quanto mais longe ele estiver do escândalo, melhor. Seria muito fácil esse único erro manchar a vida dele para sempre.

— E a reputação de Radha? — revidei. — Isso não vai manchar a vida dela para sempre? — O sangue fervia em minhas veias. Eu estava decepcionada com *esse* Samir, o que não tinha nenhuma consideração pelo futuro da minha irmã.

Ele pareceu imediatamente arrependido. Ele queria que as mulheres em sua vida o amassem, o adorassem, o admirassem.

— Lakshmi, eu... Desculpe. Isso tudo veio como um choque. Eu não tinha a menor ideia de que eles... Claro, ela é muito nova, a sua irmã...

Ele pôs a mão no meu braço. Para me consolar? Eu a empurrei, furiosa. Ele me olhou boquiaberto. A expressão em seu rosto era de surpresa, como se eu o tivesse estapeado.

Levantei do banquinho, consumida de ódio por ele e por mim mesma. Como eu havia facilitado a infidelidade, para que ele e seus amigos traíssem as esposas ao longo de dez anos! Eu os ajudara a se livrar da gravidez das amantes tão facilmente quanto jogavam fora os fiapos de dentro do bolso da calça. Justificara tudo isso tratando o assunto como mera transação comercial. Para mim, cada venda era apenas mais uma camada de reboco ou outra seção do piso em minha casa. Pelo menos, quando fazia os sachês para as cortesãs, eu os estava entregando a mulheres que haviam sido criadas para ser prostitutas, que precisavam ganhar a vida com o corpo sem a pausa forçada de uma gravidez.

Minha pele formigava. Lembrei de todos os lugares em que Samir me tocara, me beijara, me acariciara, e estremeci. De repente, eu queria estar o mais longe possível dele. Procurei minha caderneta e o porta-níqueis e os guardei na anágua.

— Escute, eu sei que estava errado... Lakshmi, por favor, não vá embora assim...

Eu nunca mais conseguiria olhar para Samir sem sentir repugnância e vergonha. Mal conseguia suportar estar em minha própria pele. Fui para a porta.

Ele me seguiu.

— E se... e se o bebê for uma menina?

Eu não tinha uma resposta. Continuei andando.

Eu duvidava de que ele fosse se atormentar muito com o que havia acontecido. Ele ia sacudir a cabeça e sua vida continuaria como antes. Em sua próxima visita à marani viúva, ela o receberia com um sorriso e ele a encantaria com um gracejo e um presente de óleo de *bawchi* para o cabelo. Seu filho Ravi, que já dava sinais de estar crescendo para ser igualzinho a ele, continuaria a se deitar com meninas inocentes demais para perceber que ele não lhes dava a mínima.

Quando saí do quarto, Geeta apareceu das sombras, me assustando. Eu tinha me esquecido dela e dos lençóis que Samir e eu havíamos sujado em sua casa. Ela estava tão perto de mim que eu podia ver seus cílios, molhados e grudados. Quando ela falou, sua voz soou trêmula.

— Você não vai mais vir aqui. — Não era um pedido.

— Não — respondi. Eu a contornei, desci a escada e saí para a noite.

Catorze

28 de abril de 1956

Eu sabia que Kanta não aprovava meu trabalho com a casca de raiz de algodão e, em seu coração, queria que Radha mantivesse a gravidez. Além disso, ela se sentia responsável pela situação da minha irmã e queria ajudar tirando-a de Jaipur para ter o bebê.

Então eu não protestei quando Kanta me perguntou se podia levar Radha com ela para Shimla, onde ela passava todos os verões para escapar do calor e do pó de Jaipur. Naquele ano, ela decidiu partir no começo de maio, muito mais cedo que o planejado.

Duas cartas chegaram na semana seguinte.

2 de maio de 1956

Lakshmi,

A marani Indira vai receber você. Eu mencionei a ela a possibilidade de uma adoção real, mas vou deixar os detalhes com você. Se ela concordar, o palácio exigirá que um médico da família real monitore o andamento da gravidez e cuide para que a saúde da mãe não seja comprometida de nenhuma maneira. Você me disse que a sra. Kanta Agarwal vai levar Radha para Shimla para ter o bebê, e eu pensei em pedir a Kumar para atuar como representante do médico da família real lá. Você concordaria com isso? O médico da família real tirou sangue de Ravi. O do bebê tem que ser compatível.

Dei alguns telefonemas para tratar da situação de Ravi. Ele parte para a Inglaterra esta semana. Vai completar seus estudos em Eton.

Samir

A segunda carta era de Hari. Eram os papéis do divórcio que eu havia lhe mandado. Ele os assinara. Mostrei-os para Malik.

— Ele não vai incomodar você nunca mais, Tia Chefe. — Malik sorriu. — Eu cuidei disso.

Ele se recusou a me dar mais informações.

Na porta do salão da marani Indira, Malik apontou para meu sári para me lembrar de cobrir a cabeça. Depois beliscou minhas faces, me assustando.

— É para dar uma cor — explicou. Ele sabia que eu estava ansiosa com o encontro com Sua Alteza e tentava, à sua maneira, me dar coragem. Eu tinha consciência de que meus olhos estavam inchados e com olheiras escuras. Tinha passado uma semana de noites inquietas, doente de preocupação com o que a marani decidiria sobre o bebê de Radha. Meu cabelo estava fazia uma semana sem ver óleo e não havia como domar os fios rebeldes.

Pela décima vez, procurei o relógio de bolso na anágua para conferir a hora antes de lembrar que não havia conseguido encontrá-lo em casa.

O atendente me convidou a entrar. A marani Indira estava sentada no mesmo sofá, na mesma posição que no primeiro encontro que havíamos tido. A marani mais jovem estava totalmente recuperada e meus serviços não eram mais necessários no palácio. Fazia várias semanas que eu não via nenhuma das duas.

Agora, como naquela ocasião, Sua Alteza estava jogando paciência, as cartas dispostas em fileiras sobre a mesa baixa de mogno. Hoje ela usava um sári de seda amarela e blusa do mesmo tom com estampa de folhas marrons, grandes e pequenas. Seu pescoço era adornado por cinco voltas de pérolas presas ao meio pela maior ametista que eu já tinha visto.

Madho Singh encontrava-se em sua gaiola, fazendo ruídos baixos que pareciam resmungos. A porta da gaiola estava aberta.

Cumprimentei Sua Alteza com um *namastê* e toquei seus pés. Ela fez um gesto para o sofá adjacente. As cartas pareciam melhores para ela hoje. A maioria estava de face para cima, em fileiras ordenadas, o que era um bom sinal.

— Madho Singh foi muito travesso hoje — disse ela. — Ficou roubando cartas durante o nosso jogo de bridge. — Ela se virou para ele com um olhar de repreensão. — *Badmash*.*

O periquito andava nervosamente de um lado para o outro em seu balanço, com a cabeça baixa.

— Travesso. — Ele soava aborrecido, estendendo cada sílaba, como se quisesse enfatizar a profundidade de seu arrependimento.

A marani olhou para mim, mas levantou o queixo na direção da ave.

— Ele é tão peculiar quanto a pessoa de quem herdou o nome. Para a coroação do rei Edward, meu falecido marido insistiu em levar água do Ganges para não ter que se banhar com a "água inglesa suja", como ele dizia. — Ela colocou um dez de paus sobre um valete. — Para piorar as coisas, ele levou a água naquelas ridículas urnas de prata. Eu sabia que os ingleses iam rir dele, mas acha que ele me ouviu? — Ela dirigiu um olhar ameaçador para o periquito.

— Travesso — Madho Singh repetiu, como se tivesse sido responsável por essa idiotice também.

Ela se virou para mim.

— Você não parece bem, minha querida — disse, com o que pareceu preocupação sincera. — Precisa se cuidar melhor.

— Eu estou bem, Alteza. Só um pouco cansada.

Havia uma vasilha redonda de cristal cheia de pistaches salgados na mesa à direita de seu jogo de cartas. A marani selecionou alguns e os rolou na palma da mão. Inclinando a cabeça para trás, lançou com habilidade um pistache para a boca e o mastigou enquanto estudava o jogo. Ela, pelo menos, parecia descansada e tranquila. Soube que havia voltado recentemente de Paris.

— Você fez um trabalho notável em um período muito curto, sra. Shastri. O marajá ficou impressionado. Latika está recuperada, novamente cheia de energia e determinação. Quase todos os dias ela sai do palácio para cumprir suas

---

* *Badmash*: pessoa ruim, canalha.

funções, ou beijar bebês, ou cortar fitas. Esteve inaugurando centros governamentais para os desfavorecidos. E eu... — ela jogou um segundo pistache na boca e mastigou — ... estou livre como um *oiseau*.* — E riu.

— Foi uma satisfação ter ajudado.

— Antes de Samir sugerir seu trabalho com a marani, Sua Alteza vinha pensando em enviar Latika à Áustria para consultar um especialista. Que constrangimento teria sido! Acredito que você concorda que a roupa suja de uma família deve ser lavada em casa?

Bilkul, pensei, mas não disse nada.

Um atendente trouxe o serviço de chá e nos serviu. Durante minhas visitas anteriores, ela havia esperado para beber quando o chá estivesse frio, mas hoje Sua Alteza tomou um gole de imediato. Eu não havia comido nada e meu corpo recebeu com prazer o chai com toques de baunilha e açafrão.

— E assim chegamos a mais uma roupa suja. Samir Singh me disse que há um bebê, que deve nascer em outubro, fora dos laços do casamento. Um bebê de sangue real. Que poderíamos pensar em adotar como o príncipe herdeiro.

Ela esperou alguns momentos antes de prosseguir:

— Como poderíamos ter certeza de sua linhagem? Ele me assegura que um exame de sangue comprovaria. Quando pedi mais detalhes, ele me disse que eu deveria falar com você, minha querida. Ora, por que Samir continuaria a interceder em favor de uma mulher que conhecemos apenas como uma artista de henna?

Senti o calor subir pelo pescoço.

A marani continuou:

— Começo a pensar que seus talentos talvez se estendam para além de sua arte. — Seu olhar baixou ostensivamente para minha barriga.

Pousei a xícara e o pires na mesa.

— O bebê não é meu, Alteza. É da minha irmã mais nova, que é menor de idade. Sou sua guardiã legal. Por negligência minha, ela conviveu sem supervisão com o filho mais velho dos Singh, Ravi.

— Ah.

— O bebê terá sangue rajapute e bela figura, Alteza. Todos os guardiões envolvidos estão de acordo.

Dos recessos de seu sári, a marani tirou um lenço de fino linho e limpou o sal do pistache dos dedos. Isso feito, o lenço desapareceu outra vez nas dobras do sári.

---

* *Oiseau*: palavra francesa para "ave".

— Eu sei — disse ela e pegou sua xícara.

— Vossa Alteza conhece bem os Singh. Conhece seu passado e sua linhagem — falei. — Os Shastri são brâmanes. Minha irmã, Radha, frequenta a Escola para Meninas da Marani, graças a uma generosa bolsa de estudos oferecida pela marani Latika.

— E como ela está indo?

— É a primeira da classe, Alteza.

Ela suspirou.

— Que pena.

Não entendi o que ela quis dizer.

— Alteza?

— Eu preferiria que fosse seu. — Ela sorriu, depois deu de ombros charmosamente. — Muito bem. Eu já falei com Sua Alteza, o marajá. Como Samir é um favorito, o marajá consultou seus conselheiros e aprovou o acordo. A depender desta entrevista e dos testes de paternidade, claro.

Soltei o ar longa e lentamente.

Ela empurrou o pires e a xícara para o lado e chamou o atendente, que estava esperando discretamente. Ele colocou uma bandeja de prata diante dela. Além de vários papéis e uma caneta-tinteiro, a bandeja continha uma vasilha de prata cheia de um líquido vermelho-dourado, uma pequena colher de prata e dois guardanapos de pano.

A marani enfiou a mão dentro da blusa e pegou seus óculos de leitura. Ela os colocou e no mesmo instante pareceu mais séria, o que, eu acho, era sua intenção. Antes de me entregar os papéis, ela os examinou brevemente, embora com certeza já os tivesse lido com toda a atenção, linha por linha.

Eu nunca tinha visto documentos de adoção da realeza, nem esperara um dia ver. O contrato continha frases como "as relações legais da criança", "transferência permanente de responsabilidade parental" e "acesso proibido da família de nascimento". Uma cláusula na página três especificava os atributos físicos requeridos: peso e tamanho ao nascer, frequência cardíaca e, claro, o sexo do bebê, que precisava ser masculino. Samir havia me perguntado especificamente o que aconteceria se Radha tivesse uma menina. Eu não sabia se ele tinha a resposta a essa pergunta. Eu não tinha, mas me recusava a pensar sobre isso. Talvez fosse imprudência da minha parte, mas eu sabia que Samir também não queria considerar a possibilidade, porque não tocou mais no assunto.

Havia uma longa cláusula especificando o papel do médico da família real. Em particular, ele precisava certificar que os órgãos sexuais do bebê fossem saudáveis e que sua identidade genital fosse inequívoca. Isso, eu sabia, era para evitar um futuro *hijra*, ou criança intersexo, na família real.

A página quatro deixava claro que, se qualquer uma das condições mencionadas anteriormente não fosse atendida à satisfação do palácio, o contrato seria declarado nulo e a família real de Jaipur estaria isenta de responsabilidade e de quaisquer obrigações monetárias, obrigações essas especificadas na página seis.

Além da cobertura do custo do parto, a mãe biológica ou guardiã do bebê receberia trinta mil rúpias. Os números dançaram diante dos meus olhos. *Trinta mil rúpias*. Em nenhum momento me ocorrera que uma compensação financeira poderia ser oferecida. Trinta mil rúpias seriam suficientes para pagar uma educação universitária para Radha; ela poderia estudar no exterior. Continuei lendo: se o contrato fosse cancelado por qualquer motivo, eu, como sua guardiã legal, seria responsável pelas contas hospitalares. Mordi o lábio. Não pensaria nessa possibilidade também, simplesmente porque eu não teria como pagar.

— Que mal lhe pergunte, sra. Shastri. — Os óculos de Sua Alteza haviam escorregado até o meio do nariz. Com o queixo, ela indicou os papéis em minha mão. — Não confia que lhe apresentaríamos um contrato justo?

Minha testa estava molhada de suor, mas resisti à vontade de enxugá-la com a ponta do sári. Eu estava fazendo o que era melhor para Radha, mas aquele documento formal tornava a entrega do bebê dela muito mais real do que simplesmente falar sobre o assunto.

— Se não for inconveniente, Alteza — respondi, com toda a humildade que pude —, eu nunca estive diante da responsabilidade de assinar papéis tão importantes. Espero que não se ofenda por eu preferir examinar os detalhes.

— Como quiser.

Ela começou a distribuir as cartas para um novo jogo de paciência enquanto eu continuava lendo.

Quando terminei, a marani Indira havia começado seu terceiro jogo de cartas. Ajeitei os papéis em uma pilha e coloquei-os sobre a mesinha de chá, alinhando-os tão perfeitamente quanto possível com as bordas da mesa. O serviço de chá havia sido levado embora fazia algum tempo. A marani recolheu as cartas e juntou o baralho.

— Satisfeita? — Ela sorriu.

— Sim, obrigada.

Ela ajustou os óculos, abriu a tampa da caneta-tinteiro e assinou os papéis rapidamente nos três lugares designados. Depois passou a caneta para mim. Minhas duas primeiras assinaturas fluíram com facilidade, como se eu não estivesse fazendo nada mais que desenhar com henna. Nada que fosse mudar para sempre o que essa criança iria ser, que tipo de vida iria levar e como seu destino seria moldado.

Sobre a última linha de assinatura, no entanto, minha mão, tão acostumada a deslizar sobre a pele, parou no ar. Em vez do alívio que achei que fosse sentir, fui tomada por ansiedade. Eu estava entregando uma vida, uma pessoa de carne e osso, tão despreocupadamente quanto teria dado meus sáris velhos para uma pedinte em Choti Chuppar.

Eu estava despachando o bebê de Radha para sempre. Ele não conheceria a mãe. Seria criado em uma casa da realeza sem nenhum parente de sangue. O filho de Radha, *meu sobrinho*, seria atendido por duas rainhas, cada uma delas com suas razões para ter ressentimentos contra ele. A marani Latika nunca o perdoaria por ter substituído seu próprio filho, e a marani Indira seria forçada, uma vez mais, a aceitar uma criança em sua família que não era do seu sangue. Quando o bebê acordasse de um pesadelo, sua mãe não o consolaria com carinhos para que voltasse a dormir, nem sussurraria docemente em seu ouvido, nem lhe cantaria cantigas de ninar, como meu pai havia feito.

Quando o bebê tentasse dar seus primeiros passos e caísse, sua mãe verdadeira não poderia enchê-lo de beijos ou afagar seu rosto. As únicas substitutas do amor de mãe seriam amas de leite, babás e governantas devotadas. Podíamos ter esperança desse amor, mas não havia garantias.

Como isso podia ter parecido uma solução tão lógica apenas uma semana antes?

A sala estava fresca; eu ouvia o zumbido suave do ar-condicionado. Mesmo assim, eu estava transpirando. O início de uma dor de cabeça em minhas têmporas não tardaria a explodir em uma dor latejante. Quando passei a língua pela boca, senti os lábios secos como areia.

— Eu poderia tomar um pouco de água, Alteza? — Era impertinente pedir, mas eu não teria condições de continuar sem isso.

Sua Alteza me olhou com curiosidade, mas fez o pedido. O atendente despejou água de uma jarra de cristal e me entregou o copo. Por alguma razão, enquanto bebia, pensei em Samir na noite em que lhe contei sobre o bebê de

Radha. A expressão de terror, raiva e vergonha em seu rosto. Pensei em orfanatos e em meninos e meninas de olhos solitários e boca triste. Ser criado em um palácio certamente era preferível a isso. Não havia outra escolha disponível para mim, ou Samir, ou Ravi, ou Radha. Antes que pudesse mudar de ideia, assinei meu nome e empurrei a pilha de papéis para longe.

A marani removeu os óculos e bateu na almofada ao seu lado.

— Venha aqui, sra. Shastri. Vamos selar o contrato. — Ela virou um pouco a cabeça para incluir o periquito. — Você pode se juntar a nós.

Seu tom indicou que Madho Singh havia sido perdoado. Ele voou da gaiola e pousou na mesa de chá.

Sua Alteza colocou uma colherada do líquido vermelho-dourado na palma da mão direita, levou a mão aos lábios e sugou, experiente. Madho Singh inclinou a cabeça para observar. Ele estava ansioso, nervoso, pulando de um pé para o outro. Imaginei que havia estado presente em muitas dessas cerimônias.

A marani enxugou a mão em um guardanapo limpo, despejou outra colherada na palma e a estendeu para mim.

— Beba — ordenou.

Obedeci, sugando deselegantemente da mão dela. O líquido não tinha cheiro e era ligeiramente doce. Ergui as sobrancelhas, sem ousar perguntar.

— Ópio líquido. — Ela sorriu, os olhos brilhando. — Se é suficientemente bom para os marajás selarem um contrato, é bom para nós também.

Outra porção, muito menor, ela deu a Madho Singh, que lambeu tudo com sua língua preta. Ele bateu as asas e gritou:

— *Namastê! Bonjour!* Bem-vindo!

Uma estranha calma desceu sobre mim. Minha dor de cabeça começou a se dissipar.

— Mais um assunto — disse Sua Alteza, recostando-se nas almofadas.

— Sim?

— Um homem chamado Hari Shastri.

Meu coração acelerou, e com certeza não foi por causa do ópio.

— O chef me contou sobre um primo-irmão dele chamado Shastri, um benfeitor, pelo que entendi. Ele tem ajudado as mulheres de GulabNagar, o que é um alívio, uma vez que não conseguimos encontrar médicos para atendê-las. Por solicitação do chef, praticamente uma súplica, na verdade, eu concordei em financiar os esforços do sr. Shastri. Todos têm direito a ganhar a vida, *n'est-ce pas*? — Ela sorriu. — E o chef aprendeu, quase da noite para o dia, a temperar minha comida exatamente do jeito que eu gosto. Um bom negócio!

Então era sobre isso que Malik andara tão cheio de segredos. Ele subornara o chef do palácio (com promessas de ingredientes de cozinha baratos, imagino) para persuadir a marani a ajudar Hari, para que ele parasse de me pedir dinheiro.

A marani franziu os lábios.

— Shastri não é um nome tão frequente no Rajastão. Ele não seria, por um acaso, algum parente seu?

Quando a olhei nos olhos, eu não pisquei.

— Não, Alteza.

Ela me examinou por um longo momento antes de responder:

— Como eu pensei.

Quinze

6 de maio de 1956

Decidimos que seria Kanta quem contaria a Radha que tínhamos um contrato de adoção. Fiquei aliviada ao saber que minha irmã não se opôs quando Kanta conversou com ela sobre isso. Se tivesse sido eu, duvido de que ela ouviria o que eu tinha a dizer. Kanta e eu também concordamos que não contaríamos a Radha que era o Palácio de Jaipur que iria adotar o bebê. Se ela soubesse, eu receava que, quando voltasse a Jaipur, ficasse rondando os portões do palácio para tentar ver o filho. (Samir tinha me contado que, antes de Radha partir para Shimla, ela havia sido vista várias vezes do lado de fora da propriedade dos Singh, na esperança de falar com Ravi.)

6 de maio de 1956

Prezado dr. Kumar,

Uma vez mais, nos vemos colaborando em circunstâncias difíceis. Talvez se lembre da nossa conversa em dezembro passado, em outra situação tensa, quando o senhor questionou se minhas ervas tinham algum benefício medicinal. Agora parece que minha irmã está mais necessitada do seu tipo de medicina que do meu.

O sr. Singh me disse que o senhor vai atuar como representante médico do Palácio de Jaipur em Shimla, monitorando a gravidez de Radha e enviando relatórios regulares para a família real. Gostaria de poder conversar com o senhor pessoalmente e não por carta, mas espero estar presente para o nascimento. Sei que o senhor compreende como a situação é delicada e a necessidade de sigilo, até mesmo, e especialmente, para Radha. Eu prefiro não contar a ela quem vai adotar o bebê até que, ou a não ser que, seja mesmo necessário.

Radha tem treze anos. Nunca teve varíola, sarampo ou caxumba. Ela não é alérgica a nenhum remédio ou erva, mas gosta muito de comer frituras (talvez o senhor consiga persuadi-la de que o bebê pode não gostar tanto). Ela dorme bem e o senhor pode ficar certo de que terá o descanso adequado durante a gravidez. Sua personalidade é geralmente alegre e ela tem a mente inquieta e curiosa. Adora ler, um hábito que desenvolveu sua imaginação e lhe deu algumas ideias (muito) mundanas.

O senhor terá recebido esta carta quando Radha chegar a Shimla. Ela está acompanhada de minha querida amiga Kanta Agarwal, que está ansiosa para conhecê-lo e para também receber seus excelentes cuidados. O bebê de Kanta deve nascer um mês antes do da minha irmã, uma circunstância feliz, e as duas são muito próximas, o que é um conforto para mim. Kanta está familiarizada com os contrafortes do Himalaia e com Shimla, pois costuma passar as férias no ar fresco da montanha, já que o verão poeirento de Jaipur desencadeia sua asma. Manu Agarwal, marido de Kanta, vai visitá-las de tempos em tempos.

Ficarei muito agradecida ao senhor, dr. Kumar, se puder tratar Radha como se fosse sua própria irmã. Serei eternamente grata.

Até que nos encontremos novamente, sinta-se à vontade, por favor, para me perguntar qualquer dúvida que surja, seja por correio ou por meio do sr. Singh, por telefone.

Atenciosamente,
Lakshmi Shastri

Dezesseis

23 de julho de 1956

Procurei em minha correspondência. Outra carta de Kanta. Uma do dr. Kumar, cujas cartas estavam ficando mais longas e chegando com mais frequência. Nada ainda de Radha, embora eu nunca desistisse de ter esperança. Para minha surpresa, eu sentia falta dela. Sentia falta de vê-la sentada na cama, de pernas cruzadas, franzindo a testa, concentrada e absorta em *Jane Eyre*. Ou cozinhando *laddus* no fogo, conversando animada com Malik. Eu queria contar coisas a ela. *A sra. Patel está com um filhote de pastor-alemão. A sra. Pandey arrumou um emprego vendendo máquinas de costura.*

A ironia era que Radha escrevia as cartas semanais de Kanta; palavras na página ainda faziam a cabeça de Kanta girar. Então, quando eu lia as cartas dela, imaginava minha amiga ditando rapidamente do divã, rindo, enquanto a caneta de Radha corria pelo papel para acompanhar o ritmo. Assim eu podia quase me fazer acreditar que a carta era da minha irmã.

18 de julho de 1956

Querida Lakshmi,

Eu levaria Radha ao centro de compras de Shimla com mais frequência, mas ela insiste em não gastar meu dinheiro! Eu quero que ela aprecie a bela arquitetura Tudor à nossa volta, mas ela é atraída por coisas de bebê como um coelho por grama. Ontem ela trouxe topas* de Himachal, só que tão grandes que é o gorro que vai usar o bebê. (Ela está rindo aqui!)

Graças a Bhagavan minha alergia a pó se acalmou. Sempre é assim quando venho para Shimla. Se eu tivesse ficado em Jaipur para o verão, não ia conseguir respirar. O médico no Hospital Lady Bradley, dr. Kumar (uma pessoa fantástica, como você prometeu), disse que eu preciso ir com calma, porque ainda estou perdendo um pouco de sangue. Então, enquanto Radha escala montanhas como uma cabra-montesa, eu tenho que ficar deitada no sofá como um urso-do-himalaia. (E já estou começando a parecer um, com todo o leite de rosas que tive que tomar!)

Você ficaria feliz de ver como as faces da sua irmã estão rosadas (ela está corando enquanto eu dito isso). Sua cor está mais saudável. Na semana passada, o dr. Kumar disse que o bebê dela é muito versátil: ele vai ser bom como lançador e batedor no campo de críquete. Radha acha que isso explica o que ele faz na barriga dela a noite inteira, sem deixá-la dormir. (Espero que eu tenha feito bem em trazer o livro de anatomia comigo para ela poder ver como os bebês se desenvolvem dentro de nós. Se você não concordar, eu guardo o livro.) A cada poucos dias Radha traz uma pilha de livros da biblioteca de Shimla. A maioria são livros que os ingleses deixaram. O inglês dela está muito bom, e acho que sua previsão de que um dia Radha será escritora ou professora parece mais provável do que nunca (ela está fazendo que não com a cabeça).

Uma, nossa assistente, acabou de nos trazer leite de rosas (não conte para minha saas, mas estou gostando de verdade dele), então é hora de ir para a cama. Radha também se despede.

Um abraço afetuoso,
Kanta

P.S. Baju procurou um escritor de cartas e ditou um bilhete, me implorando para eu lhe enviar uma passagem para Shimla. Ele está ameaçando ir embora porque Saasuji o está deixando totalmente louco. Está vendo só? Eu não sou a única que quer escapar das garras dela!

---

* *Topa*: chapéu ou gorro.

Passei a carta para Malik e abri o outro envelope.

17 de julho de 1956

Prezada sra. Shastri,

Em suas cartas, a senhora mencionou quanto Radha gosta de ler. Não foi exagero! Terça-feira passada, eu a encontrei quando ela estava saindo da biblioteca de Shimla, carregando metade das estantes na sacola, que ela fez questão de me mostrar. Se eu me lembro corretamente, havia um livro de poemas de Elizabeth Barrett Browning, Os contos de Canterbury, Frankenstein *de Shelley e as* Fábulas *de Thurber. Fico maravilhado com seu gosto eclético! Sei que sou apenas um médico contratado, um cuidador temporário da sua irmã, não qualificado para oferecer recomendações fora da área médica, mas espero que me permita uma sugestão: aulas particulares. Radha tem uma capacidade incomum de apreender conceitos literários e é capaz de utilizá-los com perfeição para discutir poetas elizabetanos. Seria uma pena deixá-la se atrasar nos estudos por causa da infelicidade de sua situação.*

Como já declarei repetidamente em minhas cartas, estou muito interessado em aprender sobre as terapias herbais em que a senhora tem tanta experiência. (Talvez um pedido de desculpas com atraso seja apropriado — eu me refiro à casca de raiz de algodão.) É preocupante que as pessoas nas montanhas do Himalaia façam uso apenas de remédios da tradição popular, quando poderiam vir ao Hospital Lady Bradley para receber tratamento médico. Ontem eu vi um pequeno menino da tribo gaddi no centro de compras com várias dermatites, que sua mãe me disse que estava tratando com pó de tulsi. *Obviamente, não está funcionando. Ela se recusou a experimentar a pomada antisséptica que sugeri, mesmo depois de eu ter me oferecido para levar para ela no dia seguinte. Talvez a senhora tenha alguma recomendação herbal que possa ser útil? Suas ideias sobre o assunto seriam muito bem-vindas.*

Fique tranquila quanto à gravidez da sua irmã. Está progredindo muito bem. Ela é extremamente saudável, gosta de exercícios vigorosos e come bem. É um prazer cuidar dela. Aguardo sua próxima carta e suas sugestões para fazer a ponte entre a medicina do velho mundo e a do novo mundo.

Seu amigo,
Jay Kumar, M.D.

P.S. Obrigado por ter enviado o cataplasma de mostarda. Minha tosse diminuiu bastante. No entanto, meu peito parecia ter sido mergulhado em massa e estar pronto para a frigideira!

Tomei nota para dizer a ele em minha próxima carta que misturasse pó de *neem* com água de rosas, o que resultaria em um antisséptico de perfume doce que as mulheres do Himalaia prefeririam a uma pomada com odor medicinal.

Enquanto recolocava a carta no envelope, fiz uma oração pela chegada em segurança dos dois bebês, de Kanta e de Radha. Apesar do meu ceticismo, eu havia desenvolvido um pouco de confiança nos deuses, afinal.

Do lado de fora, ouvi o som de um sininho de bicicleta. No portão da frente, o menino mensageiro dos Singh me entregou um pequeno pacote embrulhado em papel pardo.

O pacote era de Samir. Senti um frio no estômago. Ele havia tentado me ver várias vezes. Enviara bilhetes. Até viera à minha casa. Eu não o deixei entrar, então ele falou comigo do outro lado da porta, desculpando-se por suas palavras naquela noite na casa de Geeta. Ele queria que tudo voltasse a ser como era. Talvez me quisesse em sua cama outra vez. Ou queria trocar provérbios comigo e me ouvir rir de novo. Ou talvez simplesmente quisesse mais sachês. Eu não tinha mais interesse em descobrir.

Abri o barbante do pacote. Era um estojo de caneta, idêntico ao que eu havia dado a Radha em sua primeira semana na escola. Dentro estava a mesma caneta-tinteiro laranja marmorizada que fora meu presente para ela. *Wilson 1st Quality Fine.*

Como a caneta de Radha tinha ido parar nas mãos de Samir?

Olhei no pacote, mas não encontrei nenhum bilhete.

A reação morna de Radha ao meu presente tinha doído. *Se eu perder, você vai ficar brava.* Será que ela havia perdido mesmo? E, de alguma maneira, Samir a havia encontrado?

Mas então eu soube.

Ela devia ter dado a caneta para Ravi, como um presente, quando eles ainda estavam se encontrando em segredo. Nesse caso, por que ele a estaria devolvendo? Teria sido por ordem de Parvati?

Ou talvez, depois de ter descoberto que estava grávida, Radha tenha pedido ao *chowkidar* dos Singh para dar a caneta a Ravi, na esperança de que ele fosse se encontrar com ela. E Samir a devolvera sem mostrar ao filho.

De um modo ou de outro, a rejeição de Ravi deve ter ferido fundo os sentimentos ternos da minha irmã. A dor em meu coração cresceu.

— Ah, Radha — murmurei.

Na semana seguinte, apaguei o nome da sra. Gupta da minha caderneta.

Malik estava de pé na frente da minha mesa de ervas, na minha casa em Rajnagar, rolando uma bola de gude na mão.

— Ela falou que ficou alérgica a henna — disse ele.

Eu o olhei boquiaberta, sem acreditar.

— O quê? A sra. Gupta é minha cliente fiel há seis anos! Eu fiz a henna de casamento de sua filha, e ela teve um menino! — Franzi a testa. — Ninguém nunca teve alergia à minha henna.

Malik deu de ombros. Ele havia crescido quinze centímetros nos últimos seis meses, e o topo de sua cabeça batia em meu queixo. Ele não parecia mais ter oito anos, como havia dito à marani Indira. Eu teria chutado dez. Como ele também não sabia, fingíamos que tinha nove. De qualquer modo, eu precisava providenciar para ele um corte de cabelo e roupas novas.

— E a sra. Abdul? O aniversário da filha dela está chegando.

— Ela diz que lamenta. — Ele lançou a bola de gude pelo chão e correu para pegá-la de volta.

— Por quê?

— Ela não disse. — Ele mastigou o lado de dentro da bochecha. — Ah, e a sra. Chandralal vai para a Europa passar o verão, então também não vai marcar nenhum horário.

— O verão inteiro? — suspirei. — Com isso são cinco cancelamentos esta semana.

Os trabalhos de henna geralmente diminuíam em junho e julho, quando muitas das minhas senhoras fugiam do deserto abrasador para as montanhas no norte ou para a casa de parentes no exterior. Mas já estávamos entrando em agosto. Onde estavam os pedidos para as cerimônias do Rakhi, quando as mulheres queriam que suas mãos estivessem decoradas para amarrar braceletes reluzentes no pulso de seus irmãos? No outono eu costumava ficar ocupada fazendo mandalas para os festivais de Dussehra e Panchaka, mas, até o momento, apenas duas senhoras tinham feito pedidos. E não havia nenhuma encomenda para o Diwali, a festa das mil luzes, quando minha agenda costumava ficar lotada durante duas semanas.

Perder meu trabalho com Parvati não fora surpresa. Eu não tinha notícias dela desde o dia em que a encontrara na frente do escritório de Samir. Agora que ele lhe contara sobre Radha e Ravi, eu sabia que nunca mais veria o nome dela em minha agenda. Mesmo assim, eu podia confiar na discrição dela; com todas as suas conexões políticas, ela tinha muito mais a perder do que eu se a notícia se espalhasse.

Mas por que minhas clientes de longa data, que disputavam os poucos horários livres em minha caderneta, estavam cancelando, ou não marcando, seus compromissos habituais? As curiosas que só vinham atrás de notícias da marani Latika não contavam. Eu sempre soube que elas parariam de me chamar quando a novidade acabasse; eu era um luxo caro.

Olhei para Malik, atordoada.

Ele jogou a bola de gude no ar e a pegou.

— Vou ver o que consigo descobrir.

A sra. Patel permaneceu leal. Ela manteve todos os seus horários. A artrite havia desfigurado suas mãos e ela contava comigo para disfarçá-las com minha henna. Era sua única vaidade. Ela também adorava o *laddus* de feijão-mungo e os *pakoras* de repolho que eu lhe dava para aliviar a dor nas articulações.

Hoje eu estava desenhando uma flor de lótus no centro de sua palma quando ela pigarreou.

— Está tudo bem, Lakshmi?

— Sim, *Ji*. Obrigada por perguntar.

— Não está com nenhum... problema financeiro?

Tirando a redução súbita em meus ganhos? Clientes cancelando diariamente com desculpas frágeis? O fato de que eu agora devia a Samir dez mil rúpias, o dobro da minha dívida original? E de que Parvati ainda não havia pagado a comissão pelo arranjo de casamento? Eu quase ri, mas me contive, sabendo que ia parecer insana.

— Por que a senhora pergunta?

— Bem... eu ouvi algumas coisas. — Ela parecia constrangida e olhou para o pastor-alemão deitado a seus pés, o cachorro sobre o qual eu queria contar a Radha.

Meu coração acelerou. Desenhei folhas de *tulsi* em volta de seus dedos.

— Coisas?

— Fofocas se espalham depressa.

Meus sentidos estavam em alerta agora.

— O que a senhora ouviu, *Ji?* — perguntei enquanto desenhava terceiros olhos para proteção no dorso de suas mãos.

Sua voz baixou para um sussurro, para que os criados não pudessem ouvir.

— Você foi acusada de furto.

Enrijeci as costas, olhando para ela com mais calma do que sentia.

— Por quem?

— Eu ouvi da minha cozinheira, então a informação pode não ser confiável. Estão dizendo que pulseiras de ouro sumiram da casa da sra. Prasad. Assim como um sári bordado com fios de prata.

Quem espalharia esse tipo de boato? Nada disso era verdade, o que não importava depois que os rumores começavam.

— Um colar desapareceu depois que você esteve na casa da sra. Chandralal. Isso foi o que meu *chowkidar* ouviu.

Franzi a testa.

— Eu servi essas mulheres por uma década. Por que de repente começaria a roubar delas? Eu não preciso roubar... tenho minha própria casa.

Ela baixou a cabeça, olhou para as mãos.

— Bem...

— Diga, por favor.

— Há falatórios... Como você poderia ter construído uma casa se não estivesse tirando dos outros? — Ela pôs a mão, a que eu não havia começado a pintar ainda, sobre a minha. Seu toque era frio. Ou isso, ou era minha pele que estava pegando fogo. Eu puxei a mão. — Lakshmi, quero que você saiba que eu não acredito em nada disso. Mas achei que você deveria saber o que está sendo dito.

Se a sra. Patel tinha ouvido esses rumores de seus criados, minhas outras senhoras tinham ouvido também. Há quanto tempo eles estariam circulando?

No fundo das minhas entranhas, eu senti medo. O pastor-alemão percebeu e virou a cabeça para me olhar.

— Por quê? Por que estão contando mentiras sobre mim?

— A sra. Sharma sabe mais do que eu, tenho certeza. Ela sempre sabe. Eu não vou ao clube com tanta frequência quanto ela. — Seus olhos estavam cheios de compaixão.

Peguei a mão dela, a que eu havia quase terminado de pintar. Tentei, mas não consegui segurar o palito de henna com firmeza.

— Chega por hoje — a sra. Patel disse baixinho. — Vá falar com a sra. Sharma. — Ela tirou cinquenta rúpias do nó em seu sári e as estendeu para mim.

— Mas eu não terminei.

— Sempre haverá a próxima vez. Considere um pagamento adiantado.

Foi uma gentileza dela, mas a caridade me irritou mesmo assim. Juntei minhas coisas rapidamente. O cachorro se levantou.

— A próxima vez — disse eu, evitando seus olhos — será por minha conta por não ter terminado meu trabalho hoje.

Não peguei o dinheiro. Não sei nem se me despedi antes de ir embora.

O pastor-alemão latiu uma vez, como se estivesse dizendo adeus.

O *chowkidar* dos Sharma tinha sido do exército e usava um elegante casaco cáqui e *dhoti* branco. Ele me cumprimentou educadamente no portão. Quando eu lhe disse que tinha vindo conversar com a sra. Sharma sobre os preparativos para o festival Teej, ele alisou os dois lados do bigode com o indicador, como se estivesse decidindo se deveria me deixar entrar. No fim, assentiu com a cabeça.

A sra. Sharma tinha muitas noras e sobrinhas que esperavam ansiosas pelo festival Teej todo mês de agosto. Era uma festa de mulheres, que comemorava a reunião de Shiva com sua esposa depois de cem anos de separação. O Teej supostamente garantiria um casamento feliz. Dada a minha experiência, eu era cética quanto a essa promessa, mas gostava do festival, porque ele acontecia no início da estação das monções, quando as plantas de que eu dependia se estufavam de nutrientes e ganhavam força suficiente para desenvolver as propriedades curativas dos meus cremes e loções. E a festa de Teej anual da sra. Sharma, um evento animado em que todas as mulheres da família contavam histórias, riam, brincavam, cantavam e dançavam, enquanto eu aplicava henna em suas mãos, era sempre um acontecimento alegre. A sra. Sharma dava de presente a cada mulher um sári de seda e pulseiras de vidro combinando. Todos os anos sua cozinheira se superava, criando delícias mais exóticas e elaboradas que no ano anterior.

Com o festival a apenas três semanas, eu estava surpresa, mas não muito preocupada, por não ter sido contratada ainda, como de hábito, pela sra. Sharma. Sabendo que ela era responsável por cuidar de toda a organização doméstica e que estivera ocupada com a comemoração do noivado de Sheela, eu mesma já havia reservado as datas na minha agenda. Agora, depois do que a sra. Patel me contara, eu me perguntava se haveria outra razão para o atraso.

Enquanto eu subia os degraus da varanda, senti os braços se arrepiarem mesmo sob o sol insuportável de verão. Meu couro cabeludo parecia estar pegando fogo.

Na porta da frente, a criada, que sempre me recebia com um sorriso, levantou as sobrancelhas com espanto. Era evidente que ela também tinha ouvido as fofocas. Ela me pediu para esperar, o que era incomum, e se apressou pelo corredor. Ouvi seus murmúrios, dela e da sra. Sharma, antes que a menina voltasse e me indicasse a sala de estar com um movimento de cabeça.

A sra. Sharma estava sentada junto à escrivaninha, um móvel sólido com gavetas embutidas e puxadores de metal. Ela olhou para mim quando me ouviu entrar. Seus óculos de aros dourados faiscaram, refletindo a luz do sol que entrava pela janela.

— Ah, Lakshmi. Fico feliz por você ter vindo. Só preciso de um momento para terminar esta carta para o meu filho. — Ela se virou de volta para o papel. — Ele diz que Londres é muito cara e que ele precisa de mais dinheiro. Quem pode saber onde ele gasta tudo aquilo? — Ela dobrou o fino aerograma azul. — Se eu não responder com urgência, ele vai reclamar que está perdendo as Coca-Colas com os amigos.

Ela passou a língua pela borda do aerograma para fechá-lo. Depois tirou os óculos e os prendeu no cinto prateado, que também continha chaves de *almirahs*, de caixas de joias, da despensa e das portas externas.

Peguei um lenço na anágua para enxugar o suor da testa; eu havia praticamente corrido da casa da sra. Patel até ali, com o coração na boca. Bem quando eu estava desejando algo fresco para beber, a criada entrou com uma bandeja e dois copos altos de *aam panna*.* Ela deixou as bebidas de manga sobre a mesinha de centro, saiu e fechou a porta.

A sra. Sharma se juntou a mim no sofá e me ofereceu um copo.

— Este é um dos verões mais quentes que já tivemos, não acha?

Ela inclinou a cabeça para trás e virou de uma vez todo o seu suco de manga agridoce. Estava usando outro sári de *khadi* e enxugou a transpiração do lábio superior com o *pallu* engomado. O ventilador de teto jogava ar quente para baixo,

---

* *Aam panna*: bebida refrescante de manga.

carregando até mim os aromas de talco e suor dela. Como era possível um construtor feito o sr. Sharma negligenciar os confortos de sua própria família, quando todas as outras famílias ricas tinham instalado ar-condicionado fazia muito tempo, era um mistério.

Como se estivesse lendo minha mente, a sra. Sharma sorriu, mostrando seus grandes dentes tortos.

— O sr. Sharma sempre diz que transpirar é necessário para o corpo. Ajuda a eliminar as toxinas.

Sorri educada e tomei um gole da minha bebida, tentando encontrar um modo de começar a conversa e, ao mesmo tempo, com medo de fazê-lo.

— Mesmo assim — disse ela, enxugando o pescoço —, estou ansiosa pelas monções.

— Sim. — Percebi que ela estava me dando um caminho. — A hora do Teej está chegando.

A sra. Sharma sorriu. Ela limpou a boca com os dedos e olhou para os três cachorrinhos de porcelana, encadeados um ao outro com correntes douradas, sobre a mesinha. O maior, obviamente a mãe, com cílios pintados e lábios vermelhos, contemplava com simpatia a sra. Sharma, enquanto os filhotes olhavam para a mãe.

Ainda fitando a mesa, a sra. Sharma falou:

— O Teej é uma boa época para nós. Com todos os meus sobrinhos casados. E o casamento de Sheela arranjado, graças a você.

Sempre havia um momento antes de eu colocar a última gota de henna na pele de uma mulher que parecia, de alguma forma, significativo. Nunca mais eu repetiria aquele desenho específico e, depois de algumas semanas, ele desapareceria inteiramente. Aquele momento com a sra. Sharma pareceu definitivo — e efêmero — da mesma maneira.

Eu estremeci e coloquei o copo na mesa, com medo de que meus dentes batessem no vidro.

— O que você diria — começou a sra. Sharma — se eu lhe falasse que a mandala que você criou para a festa da *sangeet* de Sheela não correspondeu às expectativas?

Foi difícil disfarçar a surpresa. Enquanto eu decorava as mãos das cunhadas da sra. Sharma, muitas delas me disseram que haviam achado o desenho original e belo.

— Eu poderia lhe perguntar o que, especificamente, ficou insatisfatório?

— Talvez não tenha sido suficientemente tradicional. Você devia ter usado mais pó colorido. — Ela encolheu os ombros largos, como se as razões não importassem.

Ela estava me pedindo para criticar meu próprio trabalho?

— Mas, sra. Sharma, a senhora pediu algo semelhante aos meus desenhos de henna. Disse muito especificamente que queria um tipo diferente de mandala.

Ela apertou os lábios e enxugou o pescoço úmido com o sári.

— De fato. E se eu lhe dissesse que a henna era de qualidade inferior?

Tentei relembrar aquela noite. Será que minha pasta estava granulosa? Não, eu tinha usado um lote de Radha, que tinha uma textura uniformemente lisa. Todos os produtos que usei eram de primeira classe, misturados por minha própria mão ou pela de Radha. Será que Malik tinha dito ou feito alguma coisa que desgostou as convidadas? (Ele nunca fizera nada inconveniente antes.) Mas eu me lembrei: ele mal havia começado a trabalhar na mandala quando Sheela exigiu que fosse embora. Alguém devia ter visto Radha tentando jogar pedras em Sheela. Mas já fazia oito meses que isso havia acontecido; eu já teria sabido algo por meio da rede de criados.

Comecei com cautela:

— Como a senhora sabe, eu inspeciono meu trabalho com cuidado, sra. Sharma. Tenho padrões muito rígidos. Alguma... Alguma das senhoras reclamou?

A sra. Sharma suspirou. Ela pressionou a palma das mãos nas coxas, com os braços abertos para os lados, como se fosse se levantar.

— Você disse exatamente o que eu imaginei que fosse dizer, Lakshmi. E por que deveria dizer qualquer outra coisa? Você não fez nada errado. E eu não sou boa para contar mentiras. Se eu tentasse inventar alguma história, você ia perceber na mesma hora.

Ela se ergueu do sofá e se dirigiu com determinação para a escrivaninha, onde abriu um compartimento com uma chave de seu cinto de cordão. Voltou, parou à minha frente e me estendeu um envelope com um volume em uma das pontas. Ouvi o som de moedas.

— É seu — disse ela. — Pegue, por favor. — Quando peguei, ela voltou desajeitadamente para o sofá e soltou seu peso sobre ele. — Parvati não teve tempo de lhe dar isto antes de viajar para o exterior para o verão. Foi negligência minha não ter feito chegar logo a você. — Sem dúvida Parvati tinha ido à Inglaterra para que Ravi não voltasse a Jaipur.

O nome e o endereço da Singh Arquitetos estavam impressos no canto superior esquerdo do envelope. Não havia destinatário.

— Ela pediu que eu testemunhasse quando você o abrisse. — A sra. Sharma agora parecia constrangida. Ela concentrou a atenção nos cachorros de porcelana outra vez. — É a comissão pelo casamento.

Rompi o selo do envelope. Dentro, havia moedas de uma rúpia. Eu as contei. *Dez rúpias?* Senti uma vontade urgente de virar o envelope para baixo, sacudi-lo, certificar-me de que não havia mais nada dentro. Rasguei-o um pouco mais.

Estava vazio.

Baixei o queixo para o peito e fechei os olhos para tentar parar o zumbido em minha cabeça. O objetivo de Parvati tinha sido me humilhar na frente da sra. Sharma. Ela sabia que o insulto seria mil vezes mais vergonhoso assim.

— Parvati me pediu mais uma coisa... — A voz da sra. Sharma falhou. Ela levantou o copo para tomar mais um gole antes de se lembrar de que ele estava vazio. Relutante, baixou o copo e olhou para mim. Seu olhar não era duro. — Eu sinto muito por perder você, Lakshmi. Artistas como você são difíceis de encontrar, e você sempre serviu bem à minha família.

Ela queria oferecer conforto; ouvi isso em sua voz. Até a pinta em sua face subiu mais, como se estivesse tentando me dar força.

— Mas Parvati afirma que você andou roubando. Embora eu não acredite... jamais imaginaria tal coisa... preciso ficar do lado dela. Tenho certeza de que você entende. Quando Sheela e Ravi estiverem casados, os Singh serão parte da nossa família. E, quer eu concorde com Parvati ou não, minhas mãos agora estão atadas às dela.

Parvati! Eu a havia servido. Mimado. Bajulado. Tinha lidado com a gravidez de Radha da forma mais delicada possível, pelo bem da família dela e da minha. Não havia feito nenhuma cena. Não pedira dinheiro. Depois de tudo isso, *ela* estava contando mentiras sobre mim? Em retaliação pela loucura da minha irmã — e de Ravi, que ficasse claro! O filho dela era igualmente culpado, ou *mais ainda*, porque era mais velho. Mas Parvati estava se vingando em *mim*.

Era tão injusto! Tentei conter as lágrimas, mas não consegui. *Eu trabalhei tanto*, queria dizer para a sra. Sharma. *Segui as regras delas. Engoli seus insultos. Ignorei suas desfeitas. Esquivei-me das mãos bobas de seus maridos. Eu já não fui punida o suficiente?* Nesse momento, sentada na frente daquela mulher boa e sensata, eu queria a coisa que mais detestava no mundo: compaixão. Pior, eu detestava querer isso. Detestava a mim mesma por minha fraqueza, tão repulsiva para mim quanto a autopiedade de Joyce Harris no dia em que eu lhe dera os sachês.

Ah, se não fosse por Radha! Nada na minha vida tinha sido como antes desde a chegada dela. Ela fora minha monção particular, arrasando anos de confiança que as senhoras haviam depositado em mim, destruindo a reputação que eu demorara tanto para construir. Se não fosse por Radha, eu jamais teria que me rebaixar, em silêncio, diante da sra. Sharma. Mas eu merecia isso. Eu havia cometido o primeiro pecado, abandonando meu marido, com quem eu deveria ter ficado por sete vidas.

A sra. Sharma estava me olhando com preocupação. Eu precisava ir embora antes que manchasse o sofá dela com minhas lágrimas.

Pigarreei e pressionei a ponta dos dedos sobre as pálpebras. Quando me levantei para me despedir, só consegui dizer:

— Então...

Suas últimas palavras para mim foram:

— Boa sorte, *bheti*.

Dezessete

31 de agosto de 1956

O mês de agosto, abrasador, tórrido, implacável, se arrastou. Abri minha agenda e virei as páginas vazias. O dia 15 de agosto, que marcava a independência da nossa nação, havia passado sem um único trabalho.

A cada semana eu recebia mais cancelamentos que encomendas. Antes costumava atender de seis a sete senhoras por dia, agora atendia uma (e tinha que me considerar feliz por isso). Nesses dias, as poucas clientes que eu ainda tinha me pagavam menos, sem falar nada, e eu recebia seus pagamentos reduzidos sem reclamar.

Eu havia enfiado a última carta do dr. Kumar na caderneta. Peguei-a e, pela terceira vez, tentei terminar de ler.

17 de agosto de 1956

Cara sra. Shastri,

Eu respeito a sua vontade em relação a Radha; não contei a ela que o palácio vai adotar o bebê, mas gostaria de discutir o assunto melhor com a senhora, sabendo que a oportunidade pode não se apresentar até o nascimento do bebê.

Radha ficará em observação no hospital por uma semana depois do parto. No entanto, mantê-la longe do bebê durante esse período pode se mostrar difícil. Ela está muito afeiçoada à vida dentro dela e fala do bebê a todo momento. Não tenho certeza se está preparada para a ideia de que o bebê será adotado. Ela entende a situação intelectualmente, mas, emocionalmente, sinto que não a aceitou.

Sua amiga, a sra. Agarwal, assegurou-me que Radha compreende a situação e acredita que são os hormônios os responsáveis pela forte ligação de Radha com o bebê. Eu não tenho nenhuma explicação melhor, então, por enquanto, ficarei com a dela...

Nesse ponto da carta, eu sempre parava de ler. Radha havia concordado com a adoção; eu não me permitiria mudar de ideia. O palácio criaria o bebê. Nós receberíamos trinta mil rúpias, o que nos salvaria e pagaria a educação de Radha. O bebê seria saudável, e seria um menino. Seria, porque eu não queria conversar com o dr. Kumar sobre nenhuma outra possibilidade.

As chuvas de monções, que vinham no início de setembro, costumavam trazer uma sensação de alívio. *Lavar o velho, acolher o novo.* Naquele ano, quando as chuvas vieram, eu senti apenas medo. Sem nenhum lugar para ir, minha casa se tornou minha prisão e, ao meu redor, eu via os lembretes dos meus fracassos. A água empoçava na terra batida do pátio onde eu havia planejado cultivar meu jardim de ervas. Ricocheteava na cobertura seca de palha que deveria abrigar as mudinhas das plantas. Escorria na pilha de tijolos que eu havia comprado para construir o muro dos fundos. Eu nem me importava mais em espantar os porcos do vizinho que fuçavam em meu pátio.

Com muita frequência, eu passava horas de pé junto à minha bancada, misturando óleos e loções que ninguém ia usar. O ritmo do pilão era hipnótico e, como as chuvas constantes, me acalmava. Eu mexia e pensava no que deveria ter feito diferente. Deveria ter sido mais atenta a Radha, a quem era minha função proteger. Deveria não ter deitado com um homem como Samir, que usava as mulheres tão insensivelmente quanto seu filho. Deveria ter exigido que Parvati me pagasse adiantado por um acordo de casamento muito mais vantajoso do que um agenciador qualquer teria conseguido.

Depois de sair da casa da sra. Sharma, passou por minha cabeça confrontar Parvati. Durante uma década eu estivera em seu cabresto, acomodando-me a seus caprichos, inferior à posição dela. A ideia de desafiá-la face a face parecia uma tarefa hercúlea. Tive um vislumbre, então, do meu pai, de como ele se sentira inseguro e inadequado quando fora forçado a confrontar o Raj britânico. Os britânicos sempre haviam tido a última palavra e, em algum momento, Pitaji não teve mais energia para resistir. Ele escolheu a saída do covarde: uma garrafa de *sharab* toda noite, depois duas ou três por dia.

Eu estava seguindo o caminho do covarde também: em vez de confrontá-la pessoalmente, falava com Parvati em minha cabeça. *É sua responsabilidade controlar seu filho, não minha! Veja o casamento excelente que eu arranjei para sua família! E você me pagou destruindo tudo que eu trabalhei tanto para conseguir!*

Minha única outra opção seria retaliar contando para toda Jaipur que o filho dela havia seduzido minha irmã de treze anos, mas isso não teria ajudado. Eu sairia pior dessa história, como uma fofoqueira mesquinha e vingativa. Mesmo que as senhoras acreditassem em mim, escolheriam ficar do lado de Parvati, que era uma delas. Se seus filhos se vissem em um apuro semelhante (o que não era improvável), iriam precisar do apoio dela.

Malik me visitava diariamente, mesmo que não tivéssemos nenhum compromisso, para conferir se eu estava comendo. Hoje ele balançou um *tiffin* cheio de bolinhos de carne com curry embaixo do meu nariz.

— Não vai nem experimentar o *kofta*? O chef temperou com *jeera** extra. — Seu lucrativo negócio paralelo de vender suprimentos para a cozinha do palácio a preços reduzidos ainda lhe rendia refeições cinco estrelas do chef.

Eu não disse nada. Enxuguei o suor do pescoço com meu velho sári e continuei macerando ervas.

— Tia Chefe, por favor.

Eu disse a Malik que estava sem fome.

Ele sacudiu meu ombro. Afastei sua mão.

— Eu já falei! Não quero comer.

— Tia Chefe!

Eu me virei para ele, irritada.

Ele fez um sinal para a porta com o queixo.

Segui seu olhar.

Parvati Singh estava de pé na entrada, uma bolsa pendurada em um braço, um guarda chuva pingando ao lado. Jamais, nem mesmo em meus sonhos, eu esperava vê-la em minha casa. Larguei o pilão. Ele girou dentro da vasilha antes de parar.

---

* *Jeera*: sementes de cominho.

— Posso entrar? — perguntou ela, a voz calma.

Vi Malik ir até a porta e parar na frente de Parvati, como se pretendesse socá-la. Ela foi forçada a recuar para o corredor, para dar espaço a ele.

— Os sapatos — disse ele.

Achei que ela fosse protestar, mas ela se curvou e tirou as sandálias molhadas.

Do lado de fora da porta, Malik calçou seus *chappals* e, com a cabeça bem erguida, caminhou para a rua. Ele não tinha guarda-chuva; as chuvas mornas nunca o incomodaram.

Parvati demorou-se um momento. Depois passou pela entrada, majestosa outra vez, como se a casa fosse dela, não minha. Fechou a porta e parou. Eu a observei enquanto ela inspecionava o aposento: a mesa gasta onde eu misturava as loções, a cama afundada no meio, as sacolas muito usadas, os cobertores desbotados dobrados, o *almirah* com portas irregulares que eu havia comprado de um vizinho. Estremeci por dentro ao ver minhas posses através dos olhos dela.

— Humm — disse ela. — Eu esperava... — E deixou a frase inacabada.

Parvati deu um passo em minha direção.

Instintivamente, dei um passo para trás.

Ela parou.

Parvati pôs a bolsa sobre a bancada e pegou uma caixa de fósforos que estava ao lado da minha lamparina.

— Eu esperava que *você* viesse até mim — disse, enquanto acendia a lamparina e regulava a chama.

Até então, eu não havia percebido como tinha escurecido lá dentro. Continuei parada, hesitante.

— Você sempre contou comigo. Lembra? — Ela apagou o fósforo. — Quando chegou a Jaipur e quis ser apresentada à sociedade. Depois ao palácio. Você é uma mulher ambiciosa. Não a critico por isso.

Olhei para ela. Era difícil saber se estava sorrindo ou fazendo uma careta.

— Agora que seu negócio está indo mal, eu achei que pelo menos me pediria para...

Eu não podia acreditar no que estava ouvindo! Minhas mãos se apertaram em punhos e a raiva me subiu no peito.

— Meu negócio está indo mal por causa de *você*. E ainda quer que eu *implore* para parar de espalhar mentiras a meu respeito?

Ela apertou os olhos e torceu a boca, mais ou menos como Sheela Sharma fazia, em desaprovação.

— Você chegou a considerar por um momento — disse ela — que esses rumores talvez não tenham começado em mim?

A surpresa deve ter ficado visível em meu rosto.

— Não que eu não tenha ficado feliz em atiçar o fogo — ela continuou. — Mas pensei que pelo menos uma parte da sua clientela fosse achar as acusações ridículas demais para merecer crédito. Eu me enganei. As pessoas são mais crédulas, e menos benevolentes, do que qualquer uma de nós imagina, não é verdade?

Ela procurou dentro da bolsa. Quando tirou a mão, seus dedos estavam segurando um objeto. Ela o deslizou sobre a bancada em direção a mim, até seu braço estar estendido. Então removeu a mão.

O relógio de bolso que Samir me dera repousava entre nós.

Por reflexo, levei a mão à minha anágua. Ele não estava lá, claro. Fazia muito tempo que não o via; não havia nenhum lugar a que eu precisasse chegar na hora. Imagens vieram à minha mente sem pedir licença, os lábios de Samir, suas mãos, nossos peitos nus, naquela noite na casa de Geeta. Eu não tinha lembrado de pegar o relógio quando fui embora.

Minha coragem evaporou — *puf!* — e o calor subiu ao meu rosto.

Parvati sacudiu a cabeça com ar de decepção.

— Geeta foi me procurar meses atrás. A mais recente de Samir. — O sorriso dela se tornou uma careta. — Quanto *você* acha que seria humilhante a *amante* do seu marido vir procurá-la em busca de consolo, para reclamar que ele foi infiel não a você, mas a *ela*?

Fechei os olhos. Eu queria esquecer que aquela noite acontecera.

Ela começou a andar pelo aposento, inquieta, do jeito que havia andado na frente de sua lareira na festa de fim de ano. Estava esfregando os nós dos dedos de uma das mãos na outra. Parou de repente para examinar o piso de mosaico, inclinando a cabeça.

— Humm. — Ela se virou para mim e balançou a cabeça em uma indicação de que reconhecia meu desenho. Depois voltou a andar. — Samir tem necessidade de ser amado. De ser cultuado. Homens como ele são assim. Eu entendo. Eu aceito.

Ela estaria tentando convencer a mim ou a si mesma?

— Mas o que realmente importa é que *você* me traiu, Lakshmi. Eu confiei em você. Dentro da minha casa. E com meu marido. Você me garantiu que não havia nada entre vocês.

Foi só uma vez. Eu me contive por dez anos. Não tenho nenhuma intenção de repetir. Nada que eu dissesse teria feito qualquer diferença.

Parvati parou na frente de sua bolsa. Tirou dela uma bolsinha pesada e a colocou sobre a bancada. Ela retiniu, um som que confirmava que estava cheia de moedas.

— Eis o que vamos fazer — disse ela, olhando para a bolsinha. — Vou lhe dar a comissão pelo casamento. Em prata. — Ela hesitou. — Você mereceu. — Ela não estava disposta a me agradecer.

Como não me movi, ela prosseguiu:

— São dez mil rúpias. Mais do que o nosso acordo. — Ela sorriu para mim e, pelo mais breve dos momentos, imaginei que estivesse me oferecendo algo mais: desculpa, perdão, compreensão, respeito. Fiquei surpresa, e confusa, com quanto desejava estar nas boas graças dela outra vez. Pensei em Pitaji e em meus conterrâneos indianos, em como eles se sentiam em relação aos britânicos depois da independência. Acostumados à subserviência, sentiam-se mais confortáveis nesse papel, por mais humilhante que fosse, assim como eu naquele momento.

— E? — Minha voz era frágil.

— E eu direi a todos que os rumores foram um equívoco. Até vou contratá-la novamente para nossos horários regulares. Ajudarei você a conseguir mais comissões por casamentos. É isso que você quer, não é?

Eu tossi; era bom demais para ser verdade.

— Qual é o preço?

— Você ficará longe de Samir. Geeta me contou sobre o negócio em que você o envolveu, aqueles sachês. Francamente, Lakshmi. — Ela estremeceu.

Senti um gosto amargo e quente na boca. Ela achava que *eu* havia convencido Samir sobre a venda dos sachês. Não tinha a menor ideia de que tinha sido *ele* que me trouxera a Jaipur para vendê-los.

Mantive a voz mansa.

— Você conversou com Samir, então?

Ela pigarreou, como se lhe doesse fazer isso. *Ela não falou com ele.*

Olhei para a bolsinha de moedas. Dinheiro suficiente para pagar o empréstimo de Samir. Eu poderia concordar com as condições dela e logo minha agenda estaria cheia com os nomes das antigas clientes. As privilegiadas e poderosas me receberiam de novo em suas casas grandiosas, me convidariam a sentar em seus divãs e beber seu chá com creme.

Ouvi a voz da minha mãe: *A reputação, uma vez perdida, raramente é recuperada.* Ela estava certa. Depois que seus empregadores britânicos o rotularam como desordeiro por sua participação no movimento pela independência, meu pai nunca mais recuperou sua reputação. Ficou marcado para a vida inteira.

Minha posição como artista de henna popular também estava manchada para sempre. Mesmo que Parvati cumprisse sua promessa, o escândalo dos furtos me seguiria como um cheiro ruim. Quando eu chegasse a suas casas, as senhoras iriam vigiar cada um dos meus movimentos e seriam rápidas em me culpar assim que não encontrassem um bracelete ou dessem falta de dinheiro na bolsa de *MemSahib*. E então, o que eu faria? Correria suplicante para Parvati, toda vez que isso acontecesse, para que ela as convencesse de que não havia sido eu.

Percebi agora que, enquanto eu permanecesse em dívida com ela, Parvati me tinha nas mãos, que era exatamente como ela queria que fosse.

Eu podia dizer sim e manter meu trabalho intacto. Manchado, mas intacto. Como Pitaji, cujo emprego como professor escolar havia se mantido intacto, embora na pequenina e esquecida aldeia de Ajar.

Como ele devia ter se sentido diminuído a cada segundo de cada dia, tendo que se virar com livros desatualizados, sem material escolar suficiente e sem nenhuma chance de escapar.

Endireitei os ombros e deslizei a bolsa de volta para ela.

— Fique com seu dinheiro. Em troca, *eu* não contarei para as senhoras de Jaipur quantos filhos ilegítimos do seu marido eu evitei que viessem ao mundo.

Seu rosto se contorceu. Como um raio, ela levantou o braço com a mão estendida. Antes que ela pudesse bater em minha face, segurei seu braço. Nossos olhares se encontraram. Eu a vi então, toda ela, de rosto vermelho, olhos molhados, enfurecida. Devia ter lhe custado cada fibra de seu corpo se manter sob controle naquela última meia hora.

— Talvez você queira ficar com alguns sachês para seus filhos — falei. — Minha irmã não foi a primeira e duvido que vá ser a última. — Empurrei seu braço para longe de mim.

Ela se esforçou para manter a postura ereta. Seus olhos faiscavam de ódio... e de vergonha. Delineador preto corria pelas faces com as lágrimas. Seu nariz estava escorrendo. Havia uma mancha de batom cor-de-rosa em um dos lados da boca. Ela massageou o braço no local onde minha mão tinha deixado uma marca.

Achei que ela tivesse algo mais a dizer, mas ela ficou em silêncio. Escutamos a chuva tamborilando no telhado. Eu a observei pegar a bolsinha de moedas de prata e guardá-la na bolsa. Pelo mais breve dos segundos, e absurdamente, tive o impulso de arrancá-la das mãos dela (eram dez mil rúpias!).

Então Parvati fez algo que eu nunca a vira fazer: ela enxugou o rosto com o *pallu*, sem se importar se estava borrando a maquiagem ou sujando seu fino sári. Seu rosto estava manchado de preto, vermelho e rosa. Seu olhar pousou no relógio de bolso, ainda sobre a bancada. Ela se virou para ir embora.

Na porta, apoiou-se no batente enquanto calçava as sandálias. Antes de sair, olhou para a chuva e disse:

— Ele vai se cansar de cada uma de vocês.

Esperei, cada músculo do meu corpo tenso. Depois de um momento, fui para a janela. Ela estava parada no meio da rua, encharcada. Havia esquecido o guarda-chuva. Seu sári, completamente molhado, colava-se no corpo curvilíneo, revelando cada protuberância, cada saliência. O coque havia caído em uma massa de cachos molhados pelas costas. Ela nem percebeu. Também não ouviu o *tonga-walla*, que parou para lhe oferecer uma corrida. A parte de mim que estava acostumada a servir, a agradar e apaziguar, quis correr atrás dela com o guarda-chuva. Eu me contive. Observei enquanto ela seguia pela rua tropeçando e escorregando, até desaparecer de vista.

Fiquei na janela por um longo tempo. Pensei em tudo a que acabara de renunciar por alguns minutos de ira justa. Eu tinha me deitado com o marido dela. Tinha feito sachês contraceptivos para ele. Não tinha nenhum direito a dar lições de moral.

Pelo canto do olho, vi o carteiro vindo do outro lado da rua em direção à minha casa. Ele estava vindo direto para mim, como um pombo-correio.

Corri para o portão, sem ligar para a chuva. Antes que ele pudesse me dizer que tinha um telegrama, eu o arranquei das mãos dele e o abri.

Era de Radha.

E dizia: VENHA. AGORA. A TIA PRECISA DE VOCÊ.

PARTE QUATRO

Dezoito

Shimla, contrafortes do Himalaia, Índia
2 de setembro de 1956

—Quando eu fecho os olhos, só vejo o sári da Tia Kanta pingando sangue. — Radha soluçou no meu pescoço. — O dr. Kumar disse que o bebê dela parou de respirar. Dias atrás. O corpo estava querendo se livrar dele, mas ela tentou impedir que acontecesse.

Acariciei o braço da minha irmã, sentada ao lado dela em uma cama de hospital em frente à de Kanta. Radha estava com o corpo mais cheio, e não só a barriga. Seus braços estavam mais roliços. A face mais redonda. Como ela parecia diferente da menina que aparecera em Jaipur no mês de novembro anterior!

— Você agiu bem em chamar logo o dr. Kumar. Ela podia ter morrido de septicemia — murmurei em seu cabelo.

Tubos iam do braço de Kanta até frascos pendurados acima de sua cama. A barriga grande que eu esperara ver, já que ela estava no nono mês, tinha ido embora. Enrolada sob os cobertores, Kanta parecia pequena e frágil. Manu dormia em outro quarto, em uma cama vaga. Ele tinha dirigido a noite inteira comigo até Shimla.

Radha soluçou. Eu lhe dei meu lenço e ela assoou o nariz.
Assim que cheguei, ela tinha gritado, como uma criança:

— Jiji!

Sem hesitar, eu a abraçara, tão apertado quanto sua barriga de grávida permitia. Ela tremia.

— Tudo bem, vai ficar tudo bem — eu lhe disse então. O dr. Kumar, que tinha me levado até minha irmã, me contou que havia lhe dado algo para acalmá-la por causa do choque quando ela trouxera Kanta na noite anterior.

— Este lugar me assusta — minha irmã estava dizendo agora. — Todas essas enfermeiras de cara séria e chapeuzinho engomado que chamam umas às outras de "irmãs", mesmo não sendo. Meu bebê deve achar que o mundo inteiro tem cheiro de fundo de frasco de remédio. — Ela fungou. — Eu rezei para Krishna todos os dias no Templo Jakhu, Jiji. Rezei para nossos bebês terem sua cerimônia de nome juntos. Para comerem seu primeiro arroz cozido na mesma festa. Dividirem os brinquedos. Eu sei que não devia, mas não conseguia deixar de pensar nos bebês crescendo juntos. — Radha se aconchegou em meu pescoço, suas lágrimas molhando meu sári.

Era disso que o dr. Kumar vinha falando em suas cartas. O bebê de Radha tinha se tornado real para ela; a separação seria insuportável. Mas fiquei quieta. Não me lembrava da última vez que Radha havia precisado tanto de mim. Não queria que ela se afastasse.

Ela puxou o ar de repente e eu tomei distância para ver o que havia acontecido. Ela estava com os olhos arregalados para mim, atônita. Sua boca se abriu, mas nenhuma palavra saiu. Ela segurou a barriga e soltou um grito ensurdecedor.

Como na primeira vez que eu o havia encontrado, os olhos do dr. Kumar examinaram vários objetos na sala de espera — a mesa de metal, as cadeiras de couro, a fotografia desbotada de Lady Bradley — antes de pousar em mim.

— Três quilos, aproximadamente. Ele é pequeno, mas perfeitamente saudável. Um menino. Radha está bem. Ela vai precisar de um tempo para se recuperar dos pontos.

Cobri a boca com as mãos e suspirei de alívio. *Ela está bem! Minha irmãzinha está bem!* Controlei a vontade de abraçar o dr. Kumar. Para minha surpresa, senti uma onda de orgulho e encantamento: *Radha tem um filho!* No mesmo instante em que pensei isso, abafei o sentimento bem fundo dentro de mim. O que eu estava pensando? Esse bebê agora era propriedade do palácio!

Baixei as mãos.

— Onde ele está?

— As enfermeiras o estão limpando. Depois disso, conforme suas instruções, vão colocá-lo no berçário.

Concordei com a cabeça.

— E Kanta? Como ela está?

Seu olhar se desviou para a estampa em batik de um elefante com o condutor na parede atrás de mim.

— Os órgãos dela não foram comprometidos. E estamos controlando a infecção. Há um... Eu não queria contar a ela, mas a sra. Agarwal insistiu. — O dr. Kumar olhou para as mãos. — Ela não poderá ter filhos. Seu corpo sofreu um trauma significativo.

Ah, Kanta. Levei a mão ao peito para acalmar as batidas do coração.

— Talvez a sua medicina seja melhor, afinal, dr. Kumar. Nenhuma das minhas ervas a ajudou a manter o bebê.

— Eu acho que ela nem sequer teria engravidado sem a sua ajuda.

Uma enfermeira entrou na sala e entregou uma xícara de chá para o médico. Ele a ofereceu a mim e pediu para a enfermeira trazer outra.

— Beba, sra. Shastri. Por favor. Sua aparência é de quem não dormiu.

Peguei a xícara, agradecida.

— Eu não me dou bem com a altitude. E aquela estrada cheia de curvas para subir aos Himalaias. Agora eu sei por que as pessoas preferem vir de trem.

— Fico feliz que tenha vindo — disse ele, olhando para os pés. — Em segurança.

A enfermeira trouxe outra xícara fumegante, que ele aceitou. Ele estava com olheiras; havia ficado acordado a noite toda também.

— Quero lhe mostrar algo — disse o dr. Kumar. Ele me conduziu pelo corredor e nós saímos por portas duplas para o jardim. Estávamos mais próximos do sol aqui, nos Himalaias; a luz era tão brilhante que doía nos olhos. Tive que esperar um momento até eles se ajustarem e então, apertando-os, vi as rosas cor-de-rosa, hibiscos azuis e primaveras alaranjadas à nossa volta.

Naquele início de manhã de setembro, vários pacientes, bem enrolados em xales, passeavam pelos caminhos, auxiliados por familiares ou enfermeiras.

Ele fez um gesto com sua xícara de chá.

— O que acha?

Depois dos acontecimentos das últimas vinte e quatro horas, eu mal conseguia ficar de pé. Mas a visão do jardim em flor me reviveu um pouco.

— É lindo.
— Faz bem aos pacientes. Mas acho que poderia fazer muito, muito mais.
Uma brisa fresca soprou sobre nós, esfriando meus braços e pernas. Tomei um gole de chá para me aquecer. O dr. Kumar deixou a xícara sobre um banco, tirou o jaleco e o colocou sobre meus ombros. Ainda estava quente de seu corpo e cheirava a hortelã, antisséptico e limão.

— Como eu venho dizendo em minhas cartas... comecei a perceber que os remédios herbais do povo dos Himalaias podem ter um lugar na medicina moderna. Se essas pomadas e poções feitas em casa não tivessem efeito nenhum... bem, as pessoas não as usariam mais. — Ele falava como se os pensamentos estivessem vindo à sua mente em breves e intermitentes explosões. — Estou convencido de que devemos aprender com esses métodos populares. *E* praticar a nossa medicina. As duas coisas. Eu... Eu gostaria de testar minha teoria. — Ele baixou o queixo. — Gostaria que a senhora pudesse ajudar.

— Eu?

— A senhora poderia nos dizer o que plantar, quais ervas e arbustos, aqui, neste jardim. Aquele pó de *neem*. Ele funcionou muito bem em meu pequeno paciente. Limpou de fato a sua pele... Por que não poderíamos cultivar esse tipo de planta aqui? — O entusiasmo brilhava como relâmpagos em seus olhos cinzentos.

— Está falando sério?

— Totalmente.

A xícara de chá tremeu em minha mão, embora eu não soubesse se era de tensão, fadiga ou entusiasmo. Havia séculos eu sonhava cultivar uma horta de ervas em grande escala, onde pudesse plantar *tulsi* e *neem*, amendoeiras, gerânios, melão-de-são-caetano e açafrão. Até pouco tempo atrás, os meios para fazer isso acontecer tinham estado ao alcance das minhas mãos, em meu próprio pátio, e de repente tudo desaparecera.

— Imagino que o senhor se lembre que eu moro em Jaipur — falei com um sorriso.

— Podemos nos consultar por correspondência, como fazemos agora. Escute, eu vi como a senhora... ajudou a sra. Harris. Ela teve um benefício maior com a sua compressa de ervas do que com a minha injeção. Isso não saiu mais da minha cabeça. E o cataplasma de mostarda que aliviou minha tosse... impressionante!

Ele mudou o pé de apoio no piso de pedras.

— Tenho pensado que a nova Índia, bem, talvez não esteja inteiramente pronta para abdicar dos velhos costumes. E isso talvez seja bom. — Ele olhou para meu ombro. — Pense nisso, pelo menos. — Baixou os olhos para a xícara. — Confesso que ficarei muito decepcionado se a senhora... se a senhora disser não.

Uma enfermeira de lábios apertados e uma touca branca de freira o chamou pelo nome. Ela estava na porta, apontando para o relógio preso em seu hábito.

— Pacientes. — Ele sorriu timidamente. — Talvez possamos continuar depois do meu turno...

— Estarei aqui.

— Posso pedir para prepararem uma cama para a senhora no quarto de Radha. Imagino que esteja cansada.

Eu agradeci.

Ele se despediu com um aceno de cabeça e caminhou em direção à enfermeira, então voltou e apontou para o jaleco. Estava enrubescido.

— Será que eu poderia...? — disse ele. — A menos que a senhora esteja planejando fazer uma cirurgia.

Eu ri e lhe devolvi o jaleco. O cheiro dele estava em meu sári agora e, quando recomecei a andar, eu o imaginei ao meu lado, explicando seus planos para a horta.

Radha dormia em sua cama de hospital. Pensei no milagre daquela menina, ao mesmo tempo familiar e estranha, que tinha vindo até mim menos de um ano antes. Eu me sentia como se a conhecesse a vida inteira e, no entanto, como se não soubesse nada dela.

Como antes, Kanta estava na cama em frente à de Radha. Estava acordada agora, olhando apática para o teto.

Procurei o frasco de óleo de lavanda e hortelã em minha sacola e o levei para a cama de Kanta. Levantei sua mão livre (a outra tinha um tubo intravenoso ligado), beijei-a e a apertei junto ao peito. Ela havia envelhecido anos em cinco curtos meses. Sua pele estava cinzenta e as linhas em volta da boca, mais destacadas. O cabelo não tinha brilho, como se ele também tivesse sido esvaziado de vida.

Pus a testa na dela e a deixei ficar.

Seus olhos vazios se encheram de lágrimas.

— Eu tomei tanto cuidado — disse ela, com dificuldade.

Pinguei uma gota de óleo de lavanda e hortelã no dedo indicador e o deslizei sobre as sobrancelhas dela, descendo pelas têmporas, para acalmá-la.

— Eu sei que sim — falei.

Não havia mais nada a dizer. Não haveria mais chances para Kanta.

— Eu teria ficado feliz com uma menina. Por que não pôde ser uma menina? Talvez, então, ela tivesse vivido.

Eu não sabia por que ela achava aquilo, se realmente achava, mas o fato era que estava sofrendo. Ela teria adorado reescrever a história dos dois últimos dias, com um final diferente. Todos nós teríamos gostado disso.

— Eu sei — respondi. — Veja como você foi boa com Radha.

Ela se permitiu um pequeno sorriso.

— Meu desempenho nisso não foi exatamente perfeito. Ela escapou da minha vigilância.

— Da minha também. Mas ela ama você como sempre.

— Ela ama você também.

Inclinei a cabeça.

— Nem uma só carta em cinco meses. Nenhuma.

— Você nunca veio visitá-la.

— Ela é muito teimosa.

— Você também é, minha amiga — disse ela.

Enrijeci as costas. Era verdade; eu poderia ter feito o primeiro gesto.

Olhei pela janela.

— Vi Manu no jardim hoje cedo.

— Eu disse para ele ir. Não adianta nada nós dois ficarmos tristes juntos. — Seus olhos buscaram os meus. — Ele estava tão ansioso para conhecer o filho.

— Shh. — Massageei o espaço entre as sobrancelhas dela.

— Manu me contou que Radha teve um menino.

Nós nos olhamos em silêncio.

— Ele deve ser lindo.

Eu não queria falar sobre ele agora. Kanta estava sofrendo muito. Em vez disso, fiz algo que não era muito o meu estilo. Peguei alguns cachos do cabelo dela e os puxei sobre a boca como um bigode, exagerando a projeção dos lábios para a frente, como seu criado, Baju, fazia.

— Madame — falei, fazendo minha melhor imitação de seu sotaque de aldeia. — Eu fugi! Peguei dinheiro da bolsa de sua *saas* para vir me encontrar com a senhora. Por favor, não conte a ela. Ela vai me jogar na cadeia.

Ela conseguiu sorrir entre as lágrimas e pôs a mão em minha cabeça para me abençoar, um gesto normalmente reservado aos mais velhos e aos homens santos.

Depois que Kanta adormeceu, eu fui ao berçário.

O menino de Radha tinha todos os dedos, duas pernas, dois braços. Era um lindo bebê. A cor da pele era deliciosa, como chá com creme. Tinha a cabeça cheia de finíssimos cabelos pretos. Acariciei a face aveludada, deslizei os dedos pelos tornozelos rechonchudos. Senti uma atração magnética por ele. Nós compartilhávamos sangue. Compartilhávamos olhos da cor do mar. Poderíamos até ter compartilhado uma família em uma vida anterior.

— Por que a senhora não tem seus próprios filhos?

Eu me virei para o dr. Kumar, que havia acabado de entrar. Não sabia bem como responder à pergunta.

Ele estava olhando para o *pallu* de meu sári com linhas de preocupação na testa.

— Desculpe. Foi impertinente da minha parte perguntar.

Olhei para o bebê dormindo. Sob as pálpebras rosadas, seus olhos faziam pequenos movimentos rápidos. Ele estava neste mundo fazia apenas uma hora. Eu não podia imaginar com que estaria sonhando. Um punho minúsculo se abriu, depois fechou, como se ele estivesse espremendo o sumo de uma manga.

— Eu não tenho marido, doutor.

— Então a senhora não é... Perdão, achei que fosse sra. Shastri.

Sou divorciada. Era oficial agora, mas as palavras não quiseram sair da minha boca.

— Eu *fui* casada — falei. — Muitos anos atrás. — Eu me perguntei se Jay Kumar sabia sobre Samir e eu. Mas, quando olhei em seu rosto, os olhos inclinados para baixo nos cantos, achei que não. A pergunta dele havia sido inocente. Eu sorri. — Imagino que o senhor tenha família.

— Eu tive. Quer dizer, quando eu era uma criança muito pequena. — Ele estendeu a mão com a palma para baixo, para indicar quanto era pequeno. — Pais. Não irmãos. Meus pais... bem... eles morreram em um acidente de carro quando eu era muito novo... — Seu jaleco branco engomado farfalhou quando ele tirou o estetoscópio do pescoço e enrolou o tubo em volta do metal com cuidado.

— Sinto muito.

— Ah, faz séculos. Eu ainda usava calças curtas. Minha falecida tia me criou. Pagou toda a minha educação.

Uma enfermeira entrou para examinar os pequeninos seres que estavam sob seus cuidados. O filho de Radha repousava em um berço no canto, separado dos outros recém-nascidos. Ao contrário dos demais berços, o dele não tinha o pequeno cartão que informava seu sobrenome. Mas sua cama era limpa, as faces rosadas, o sono tranquilo. Ele estava, evidentemente, recebendo excelentes cuidados.

— Como veio parar em Shimla, doutor?

— Escola interna. A Escola Bishop Cotton para Meninos. Depois Oxford, onde eu conheci Samir.

Percebi que eu havia esquecido de mandar um telegrama para Samir sobre o bebê.

— O palácio já foi informado?

— Vou cuidar disso — respondeu ele. — Ainda não tive tempo de preencher os formulários deles. Dez, vinte páginas, com os mínimos detalhes. Precisamos medir cada unha dos dedos. E cada uma das outras partes do corpo. — Ele deu uma risadinha, olhando para mim com ar travesso.

Eu ri.

Ele conferiu seu relógio com o relógio de parede.

— É hora da clínica. Quer me acompanhar? Há algumas pessoas que eu gostaria que a senhora conhecesse.

— Agora?

— Por que não? Radha vai dormir mais algumas horas.

O filho de Radha soltou um resmunguinho vago e mexeu as pernas. Nós nos viramos para ele.

— Ainda estamos de acordo que Radha não deve ter nenhum contato com a criança?

Ele levantou as mãos, como quem não pode fazer mais nada.

— As irmãs sabem. Elas têm as instruções.

A pequena clínica ficava no primeiro andar do hospital. As paredes eram pintadas de um verde cor de pasta de dente. Metade das cadeiras estava ocupada por moradores locais: mulheres com blusas de cores vibrantes, anáguas da cor das flores silvestres do Himalaia, lenços de cabeça adornados com orquídeas; homens com túnicas de lã e casacos gastos, a cabeça aquecida com *topas* pahari.

O dr. Kumar se aproximou da enfermeira bonita no balcão da recepção.

— Quantos hoje, irmã?

— Catorze.
Ele sorriu, produzindo uma covinha no queixo.
— O dobro do habitual.
Então me conduziu para dentro de um consultório apertado e me indicou uma cadeira.
— Minha sala — disse ele. — A gente se vira como dá.
Sua mesa estava abarrotada de pilhas de papéis, blocos de receituário, um tinteiro. Havia um livro médico aberto sobre a edição mais recente da revista *Time*. Na parede, uma foto de Gandhi-*ji* cercado de líderes do Congresso Nacional da Índia. O cenário atrás do Mahatma era conhecido: Shimla em floração.
O dr. Kumar se sentou atrás da mesa. Seus olhos estavam inquietos outra vez.
— Começamos esta clínica um ano atrás, para atender as tribos da montanha. Temos pacientes que vêm de vários quilômetros de distância para ser tratados no Lady Bradley. Pessoas de posses, como a sra. Agarwal. E, claro, pessoas como Radha, cujas despesas estão sendo pagas pelo palácio. Mas ninguém, absolutamente ninguém atendia as pessoas que moram aqui... há séculos.
— Ele arriscou um olhar tímido para mim. — Foi seu remédio para a pele do menino. Isso começou a trazer esses novos pacientes. Hoje, temos mais pacientes do que nunca.
Eu sorri.
— O senhor me dá crédito demais.
Sua expressão ficou séria.
— Na verdade, acho que não lhe dei crédito suficiente.
A enfermeira pôs a cabeça na fresta da porta.
— Estamos prontos, doutor.
Ele se levantou.
— Venha, vou lhe mostrar o que estou querendo dizer.
Uma cortina gasta de juta separava a sala de espera da sala de exame. Ali, uma enfermeira estava ajudando uma mulher grávida a subir na mesa. O dr. Kumar me apresentou como sua consultora para medicamentos de ervas e fez perguntas à paciente em uma mistura de híndi com o dialeto local. Ele me informou o diagnóstico do caso e, quando eu não entendi a terminologia médica, explicou em termos leigos. Eu tinha minhas próprias perguntas, que ele traduziu para a paciente. Fizemos isso em mais cinco consultas. Em quatro dos

cinco casos, eu tive condições de recomendar uma alternativa herbal no lugar do remédio ocidental.

Para a mulher grávida que sofria de indigestão séria, sugeri melão-de-são-caetano cozido com alho. Óleo de *neem* para uma avó com as mãos deformadas por artrite; assa-fétida, disponível em qualquer vendedor de hortaliças, misturada com água para acalmar um bebê com cólicas; folhas de nabo e morangos para um pastor de ovelhas que preferiu seguir minhas recomendações de dieta a ter seu bócio removido.

O relógio na parede bateu onze horas.

O dr. Kumar conferiu em seu relógio.

— Radha deve estar acordada agora.

Como a última hora havia passado depressa! Eu ficara tão ocupada com os pacientes que nem pensara em Radha. Ou no bebê. Ou em Kanta. Não senti fome nem sede.

O médico riu.

— Gostou, não é? Eu a estava observando. Por favor, diga que vai trabalhar conosco! A sra. Agarwal me disse que o trabalho viria em boa hora... — Ele parou quando viu a expressão em meu rosto.

Kanta contara a ele sobre meus problemas! Que eu havia perdido meu trabalho. Que não tinha dois *annas** no bolso. Será que ele estava com pena de mim? Era essa a razão de todo esse seu esforço?

Apertei os lábios.

— Doutor, eu não estou à procura de compaixão.

— Não, de jeito nenhum. Eu só estou sugerindo... O que eu quero dizer é... o seu conhecimento vale muito para nós. A senhora está vendo a necessidade. Ninguém mais poderia fazer esse trabalho tão bem. Eu observei. Eu preciso da senhora. — Ele passou os dedos pelo cabelo. Quando soltou, os cachos caíram aleatoriamente em todas as direções.

— Mas eu só conheço as ervas do Rajastão e de Uttar Pradesh. Não tenho conhecimento das plantas que crescem aqui, nesta altitude e neste clima fresco.

Seus olhos examinaram meu rosto.

— Acho que não fui claro, sra. Shastri. A medicina não paga muito bem, mas... haverá remuneração. Estamos solicitando financiamento. Eu a estou convidando para prestar consultoria profissional. Pense em todas as pessoas que poderia ajudar.

---

* *Anna*: pequena moeda equivalente a 1/16 de uma rúpia; não é mais usada.

Era verdade que os pacientes na clínica tinham ficado aliviados ao saber que não precisariam tomar remédios malcheirosos. A mulher grávida tocou meu pulso em um gesto de agradecimento antes de sair. Contando o tempo com minha *saas*, eu tinha quinze anos de conhecimento sobre ervas e produtos naturais, que vinha refinando e aperfeiçoando. Minha experiência poderia se mostrar útil para outras pessoas além das minhas senhoras. (*Minhas senhoras! Como se me restassem muitas delas.*)

Ainda assim, eu não estava pronta para tomar uma decisão. Precisava avaliar minhas opções. Ia entrar dinheiro do palácio com o nascimento do bebê, o que me dava tempo.

— Posso pensar?

— Só se a resposta for sim. — Ele sorriu, a covinha em seu queixo se destacando.

Dezenove

3 de setembro de 1956

O bebê tinha um dia de vida. Radha implorou comigo por horas até que eu concordei em deixar que ela o visse.

— Nós precisamos pelo menos cobrir o bebê com pasta de sândalo para garantir sua saúde, Jiji — ela havia argumentado.

Eu tinha dito não.

— Um recém-nascido precisa de uma bênção do *pandit*. Que tal uma *tikka** de cinzas na testa?

Eu tinha dito não.

Agora, Radha estava sentada em sua cama de hospital segurando o bebê que eu tentara desesperadamente manter distante dela. Nós estávamos sozinhas; Manu e Kanta tinham ido caminhar no jardim.

Radha cheirou a cabeça do bebê, perfumada com talco Godrej. Tocou a ponta de cada um de seus dedos. Eram do tamanho de uma pimenta-do-reino. Os lábios tinham a textura lisa de pétalas de calêndula e se abriam, gulosos,

---

* *Tikka*: marca na testa feita com pasta perfumada, como sândalo ou vermelhão.

quando ela deslizava o dedo sobre eles. Ela beijou a sola nua dos pés rosados e estudou as linhas que se cruzavam sobre a pele. Era como se ele tivesse caminhado quilômetros para chegar ali.

— Eu não posso nem dar de mamar para ele?

Desviei o olhar. Eu sabia que os seios dela estavam inchados. Se eu não estivesse junto no quarto, ela o teria posto no peito e o deixado esvaziá-los.

— Ele tem que se acostumar com a mamadeira. É o que a família adotiva vai dar a ele — respondi.

Nesse momento, o bebê abriu os olhos e tentou mantê-los abertos, mas as pálpebras logo se fecharam outra vez. Radha olhou para mim, seus olhos de aquarela redondos como bolas de gude.

— Jiji, são azuis! Os olhos dele são azuis! Como os seus. Como os de Maa. *Nós* estamos nele!

Virei a cabeça e pigarreei.

— Você tem certeza sobre o *kajal*?

Foi a única concessão que fiz: poderíamos aplicar a pasta preta nos olhos para afastar o mau-olhado. Era uma superstição antiga, mas Radha acreditava nela firmemente, e acho que eu também havia acreditado em algum momento.

— Claro! Ele precisa de proteção contra *burri nazar*.*

Abri o *tiffin* que havia trazido e tirei a lata de *kajal*. Eu havia misturado fuligem com óleos de sândalo e mamona para fazer a pasta lisa que muitas mulheres usavam como delineador. Mergulhei o dedo mínimo na pasta. Enquanto ela segurava o bebê com firmeza, puxei gentilmente suas pálpebras inferiores e desenhei uma fina linha preta nas bordas. Depois fiz três pontinhos bem pequenos em cada têmpora e outros três na sola de cada pé.

— Vai sair quando as enfermeiras derem banho nele — falei, fechando a tampa da lata.

— Mas os deuses nos viram fazer. O que significa que ele estará seguro. — Os dedos gordos do bebê de Radha estavam enrolados em volta de seu polegar. — Você quer segurá-lo?

Continuei limpando as mãos em uma toalha, fingindo que não tinha ouvido. Pela janela do quarto do hospital, vi o céu: sua cor de prata com as nuvens pairando, o horizonte verde enevoado de cedros, pinheiros, rododendros.

---

* *Burri nazar*: mau-olhado.

— Jiji?
— Ele é saudável. Sua nova família vai ficar satisfeita.
Radha cerrou os lábios; minha resposta a havia irritado.
O bebê fazia movimentos de sucção em seu dedo.
— Você mal olhou para ele.
Ela queria que eu admitisse que o amava também. Que eu nos via nele. Se eu fizesse isso, não seria capaz de pedir que ela o entregasse.
— Estou vendo o bebê.
— Então olhe para ele comigo.
— Não. — Apertei o maxilar.
Olhamos uma para a outra em silêncio.
— Eu não vou entregá-lo.
O quê?
— Eu só disse que aceitava porque achei que você ia mudar de ideia depois que ele nascesse...
— Mudar de ideia? Nós não podemos...
— Eu mudei de ideia — disse ela. — Ele é *meu* bebê.
Meu coração estava batendo tão rápido que achei que fosse explodir dentro do peito. Aquilo tinha sido combinado fazia tanto tempo! Kanta me garantira que Radha estava disposta a deixar o bebê ser adotado.
— Radha, ele pertence a outra pessoa. Legalmente. Esse foi o acordo.
— Ele é *meu* filho. É um de nós. Você conseguiria mesmo se desfazer de alguém da sua própria família?
Eu já tinha feito isso.
— Ele é um bebê que outra pessoa está esperando para criar!
O bebê bocejou, expondo as delicadas gengivas cor-de-rosa. Ela o mudou de braço e apertou os olhos para mim.
— Por que você não admite que odeia bebês?
Eu pisquei.
— O quê?
— Eu vi você com crianças pequenas, na casa das suas senhoras. Você é sempre educada e cheia de elogios. *Que criança linda, sra. Seth; parece muito com a senhora. A senhora tem um verdadeiro Einstein nas mãos, sra. Khanna.* Mas aí você volta ao trabalho e não se digna a olhar para elas de novo. Você nunca olha para as mães empurrando carrinhos de bebê no bazar. Eu olho. Eu quero ver

se é menino ou menina. Se o cabelo é liso ou encaracolado. Você passa reto. E as crianças pedintes na rua. Você lhes dá moedas sem nem olhar, como se elas fossem fantasmas. Eu vejo essas crianças. Eu falo com elas. Elas são pessoas, Jiji. *Este* bebê é uma pessoa. Ele é *nossa* família. Veja os olhos dele. São os de Maa. E as orelhas são de Pitaji. Isso não significa nada para você?

O bebê se mexeu.

— *Hai Ram!* E família significa tanto para você que prefere destruir a única que lhe resta? — falei. A veia em minha têmpora latejava. — *Eu* sou sua família, Radha. Sou seu sangue também. E quanto a mim? Eu cuidei de você. Providenciei para que você fosse para a melhor escola. E você retribuiu ficando grávida!

— Eu não fiz isso para prejudicar você!

— Eu passei treze anos construindo uma vida. Agora minha agenda está vazia. Página após página... nada.

O bebê estava se agitando agora, abrindo e fechando os punhos.

— Mas eu o amava... eu amo Ravi — disse ela, como se isso consertasse tudo.

Minha voz se elevou.

— Ama? Isto aqui não é um dos seus filmes americanos em que a heroína faz o que tem vontade. E você não é Marilyn Monroe. — Eu não conseguia me conter. — Quantas vezes eu tenho que lhe dizer que não temos condições de dar a esse bebê o que ele merece? Não somos parte da equipe de polo ou da associação das senhoras, por mais que você deseje isso. Não podemos nos dar ao luxo nem de um dia de folga, enquanto elas passam um mês na Europa. Costureiras, *wallas* de hortaliças, sapateiros... todos eles vão à casa *delas*, não à *nossa*. Eu gostaria que fosse diferente. Mas não é. Nunca vai ser. — Eu estava descontrolada. — Você diz que não quer ser a Menina do Mau Agouro? Pois saia exibindo esse bebê pela cidade e você vai ser a Menina do Mau Agouro para sempre! Ninguém vai querer chegar perto de você ou dele.

Os olhos de Radha faiscavam, como as bolas de gude de Malik lançadas no chão de terra.

— Eu *odeio* você! Saia de perto de mim! — ela gritou.

O bebê soltou um gemido alto. Radha, o balançou no colo, mas seus braços estavam trêmulos, o que só o assustou mais. O rosto dele ficou vermelho.

A porta se abriu. O dr. Kumar entrou, seguido pela enfermeira de cara feia com o broche de relógio.

Os olhos dele viajaram de mim para Radha, para o bebê e de volta para mim.

— Está tudo bem?

Enxuguei a saliva que havia se acumulado no canto da minha boca. Eu não conseguia olhar para ele, porque estava cheia de vergonha. O que eu havia dito para minha irmã sobre a Menina do Mau Agouro era de uma crueldade de que eu não sabia que era capaz. Pigarreei.

— Leve o bebê, por favor.

— Não! — ela gritou. — Eu quero amamentar!

Os gritos do bebê eram ensurdecedores.

Com um esforço, produzi a voz controlada que sempre usava com minhas senhoras.

— Doutor, por favor.

Ele suspirou. Lentamente, virou-se para a enfermeira e fez um sinal com a cabeça. Deixando bem clara no rosto sua desaprovação, a enfermeira pegou o bebê aos gritos dos braços de Radha e saiu depressa do quarto.

O médico esfregou os olhos.

— Radha...

— Dr. Kumar, eu imploro. Por favor. Me deixe ficar com o meu bebê.

Eu me constrangi ao vê-la suplicar como uma pedinte.

— A decisão não é minha — disse ele.

— Eu vou cuidar dele, eu prometo! Vou encontrar um jeito.

— Sua irmã é sua guardiã legal até você chegar à maioridade. Você precisa seguir as decisões dela.

Radha cobriu os ouvidos com as mãos, sacudindo a cabeça.

— É *meu* bebê! Eu não tenho direito a dizer nada?

Olhei para o dr. Kumar, que estava esfregando o queixo, com o olhar tenso. Ele deu um passo em minha direção e tocou meu ombro, deixando a mão ali pelo mais breve dos instantes. Foi tranquilizador, como se ele estivesse me dizendo para ter força, que tudo ficaria bem no fim. E então ele se foi, fechando a porta silenciosamente.

Com o rosto molhado e vermelho de raiva, Radha explodiu.

— Você controla tudo! Se eu posso amamentar meu próprio bebê. Com quem eu me relaciono. Como eu falo. O que eu como. Vai ser sempre assim? Quando você vai parar de governar a minha vida? Eu me virei sozinha por treze anos! Treze anos! Era a mesma coisa que se eu estivesse sozinha. Pitaji bêbado.

Maa ausente. Eu encontrei um jeito de chegar até você, a centenas de quilômetros de distância! Você tem ideia de como foi difícil? — Ela baixou os olhos para sua túnica de hospital, agora molhada do leite que vazava de seus seios. — Eu quero uma família, Jiji. É tudo que eu sempre quis. Foi por isso que eu vim de tão longe para encontrar você. Esse bebê é minha família. Ele quer meu leite. Você viu como ele olhou para mim? Eu conversei com ele o tempo todo em que ele estava na minha barriga. Ele conhece a minha voz. Ele *me* conhece. Eu *sei* que ele precisa de mim.

Claro que ele a conhecia. Ele a tivera para si por oito meses. Eu compreendia isso. E, sim, meus sentimentos por ele eram tão ternos, tão fortes que isso me surpreendia. E era por essa razão que eu queria o melhor para ambos. Será que ela não percebia? Por que eu não conseguia formular uma frase sequer que pudesse ajudar minha irmã a entender que tudo que eu estava fazendo era para o bem dela? Ela me exasperava e às vezes me intimidava, mas eu faria qualquer coisa para tornar a vida dela melhor, mais fácil.

Ela cruzou os braços sobre o peito, mas se arrependeu de imediato; seus seios doíam. Estavam cheios de leite, porque eu não a havia deixado amamentar o bebê. Era como se ela precisasse tanto dele quanto ele dela. Mas eu tinha visto o que Radha não vira: mulheres desesperadas implorando que minha *saas* as livrasse de seu fardo. Onde ela via alegria, eu via dificuldade. Onde ela via amor, eu via responsabilidade, obrigação. Poderiam ser esses dois lados da mesma moeda? Afinal eu não havia experimentado amor e dever, prazer e irritação, desde que ela entrara em minha vida?

Eu me levantei.

— Eu trouxe uma coisa para você. — Tirei duas garrafas térmicas da sacola, abri uma e despejei na tampa o líquido fumegante. — Beba isto. É amargo, mas vai ajudar a aliviar a dor em seus seios.

Ela torceu o nariz.

— Por favor.

— O que tem aqui? — Ela pegou o copo da minha mão e o cheirou.

— Raiz de bardana. Folhas de verbasco. Um pouco de raiz de dente-de-leão. Vai fazer o inchaço diminuir.

Enquanto ela bebia, me observava despejar o líquido quente da outra térmica em uma vasilha. Mergulhei duas faixas de flanela no líquido, uma por vez, deixando-as bem molhadas.

— Abra a túnica.

Ela deixou o copo na mesinha de cabeceira e enxugou os olhos com o dorso das mãos. Desabotoou a túnica hospitalar, expondo os seios. Seus mamilos estavam com o dobro do tamanho de quando ela havia chegado a Jaipur. Ela enrubesceu, constrangida, mas fingi não perceber. Delicadamente, coloquei uma compressa quente sobre cada seio.

Radha soltou um suspiro e fechou os olhos.

— Gengibre?

— Óleo de camomila também. E flor de calêndula.

Seu rosto relaxou. Ela respirou fundo.

Era assim que minha *saas* tinha me ensinado a mostrar meu amor. Não com palavras ou toques, mas pela cura.

Do lado de fora, uma felosa-brilhante cantou e nós nos viramos para vê-la passar voando pela janela.

— Os seios da Tia Kanta estão cheios de leite também.

Suspirei.

— Eu ofereci as compressas, mas ela não quer. Ela quer sentir a dor. Acho que é seu modo de dizer adeus ao bebê. Seus seios ficarão duros e doloridos por um tempo, até o leite secar.

Novas lágrimas vieram aos olhos de Radha.

— Eu me sinto tão culpada porque o meu bebê está vivo.

— Não é sua culpa.

— Ela veio para Shimla por minha causa, tão longe do marido. E olha só o que aconteceu.

— O Lady Bradley é muito mais bem equipado do que o hospital de Jaipur. O ar aqui é melhor para a asma dela. Além disso, ela *queria* estar aqui com você.

O passarinho voltou com sua parceira; ambos pousaram no rododendro perto da janela. Ele ficou de guarda enquanto ela coçava sob as penas com o bico.

— Ela pode tentar de novo, não pode?

Alguém tinha que lhe contar.

— O dr. Kumar não acha que será possível.

— Ah...

Ficamos observando enquanto a fêmea se virava para nós. Ela estava nos olhando, ou admirando seu reflexo na janela.

— Eu queria que a Tia substituísse você como minha *jiji*.

Doeu ouvi-la dizer isso, mas não me surpreendi.

— Mas, no dia em que mandei o telegrama, nunca fiquei tão feliz por você ser minha irmã.

Olhei para ela. Ela não desviou o olhar.

— Eu sabia que você faria tudo ficar bem.

Algo duro dentro de mim cedeu. Ela contava comigo para estar presente ao seu lado, mesmo quando ficava brava e dizia que me odiava. Afaguei-a sobre a colcha, áspera de tantas lavagens e passadas a ferro. Ela estava com a mão no colo e eu a segurei. Ela deixou.

— Como está Malik? — perguntou ela.

— Ocupado. Fazendo algumas entregas, tônico para cabelos, esse tipo de coisa. Ele sempre aparece. Acha que eu preciso de companhia.

— Você precisa?

Dei de ombros. Substituí as compressas quentes em seus seios por faixas frias. Sabia pela sua respiração que a dor tinha diminuído e, com isso, a urgência de amamentar.

— Você disse que as senhoras não estão mais contratando seu serviço de henna?

Pensei que Kanta tivesse lhe contado.

— Elas não confiam mais em mim. Acham que eu roubo.

Ela franziu a testa.

— Que ridículo! Por que elas pensariam isso?

— Fofocas. — *Mentiras.*

Removi as compressas frias. Radha abotoou a túnica, perdida em pensamentos.

Olhei para a janela, além da cama. Nuvens escuras passavam diante do sol, bloqueando a luz. Eu podia ver meu reflexo. Havia olheiras arroxeadas sob meus olhos e linhas nos cantos da boca. As luzes fluorescentes no teto destacavam alguns fios prateados em meus cabelos e a depressão de uma ruga na testa. Uma ligeira curvatura se formava em minha coluna. Eu estava ficando mais velha. Olhei para as mãos. Não eram mais lisas, a pele era como um caminho esburacado, sulcado, acidentado de veias.

O dr. Kumar entrou. Ele parou, hesitante, como se tivesse receio de estar se intrometendo em um momento íntimo.

— Está tudo bem? — Ele olhou para minha irmã. — Radha, como está se sentindo?

— Melhor. — Ela lhe contou sobre minhas compressas de ervas.

— A senhora é uma mulher de muitos talentos, sra. Shastri — disse ele.

Quando ele percebeu que estava me encarando, voltou depressa a atenção para Radha, para a cama vazia de Kanta, depois para a pilha de papéis em suas mãos.

— Preciso da sua assinatura.

Ah. Os documentos oficiais, certificando o nascimento do novo príncipe herdeiro. Levantei para pegá-los, mas minhas pernas não me deram apoio e sentei outra vez.

— Poderia nos dar um momento, doutor?

Ele concordou e saiu.

Radha sorriu.

— Qual é a graça?

— Ele. — Ela levantou o queixo para indicar o dr. Kumar. — Ele sempre dizia que o meu bebê ia ser um atleta para todas as posições, e ele tem mesmo umas perninhas fortes.

Claro que Radha andara pensando sobre o futuro de seu bebê. Ele seria jogador de críquete. Seria um astro lançador. Ele pediria *kicheri** ou *aloo tikki* no café da manhã? Seu cabelo poderia ficar liso, como o dela, ou encaracolado, como o do pai.

— Jiji? — ela perguntou timidamente. — Podemos ver o bebê de novo? Eu prometo não fazer outra cena.

Comecei a me levantar da cama, mas Radha segurou minha mão com uma força que me surpreendeu. Ela apertou meus dedos. Sua mão estava quente e úmida. Eu me sentei outra vez.

— Jiji, eu sei que peguei você de surpresa. Eu devia ter uns quatro ou cinco anos, estava mexendo o leite no fogo para o iogurte quando o carteiro entregou uma das suas cartas. Maa deu uma olhada no envelope e jogou nas chamas. Perguntei por que ela não abriu e ela só encolheu os ombros e disse: "É de alguém que morreu no meu coração faz muito tempo". Eu não sabia de quem ela estava falando. Depois disso, comecei a ouvir as fofoqueiras com mais atenção e descobri que Maa estava falando de você. Pensei em como você devia ser corajosa, como devia ser forte, para deixar tudo para trás. E então eu te encontrei. E você era tudo que eu tinha imaginado. Inteligente. Bonita. Divertida. Eu tive orgulho.

---

* *Kicheri*: prato de arroz e lentilha, com frequência servido para crianças.

Você sabia fazer tantas coisas. Eu amei você desde o primeiro momento. Mas já tinha tido tempo para me acostumar à ideia de você.

Meus olhos se encheram de lágrimas. Ninguém jamais havia dito que me amava. Ah, eu sabia que Maa e Pitaji me amavam, mas não era algo que eles dissessem em voz alta. Ao seu próprio modo, Hari tinha me amado, ou achava que tinha, mas o seu amor não fora desinteressado. Ele queria ser meu dono, fazer de mim parte dele. E Samir não me amava, só me queria na cama.

— Eu quero filhos. Quero ficar cansada no fim do dia porque tive que ferver leite para o *kheer* deles e pular amarelinha com eles e pôr cúrcuma em seus machucados e ouvir as histórias que eles inventarem e ensiná-los a ler o *Ramayana* e pegar vaga-lumes. E fico mais triste do que você pode imaginar só de pensar que nunca poderei fazer essas coisas com este bebê.

A persistência dela estava me esgotando. Será que eu estava sendo muito intransigente? Talvez eu e ela pudéssemos criar aquele lindo bebê juntas. Radha poderia ir para a escola enquanto eu cuidava do menino. Não, eu não podia. Teria que continuar trabalhando para pagar a dívida com Samir. E, pensando nisso agora, nenhuma escola de Jaipur aceitaria uma menina que tinha um filho. Ela não poderia completar seus estudos. Com um bebê ilegítimo a reboque, seríamos párias, excluídas da sociedade, de todas as celebrações, casamentos e funerais, até mesmo de uma maneira de ganhar nosso sustento. Ninguém ia querer que eu fizesse sua henna ou suas mandalas ou que arranjasse casamentos. Não teríamos como comprar comida! De qualquer ângulo que eu examinasse a situação, não via nenhuma possibilidade de levarmos o bebê de Radha para casa.

Olhei pela janela. Lá fora, o sol espiava entre as nuvens. Pequenos pássaros se banhavam na fonte do jardim, com curtos movimentos nervosos da cabeça, borrifos furtivos de penas.

Vi Kanta e Manu sentados em um banco no jardim do Lady Bradley, com um cobertor de lã sobre os joelhos. Ela estava com a cabeça sobre o ombro do marido, os olhos fechados.

Kanta queria muito ser mãe. E teria sido maravilhosa. Ela era afetuosa, bem-humorada, generosa. Tinha Manu, sua sogra e Baju para ajudá-la em casa. E tinha condições financeiras para contratar uma *ayah** para o bebê. Se ao menos *ela* pudesse ficar com o bebê de Radha. Ela amaria aquele menininho como se fosse seu próprio filho.

---

* *Ayah*: aia.

Senti o coração acelerar.

Ela e Manu tinham recursos, tempo e energia para dar ao bebê um bom lar.

Era absurdo pensar nisso! Eu tinha assinado um contrato.

A menos que...

Senti o suor na testa.

— Radha — sussurrei. Se eu falasse, não poderia mais voltar atrás.

Eu me virei para ela.

Disse a mim mesma que sabia o que estava fazendo. Se levasse adiante essa ideia e a família real descobrisse a verdade, eu me arriscaria a um processo por quebra de contrato, multas pesadas e talvez até prisão.

Ela deve ter percebido a agitação em meu rosto.

— O quê?

Eu iria abrir mão de *trinta mil rúpias* e um futuro garantido para Radha! Mas o bebê teria um lar muito mais amoroso.

Apontei para a janela com o queixo. Kanta e Manu tinham levantado do banco. Estavam caminhando para o outro lado do hospital, onde ficava o berçário.

— Kanta não pôde segurar o bebê dela. É por isso que ela gosta tanto de ir ao berçário segurar o seu.

Radha levantou as sobrancelhas e olhou pela janela.

— Ela canta para ele. Ele parece gostar — falei.

Minha irmã sorriu.

— Ela inventava uma porção de musiquinhas bobas quando nossos bebês estavam na barriga. Como Pitaji fazia.

— Se Kanta criasse o seu bebê... — Olhei para Radha. Meu coração batia muito rápido no peito. — Será que ela ia ler Shakespeare ou *Os contos de Krishna* para ele?

Os olhos dela brilharam.

Segurei suas mãos nas minhas.

— Será que ela lhe daria comidinhas gostosas?

Os lábios de Radha se abriram.

— Ela adora meu *laddus*. — Sua voz era um sussurro.

— Sua *saas* lhe daria leite de rosas também?

Os olhos dela estavam cheios de encantamento e esperança.

— Até ele ficar cor-de-rosa.

Eu sorri e encostei a testa na dela.

— E Kanta iria amá-lo muito?

Minha *choti behen* balançou lentamente a cabeça, concordando. Ela apertou minhas mãos.

— Mas, Jiji, e a família que queria adotar o bebê?

— Deixe isso comigo.

Kanta estava olhando para algum ponto além de mim, como se eu tivesse ficado transparente. Fiquei na dúvida, por um momento, se ela tinha me ouvido. Então ela respondeu:

— Mas, Lakshmi, e o contrato com o pa...

— Eu dou um jeito. — Radha ainda não sabia que o adotante era o palácio. Agora, eu nunca contaria a ela.

Observei a hesitação no rosto de Kanta: ela queria que fosse verdade, mas deveria mesmo acreditar nessa sorte?

Manu, com ar atônito, virou-se para Radha.

— Você tem certeza?

— Vocês vão cuidar dele como se fosse seu. — Radha falava sério. Só eu notei como suas mãos apertavam o lençol, como os nós dos dedos estavam brancos. Até aquele momento, outros tinham feito escolhas por ela. Agora, a decisão tinha sido dela, a mais difícil de sua jovem vida.

— Você está certa, Tia. Eu não posso cuidar dele, nem em Jaipur, nem em Ajar, nem em Shimla. Mas você pode, Tia. Você pode, Tio.

Em sua empolgação, Kanta e Manu não conseguiam disfarçar a alegria; eles responderam ao mesmo tempo, falando um por cima do outro. Apertei as mãos sobre os lábios, feliz por eles.

— Nós vamos cuidar da *melhor* maneira...

— ... ele já é da família...

— ... eu sei que ele gosta de castanhas-de-caju salgadas...

— Claro que vamos esperar que ele tenha dentes...

Se eu soubesse o que Kanta ia dizer em seguida, eu a teria impedido, dito a ela que era precipitado, o tipo de atitude tomada pelo coração, não pela cabeça. Mas Radha concordou com entusiasmo, aceitando a oferta: ela não ia voltar para a escola. Ficaria com Kanta e seria a *ayah* do bebê.

Kanta e Manu abraçaram Radha, os três rindo e chorando ao mesmo tempo, enxugando as lágrimas no rosto um do outro.

O dr. Kumar estava sentado atrás de sua mesa, com a caneta na mão, quando entrei na sala.

— Eu pensei no seu convite. Vou lhe prestar assessoria profissional, doutor.

Ele largou a caneta e tentou, sem sucesso, não parecer entusiasmado demais.

— Isso é fantástico! É totalmente...

— Mas houve uma mudança nos planos.

— Mudança?

Eu me preparei para sua reação.

— O sr. e a sra. Agarwal vão adotar o bebê de Radha.

Agora ele pareceu confuso.

— Eu... Eu não entendo. O palácio...

— Eu estava esperando que o senhor pudesse... Os papéis que vai apresentar a eles...

Ele apoiou a cabeça nas mãos e baixou os olhos para a mesa.

— Sra. Shastri? Por acaso a senhora está...?

— Preciso saber motivos que fariam o palácio rejeitar o bebê. Razões médicas. — Eu sabia o contrato de cor, mas ele saberia a terminologia apropriada.

Suas mãos desceram da cabeça para as faces e ele as deixou ali, esticando a pele de maneira bizarra. De repente, levantou e deu a volta na mesa para conferir a porta da sala, embora eu tivesse certeza de a ter fechado quando entrei.

— A senhora sabe que está me pedindo para fazer...

— A coisa certa.

Ele se sentou outra vez atrás da mesa e cruzou as mãos. Pegou a caneta-tinteiro e a fechou, depois a bateu levemente no papel à sua frente, manchando a mão e o que quer que estivesse escrevendo.

— Essa decisão foi de Radha?

— Foi.

Seu olhar pousou na estante atrás de mim.

— Eu lhe disse que algo assim poderia acontecer. Antes de o bebê nascer, poderíamos ter cancelado o contrato. É tarde demais agora.

— Ainda não percebeu, dr. Kumar, que o caminho errado às vezes pode acabar se revelando o certo? O bebê ficará melhor com uma mulher que o ama do que em um palácio cheio de estranhos. A família real pode adotar outro bebê da casta xátria, com a linhagem de sangue correta.

Era difícil ler a expressão de Jay Kumar. Seus olhos eram pérolas cinzentas, a borda externa luminescente. Ele mordeu o lábio inferior, levantou o corpo desengonçado da cadeira e começou a andar pela sala, esfregando o queixo com a mão manchada de tinta.

— Dr. Kumar — eu disse. — Por favor.

Ele se sentou de novo, pegou a carta que estava escrevendo e notou o borrão. Soltou o ar pela boca e rasgou a página ao meio. Depois procurou entre a pilha de papéis à sua esquerda e tirou uma folha; eu vi que era um formulário com o selo da família real. Ele abriu a caneta-tinteiro, deu uma olhada rápida em minha direção e corrigiu cuidadosamente um número no formulário.

— A frequência cardíaca normal de um recém-nascido varia de cem a cento e vinte batimentos por minuto — disse ele. — No entanto, quando o coração está aumentado, a frequência cardíaca é muito mais baixa.

Ele pegou uma folha em branco de seu bloco. A caneta deslizou pelo papel e encheu a página em menos de dois minutos. Então levantou a carta terminada, soprou para secar a tinta e a entregou a mim.

3 de setembro de 1956

Prezado dr. Ram,

Às 6h20 do dia 2 de setembro de 1956, a paciente que o senhor confiou aos meus cuidados deu à luz um bebê do sexo masculino, pesando três quilos e cem gramas. Embora não haja nenhum defeito físico aparente, os sinais vitais revelaram uma frequência cardíaca de 84 bpm. Como o senhor bem sabe, cardiomiopatia hipertrófica obstrutiva ou hipertrofia septal assimétrica são sugeridas em casos como esse. Se não agora, talvez no futuro, quando o miocárdio tiver sido comprometido.

Atribuo a complicação ao nascimento prematuro, já que o bebê veio ao mundo três semanas antes da data prevista. Gostaria de ter notícias melhores. A sra. Shastri entrará em contato para tratar da rescisão do contrato.

Por favor, transmita minhas mais sinceras condolências ao palácio. Sou muitíssimo agradecido ao senhor por ter confiado a mim uma tarefa tão privilegiada e auspiciosa.

Atenciosamente,
Jay Kumar, M.D.

Li duas vezes. Ninguém sairia mal da situação: a família real, dr. Kumar ou os Singh. Mas quem ia pagar as contas hospitalares de Radha agora? Tirei depressa o pensamento da cabeça. Uma coisa de cada vez.

Li a carta novamente. Só então me ocorreu que Jay Kumar estava abdicando de sua oportunidade de fama. Ele teria sido o médico que fez o parto do novo príncipe herdeiro de Jaipur.

Olhei para ele.

— Eu sinto muito.

Ele devolveu meu olhar.

— A sra. Agarwal será uma excelente mãe — disse. — Com toda a certeza.

Ele empurrou a carta e o formulário para mim sobre a mesa. Só faltava agora minha assinatura. Ele me passou a caneta-tinteiro.

Vinte

Jaipur, estado do Rajastão, Índia
15 de outubro de 1956

Fiquei duas semanas em Shimla. Em meu retorno a Jaipur, no fim de setembro, eu me sentia mais feliz, mais leve, como não me sentia havia muito tempo. Em Shimla, eu trabalhara com pessoas que precisavam de mim, que valorizavam o que eu tinha a oferecer. O povo do Himalaia tinha acolhido minhas sugestões avidamente, como o solo seco recebe a chuva. Alguns haviam chegado à clínica do dr. Kumar levando flores silvestres e comidinhas feitas em casa como presente de agradecimento a mim. Desde o tempo com minha *saas* eu não experimentava tanta alegria em curar os outros.

Ver Kanta e Manu com o bebê de Radha havia melhorado meu estado de ânimo também. Eles eram pais amorosos, ansiosos para cuidar bem de seu primeiro, e agora único, filho. Eu observara Radha para detectar sinais de ciúme, mas ela parecia satisfeita em compartilhar o bebê com a tia e o tio. Eles voltariam juntos para Jaipur em uma semana, e Radha ia morar com eles.

Bastaram poucos dias em Jaipur, porém, para me trazer de volta à realidade da minha vida. Depois de treze anos de trabalho árduo, eu estava de novo onde começara, tão pobre como havia sido aos dezessete anos. Não íamos mais receber trinta mil rúpias do acordo de adoção. Eu havia recusado a comissão de casamento cheia de condicionantes de Parvati. Não tinha dinheiro para pagar o empréstimo a Samir ou as contas do Hospital Lady Bradley. Meus sáris estavam desbotados de tantas lavagens; não havia dinheiro para roupas novas. Eu ia a pé para meus poucos compromissos (clientes como a sra. Patel haviam se mantido fiéis), para não gastar com riquixás.

Poderia ter pedido dinheiro para Kanta e Manu, mas daria a impressão de que eu estava querendo uma compensação pelo bebê que meus amigos haviam adotado. Eu me arrepiava só de pensar nisso.

Eu tinha outras dívidas. O fornecedor de óleo de *neem*, a quem eu devia várias centenas de rúpias, veio bater à minha porta. Seis meses antes, eu teria dito para ele falar com Malik. Hoje, só lhe mostrei minhas mãos vazias. Ele tinha um rosto magro de falcão, com os olhos muito próximos. Examinou minha propriedade, meus pertences modestos, minha blusa gasta. Percebi que ficou surpreso ao ver como eu havia decaído.

Seus olhos pequenos me estudaram, demorando-se em meu peito, até que senti a necessidade de cruzar os braços sobre os seios.

Ele pigarreou e engoliu.

— Você pinta mulheres com henna, não é?

Confirmei com a cabeça.

— Pode pintar henna na minha esposa em troca do que me deve.

Quando cheguei à casa dele, o vendedor disse que sua esposa estava esperando no quarto. Eu me encaminhei para lá e ele segurou meu braço.

Enrijeci.

— Quero que você pinte henna nos seios dela.

Eu o encarei com surpresa. Desde meu tempo em Agra com as cortesãs, nunca me haviam pedido para pintar com henna outras partes do corpo que não mãos e pés, com a exceção da barriga de Kanta, que tinha sido minha ideia.

Eu não podia recusar. Não tinha outra maneira de pagar o que devia. Entrei no quarto e fechei a porta. A esposa do vendedor, uma mulher magra e escura como uma casca de coco, esperava por mim no chão, o cabelo coberto com o *pallu*. Como estávamos sozinhas, sugeri que ela talvez se sentisse mais confortável descobrindo a cabeça. Ela sorriu timidamente e recusou, escondendo ainda mais o rosto com o sári.

Então me surpreendeu dizendo:

— Você está mais magra. — Ela havia me visto em dias melhores, quando eu ia à loja de seu marido com Malik.

Eu tinha parado de dar razões para minha perda de peso. Quando alguém perguntava ou reparava, eu apenas encolhia os ombros. Quase diariamente, Malik me trazia petiscos que o chef do palácio preparava, mas eu só dava algumas mordidas antes de perder o apetite.

Pedi que ela tirasse a blusa. Ela havia amamentado três filhos e seus seios eram flácidos. Usei o desenho de henna para ocultar tantas estrias quanto possível. Tinha terminado de decorar um seio quando ouvi a porta do quarto ranger. Levantei o palito de bambu e me virei. O vendedor de óleo estava parado à porta, palitando os dentes inferiores.

Levantei a sobrancelha para perguntar o que ele queria.

— Continue — disse ele, entrando no quarto. Ele fechou a porta. Sua esposa se encolheu mais dentro do sári.

— Meu trabalho com as senhoras é privado. Você pode ver daqui a pouco, depois que eu for embora.

— É você que tem a dívida, lembra?

Baixei os olhos e me virei de volta para a esposa.

— Você pode pintar um rosto? Nos seios dela?

Eu o ignorei e mergulhei o palito na henna.

— Estou pintando uma espiral de folhas novas, uma bênção infinita de boa sorte para sua casa.

— Outros desenhos podem fazer o mesmo. — A voz dele ficou mole de uma maneira que me deu calafrios. Eu podia imaginar o olhar malicioso em seu rosto.

— O que, por exemplo?

— O seu rosto.

Que audácia! Ele sabia como eu estava desesperada, ou não teria ousado. O insulto não era dirigido apenas a mim, mas à mãe de seus filhos. Que isso pudesse humilhá-la ou envergonhá-la não importava para ele; ela era sua propriedade. Senti nojo, como havia sentido na casa do *kulfi-walla** mais cedo naquela semana, quando ele me pediu para passar henna em seu cabelo. Claro que eu havia recusado. O talento artístico de que eu tanto me orgulhava não valia nada para pessoas como ele.

---

* *Kulfi-walla*: sorveteiro.

— E então?

Eu tinha vontade de jogar alguma coisa nele para fazê-lo calar a boca, mas o palito de bambu era leve demais e meu pote de henna muito precioso. Eu o encarei.

— Não. O acordo foi pintar os seios dela.

Ele mascou o palito.

— Tudo bem — disse depois de um momento. Mas não saiu. Ele se sentou no chão, atrás de mim. Mudei um pouco de posição para não ter que olhar para ele nem com o canto dos olhos. Continuei a desenhar os padrões de folhas que espiralavam para fora e para cima do mamilo, para fazer seus seios parecerem mais elevados.

Depois de alguns minutos, eu o ouvi se mexendo. Soube por um ligeiro movimento da cabeça dela que sua esposa tinha ouvido também. Uma onda de náusea subiu pelo meu corpo quando percebi que as mãos dele estavam dentro do *dhoti*. Senti a vergonha dela, e algo mais. Seu ressentimento. De *mim*, não dele.

Larguei o palito no chão e levantei de um salto. Apressada, comecei a recolher meus pertences para dentro da sacola.

Ele segurou meu braço. Sua mão estava quente por ter se tocado; eu me soltei dele.

— Não encoste em mim!

Peguei o pote de henna.

— Você não terminou! — ele disse.

Cerrei os dentes.

— Prefiro limpar latrinas a entrar nesta casa outra vez.

Ele arrancou o pote de henna da minha mão e o jogou na parede.

— Você está me *passando para trás*? — A pasta espirrou pelo chão e pelas paredes. Sua esposa tirou o sári do rosto e, por um momento, ficamos os três olhando para o estrago.

A vasilha de Saasuji, meu precioso pote de henna, era um monte de cacos. Eu poderia comprar outro por poucas rúpias no Bazar da Cidade Rosa, mas aquele tinha feito eu me sentir perto dela mesmo quando me mudei para mais de mil quilômetros de distância.

Furiosa, enfiei o cotovelo nas costelas do vendedor e o empurrei contra a parede com toda a minha força. Seu ombro bateu na moldura da porta e ele caiu. Eu o havia deixado sem ar. Antes que ele pudesse recuperar o fôlego, peguei o máximo que consegui dos cacos de argila, joguei-os na sacola e saí correndo da casa.

Corri para o outro lado da rua e virei na primeira viela. Um rato fugiu por um dos lados, na água barrenta e fétida. Apoiei o braço na parede deteriorada, me curvei e vomitei. Chá com leite rodopiou na fossa cor de tabaco.

Uma lembrança de uma viela semelhante veio à minha mente. Eu aos dezesseis anos. Em minha aldeia. Fugindo de um Hari furioso e violento. Pondo as tripas para fora.

E ali estava eu aos trinta anos, ainda tentando escapar. Mas para onde eu poderia ir?

— *Ji?* A senhora está bem?

Eu me virei.

Lala, a ex-criada de Parvati, me olhava com preocupação. Ela me levou para longe do esgoto e usou a ponta de seu sári para limpar o canto da minha boca.

Segurei seu pulso para detê-la e limpei a boca com meu próprio *pallu*.

— É um hábito difícil de perder — disse ela, sorrindo —, depois de criar os meninos da *MemSahib* por todos esses anos.

Seu rosto escuro estava mais fino do que eu me lembrava, as faces encovadas. Vi seu sári remendado.

— Para onde vocês foram depois...? — Não consegui completar a pergunta. Eu já sabia por que ela e a sobrinha tinham sido demitidas da casa dos Singh. Samir tinha confirmado.

A mulher passou a língua sobre os dentes.

— Primeiro para a casa do meu irmão. Ele é um grande homem, um construtor, e tem recursos. Mas ele nos rejeitou porque ela estava grávida. No fim ele acabou arranjando um casamento para ela.

Eu me lembrei que Naraya arranjara um casamento às pressas para sua filha grávida.

— Seu irmão... ele se chama Naraya?

Os olhos dela se encheram de lágrimas.

— *Hahn.* — Ela enxugou os olhos no sári. — Não existe homem mais duro que ele. Chamou a própria filha de prostituta, cadela.

Eu já sabia a resposta, mas tinha que perguntar.

— E Ravi...

— Eu criei o menino, mas o estraguei com mimos também. Todos nós fizemos isso. Um menino tão bonito. Eu disse para minha sobrinha que ele não era para o bico dela. Mas ela não quis ouvir.

— Onde ela está agora?

As lágrimas desceram pelas faces enrugadas da velha senhora.

— O marido a pôs para fora de casa quando descobriu que ela já estava grávida. Ela se sentou no pátio, *Ji*, e ateou fogo no próprio corpo. Os dois morreram, ela e o bebê.

Minhas pernas cederam. Eu teria caído se Lala não me apoiasse.

— Eu ouvi falar sobre os seus sachês. Eles poderiam ter ajudado minha sobrinha. — Aquele dia, um ano antes, na casa de Parvati. Eu me lembrava de Lala de pé na varanda. Tive a sensação de que ela queria falar comigo, mas pareceu perder a coragem. Eu devia tê-la procurado e perguntado do que ela precisava. Era o tipo de coisa que minha *saas* teria feito. Como eu tinha me distanciado de tudo que minha sogra havia representado!

Olhei para Lala. Ali estava eu sentindo pena de mim mesma, quando essa mulher havia dado tudo, até mesmo sua subsistência, para cuidar da sobrinha.

— E você, Lala? Como...?

— Eu tentei procurar outras senhoras, mas *MemSahib* deu um jeito de nenhuma delas me contratar. Eu limpo casas agora. Aqui, nesta área.

Parvati havia arruinado Lala também para proteger seu filho do escândalo.

Fiquei de pé, apoiando-me em Lala, tonta com o esforço.

— Eu queria... Eu sinto tanto...

— Somos impotentes contra a vontade de Deus, *Ji*.

Ela afagou minhas costas, como teria feito para consolar uma criança.

Minha *saas* não teria me repreendido por minhas ações, ou pela falta delas. Ela teria dado um tapinha em meu braço com compaixão, como Lala estava fazendo agora, o que era pior. Eu tinha vontade de trocar de pele e começar tudo de novo.

Murmurei um pedido de desculpas e voltei para casa.

Malik me encontrou a um quilômetro e meio de Rajnagar. Ele fedia a cigarros.

Afastei-me um pouco. Eu fedia também, a vômito e vergonha.

Estava segurando um pedaço do meu pote de henna na mão. Ele o viu.

— Vou levar você para casa — disse ele.

— Eu não tenho dinheiro para um riquixá.

— *Eu* tenho.

— Eu não quero o seu dinheiro — falei, arrependendo-me em seguida do meu tom ríspido. — Tenho duas pernas.

— Eu também. Vamos andar juntos.

Malik era meu ajudante, e meu amigo, fazia muito tempo. Ele me seguiu por Jaipur durante dias antes de eu notá-lo. Quando o notei, vi uma criança magricela, maltrapilha, descalça, me observando com olhos alertas e límpidos. Soube que, se esperasse um pouco mais, ele viria até mim. Quando ele veio perguntar se podia carregar meus *tiffins*, falou com respeito, mas também com uma autoconfiança que contrastava com sua pouca idade e seu corpo frágil. Passei os *tiffins* para ele, como passei minha sacola para ele agora.

Eu não merecia sua lealdade, como não merecia o conforto que Lala tentara me dar.

— Tia Chefe.

— Eu não sou mais sua chefe.

— Você vai ser sempre a minha chefe — disse ele, com o sorriso que lhe vinha tão fácil. — Porque você é mais inteligente que o chef do palácio. — Ele começou a andar de costas para ficar de frente para mim. — Eu falei para ele que podia conseguir as castanhas-de-caju mais doces de todas com os Pathan, bem melhores do que as que ele usa no curry de cordeiro, e pagando menos do que ele paga agora. O ignorante recusou. Sabe por quê?

Não respondi, esperando.

— Porque ele não faz negócios com muçulmanos. Exceto eu, claro! Mas você é uma negociante melhor. Você teria escolhido a proposta mais lucrativa.

Parei de andar.

— Se eu sou tão inteligente, por que não tenho um gato para puxar pelo rabo?

— *Arré!* Isso é culpa minha! Quando você estava em Shimla, eu contei vantagem sobre a sua henna para o *kulfi-walla*. — Malik cuspiu. — Ele passou henna no cabelo e disse para todo mundo que *você* que tinha feito! Agora toda Jaipur acha que você tocou a cabeça impura dele.

Isso explicava por que a costureira e o vendedor de hortaliças atravessaram a rua quando me viram. E por que o *doodh-walla* tinha parado de entregar meu leite. Quando eu perguntei ao leiteiro se havia esquecido, ele disse que não ia pegar dinheiro de uma brâmane decaída. Agora eu me esgueirava semanalmente para uma loja a vinte minutos da minha casa, escondendo o rosto no *pallu*, tentando não chamar atenção, como uma criminosa.

Malik pegou uma pedra e a lançou, me olhando de lado.

— Você não pode continuar assim.

Alguma coisa no jeito como ele falou rompeu o que quer que ainda estivesse me mantendo inteira. Parei, cobri a boca com o sári e soltei um soluço.

Malik pôs o braço sobre meus ombros. Eu deixei.

— Tia Chefe, eu sei que você trabalhou muito. Mas será que não era mais feliz antes de construir aquela casa? Seu negócio era bom, você tinha dinheiro no banco. Era livre para fazer o que quisesse.

— Eu nunca fui livre, Malik. Não mais do que sou agora.

— Então mude daqui.

— Para onde? Para fazer o quê?

— A mesma coisa que fazia aqui. Talvez para Delhi ou Bombaim. Eu vou com você.

— Você está indo bem aqui.

— Não acabei de dizer que não gosto de trabalhar para ignorantes, madame?

Querido Malik. Como eu havia sentido falta dele.

Soltei um longo suspiro.

— Começar de novo não é fácil.

Malik fez uma cara de que havia tentado ser paciente comigo enquanto aguentou, mas que havia chegado a hora de um remédio mais forte.

— E quando isso foi empecilho para você, Tia Chefe? Você precisa mudar de Jaipur, não tem outro jeito. A menos que tenha alguma ideia melhor.

Minha barriga e meus seios estavam vermelhos de tanto esfregar. Fragmentos de casca de coco e lascas de carvão me espetavam nas axilas, na parte de dentro das coxas e no couro cabeludo. Removi os resíduos da pele com a palma das mãos, com uma careta de dor, rezando para que aquela penitência me fizesse sentir menos suja. Mas, por mais que eu esfregasse, ainda podia sentir a mão do vendedor de óleo de *neem* em meu braço, sua respiração em minhas costas. E começava toda a limpeza outra vez.

Quando fiquei cansada demais para continuar, massageei a pele dolorida com óleo de lavanda. Vesti um sári limpo, com a barra puída. Enquanto penteava o cabelo emaranhado, meu olhar pousou no buraco na cama que eu pretendia consertar — já fazia um ano? — quando a juta começou a esgarçar. Agora o tecido havia aberto totalmente. Durante o sono, às vezes meu pé passava por dentro do furo.

Um *sadhu** chamou da rua para pedir comida. Larguei o pente e enrolei em um jornal os *chapattis* que Malik tinha trazido no dia anterior. Corri para

---

* *Sadhu*: homem santo.

a porta para lhe dar os pães. O homem santo, coberto com um pano cor de açafrão desbotado, estava esperando, apoiado em uma bengala. Ele havia renunciado ao seu lar e a confortos materiais e se libertado do ego, algo que eu não tinha coragem de fazer.

Quando lhe estendi minha oferta, ele disse uma bênção em um dialeto que não entendi. Mas não pegou a comida que eu lhe dava. Ficou parado, olhando para mim.

Nas pupilas de seus olhos, vi o que ele via: um projeto de mulher, os fios de cabelo molhados pendendo como cobras em volta dos ombros, o sári gasto. Pescoço e braços arranhados e sangrando. Percebi que eu lhe parecia tão deplorável que *ele*, que tinha tão pouco, estava recusando a comida que eu lhe oferecia.

Empurrei os *chapattis* para sua mão, rispidamente, e corri de volta para dentro, batendo a porta. Eu me recostei ali e fechei os olhos, o coração pulando sem controle no peito.

Quando minha respiração voltou ao normal, fui até a mesa de trabalho. Com as mãos trêmulas, abri a carta que havia chegado na véspera.

10 de outubro de 1956

Minha cara sra. Shastri,

Nossa situação atual seria mais bem descrita pelo sr. Dickens: foi a estação da Luz, foi a estação das Trevas. Infelizmente, a migração das tribos das montanhas e seus rebanhos para climas mais meridionais produziu uma súbita parada em nossa clínica local e, com isso, em nosso acordo de assessoria (pelo menos até a mudança da estação). Há, porém, luz nas trevas: a oportunidade de começar a planejar o jardim de ervas.

Se a senhora estiver disposta a passar um tempo mais prolongado em Shimla, poderia estudar nosso clima, as condições do solo e as ervas locais, conversar com os moradores da cidade (encontraria entusiastas das ervas até mesmo em nossa equipe) e formular um plano para o desenvolvimento da Horta Medicinal Lady Bradley.

Diga que vai pensar em minha proposta e me ajudar a cuidar das pessoas de Shimla. Claro que pretendo fazer tudo que estiver ao meu alcance para convencê-la a se estabelecer em nossa bela cidade quando a senhora estiver aqui. Nossa região não é bonita? Nosso povo não é adequadamente hospitaleiro?

É inegável que a senhora tem um serviço valioso para oferecer às damas de Jaipur, mas, a crer no que me disse a sra. Agarwal, a senhora foi vítima de acusações inesperadas e injustas. Vou falar claramente. O orgulho não deveria interferir na possibilidade de compartilhar seu talento com um público maior. (A sra. Agarwal não deve ser responsabilizada por ter dividido a sua situação comigo. Quando ela pagou a conta médica da sua irmã, eu me senti compelido a perguntar como a senhora estava. Se ela não me contasse, talvez eu não tivesse coragem de lhe escrever com esta proposta.)

A senhora tem muito para nos ensinar. Seu trabalho poderia ajudar, como já ajudou, a salvar algumas vidas e trazer alívio aos nossos pacientes. As pessoas da montanha não a esqueceram. (Nossa paciente grávida da tribo gaddi que a senhora ajudou não deixa de enaltecer sua prescrição de melão-de-são-caetano. O bebê deve nascer a qualquer momento!)

Eu espero, sinceramente, que a senhora considere, e aceite, este convite. Aguardo com ansiedade sua chegada, como um aluno interessado e disposto e como seu amigo dedicado.

Com grande respeito e expectativa,
Jay Kumar

A generosidade de Kanta trouxe lágrimas aos meus olhos. Ela sabia que, se me contasse o que ia fazer, eu a impediria. As despesas hospitalares de Radha eram uma preocupação a menos agora.

Pensei no que Malik havia dito. Não pela primeira vez, ele sugeriu que eu me mudasse de Jaipur.

Jay Kumar estava me oferecendo uma chance de curar, de trabalhar com pessoas que queriam o que eu tinha para dar. Que acreditavam que meu conhecimento era importante. Era uma chance de fazer o trabalho que minha *saas* havia me ensinado. Ela ainda vivia em mim. Eu poderia deixá-la orgulhosa outra vez. Poderia voltar a ter orgulho de mim mesma.

Mas... a minha casa! Eu tinha sonhado com ela, trabalhado tanto por ela, construído tudo ao meu gosto. Mudar-me significaria abandoná-la.

No entanto, o que a casa havia me trazido além de dívidas, ansiedade, noites insones? Será que eu realmente precisava anunciar minha entrada no mundo dos bem-sucedidos, como antes me parecera tão importante? O sucesso era efêmero, e inconstante, como eu havia descoberto da maneira mais sofrida. Ele chegava. Ele ia embora. Mudava por fora, mas não por dentro. Por dentro eu ainda era a mesma menina que sonhava com um destino maior do que me era permitido. Será que eu precisava mesmo da casa para provar que tinha talento, habilidade, ambição, inteligência? E se...

De repente, tudo ficou mais claro. Era a mesma leveza que eu havia sentido em Shimla. Respirei fundo. Era como se já pudesse sentir o cheiro do ar revigorante das montanhas azuladas do Himalaia.

Antes que eu perdesse a coragem, arranquei uma folha em branco do meu caderno.

15 de outubro de 1956

Samir,

É com grande tristeza que preciso deixar a cidade que chamei de lar por onze anos. Fique tranquilo, não vou embora sem acertar minhas dívidas. Para pagar seu empréstimo, porém, vou ter que vender minha casa. Agentes imobiliários não gostam de representar proprietárias mulheres, por isso preciso pedir que você faça isso por mim. Se você concordar, gostaria que deduzisse o empréstimo do valor da venda e encaminhasse o restante para o endereço abaixo.

Se as circunstâncias tivessem sido diferentes, nossa associação poderia ter continuado. Mas como diz o ditado: De que adianta chorar sobre o leite derramado?

Vou partir para Shimla em um mês. Por favor, me avise de sua decisão na próxima semana.

Lakshmi Shastri
a/c Hospital Lady Bradley
Harrington Estate
Shimla, Himachal Pradesh

Reli a carta várias vezes. Satisfeita, peguei outra folha e escrevi para Jay Kumar. Depois soprei a luz da lamparina e dormi por doze horas seguidas.

Dois dias mais tarde, um mensageiro chegou à minha porta. Abri o envelope com perfume de lavanda.

Lakshmi,

Você pediu para Samir vender sua casa. Não importa como descobri; eu apenas sei. Mas seria surpresa para você saber que eu prefiro ficar com seu piso de mosaico a vendê-lo? Envio aqui o dinheiro pela casa, deduzido o empréstimo (sim, eu sei sobre isso também). Não estou comprando sua estima (estamos quites nisso), apenas reconhecendo que talvez nunca mais tenhamos alguém com a sua mão para tornar nossas mãos tão maravilhosas.

Parvati

Não era exatamente um perdão. Nem um pedido de desculpa. Mas me libertou de algo dentro de mim: de uma espiral de ressentimento, de um rancor antigo. Fiquei sentada com a carta nas mãos por um longo tempo.

Vinte e um

20 de outubro de 1956

Eu tinha dinheiro agora. Não havia motivo para adiar o inevitável.

Peguei um riquixá para a casa de Kanta.

Eu vinha evitando Kanta, Radha e o bebê desde que eles retornaram de Shimla havia algumas semanas. Sentia saudade deles. Mas queria que tivessem um tempo em família. E não queria que Radha percebesse como eu estava por baixo, tentando dar um jeito em minha vida.

— Lakshmi! Que bela surpresa! — Kanta me abraçou. Ela parecia feliz, renovada. Não tinha mais olheiras. Suas faces estavam mais cheias. — Radha está no quarto do bebê. Vá até lá. Eu preciso me sentar com Saasuji para as orações, depois vou me encontrar com vocês.

A sogra de Kanta havia aceitado o bebê como seu neto. Se desconfiou da verdade sobre o nascimento ou notou a semelhança com Radha, não disse nada. Ela agora tinha o neto que desejava.

Parei ao lado da porta do quarto do bebê, que estava entreaberta. Se ele estivesse dormindo, não queria acordá-lo. Escutei a voz de Radha dentro do quarto.

— "'Como ousa me provocar com sua presença?', rugiu o cruel rei Kansa. Tantas vezes ele havia tentado destruir o Senhor Krishna e tantas vezes havia falhado."

Entrei sem fazer barulho. De costas para mim, Radha se movia para a frente e para trás na cadeira de balanço. O bebê estava aninhado em seus braços e ela lia para ele seu livro *Os contos de Krishna*, agora tão gasto que as páginas haviam sido presas na lombada com fita adesiva.

Kanta e Manu tinham dado ao bebê o nome de Nikhil. Na cerimônia do nome, Kanta purificou a testa do bebê com água antes de entregá-lo à sua *saas* para a bênção ritual. Pela data e horário do nascimento, o *pandit* havia declarado que o nome do bebê deveria começar com *N*. Por causa dos olhos azuis, Neel teria sido a escolha natural, mas Manu sussurrou Nikhil quatro vezes no ouvido do bebê, decidindo a questão.

O bebê gorgolejou.

Radha murmurou:

— Ei, foi exatamente isso que Krishna disse! — E se inclinou para beijar o rosto dele. — Como você é esperto!

— Ele certamente é bonito como Krishna.

A cadeira de balanço parou de repente e Radha se virou para olhar para mim.

— Jiji! Você me assustou! — Ela estava com a testa franzida.

Em uma das mãos, ela segurava uma mamadeira que provavelmente havia sido arrancada da boca do bebê. Ele esticou os dedinhos roliços, querendo-a de volta, mas ela largou a mamadeira quase vazia dentro de sua sacola de bebê.

Haveria culpa em seu rosto ou eu estava imaginando coisas?

— Desculpe. Eu não queria acordá-lo se ele estivesse dormindo.

Segurei uma das mãos gordinhas do bebê e a balancei com a minha. Ele olhou para nossos dedos unidos. Parecia bem alimentado, feliz. Usava uma roupinha de linho creme.

— A Tia não me falou que você vinha. — Havia acusação na voz dela. Como eu temia, ela achava que eu tinha ido lá para inspecioná-la.

Radha levantou o bebê no ombro, onde já havia uma toalha limpa preparada, para fazê-lo arrotar. Eu ainda me maravilhava ao ver como ela sabia essas coisas instintivamente, como se tivesse criado muitos bebês.

— Ela não sabia. Malik e eu temos grandes novidades...

Kanta entrou de repente no quarto.

— O *puja* acabou! Pronto, já posso amamentá-lo.

— Ele está quase dormindo. — Radha levantou da cadeira, dando tapinhas nas costas do bebê.

Kanta ficou parada no meio do quarto, hesitante.

— Mas... já faz horas que ele mamou. Você acha que ele está bem? Ele não está doente, está?

Radha inclinou a cabeça, como se ela fosse a adulta e Kanta uma criança.

— Ele está bem, Tia. Você se preocupa demais.

Os olhos de Kanta pousaram na toalha de boca.

— Você não deu mamadeira para ele, não é?

Radha me olhou de relance antes de responder.

— Só um pouquinho. Ele estava agitado.

Atrás de Kanta, eu franzi a testa. Vi que a mamadeira estava quase vazia quando entrei no quarto. Por que Radha tinha mentido?

— Mas, Radha, se você der muito a mamadeira para ele, meu leite vai secar. — Kanta sorriu timidamente para mim. — É que... eu queria amamentar até que ele tivesse um ano... ou mais, se ele quiser. — Ela olhou para Radha. — Isso me faz sentir mais próxima dele. Como se fosse sua mãe.

Era como se ela estivesse pedindo desculpas a Radha por *querer* amamentar o bebê.

Minha irmã percebeu minha expressão, enrubesceu e desviou o olhar. Ela pôs Niki, desajeitadamente, no braço de Kanta.

— Preciso lavar as fraldas. — Pegou um cesto de fraldas sujas e saiu do quarto.

Kanta se sentou na cadeira de balanço e abriu os botões da blusa. Puxou para fora um seio pequeno e o apontou para a boca do bebê, mas ele virou a cabeça. Ela tentou de novo, e de novo, mas ele não estava interessado, já tendo tomado o que queria na mamadeira. Ela pareceu desapontada. Levantou o bebê no ombro e bateu em suas costas, enquanto lágrimas lhe enchiam os olhos.

— Kanta, o que foi?

De repente, sua expressão era de desalento.

— Eu não sei ser mãe. Eu quero, quero muito, mas... Radha parece saber tão mais que eu. Ela sabe como alimentá-lo, quando alimentá-lo. Quando colocá-lo para dormir. É como se ela fosse uma mãe melhor porque, bem, foi ela que o gerou.

Ela tentou rir, mas só saiu um grasnido.

— Olha só o que eu estou falando! Tenho tanta sorte de ter este lindo bebê para cuidar. — Ela beijou o braço gordinho. — Só estou sendo boba.

— Você acha... — comecei, com cuidado. — Será que a presença de Radha...?

Kanta sacudiu a cabeça vigorosamente.

— *Nahee-nahee.** Tenho certeza que é... Eu sou tão boba! Vi isso acontecer com muitas mulheres depois da maternidade. As emoções estão muito afloradas.

Ela se levantou da cadeira e colocou gentilmente o bebê, agora adormecido, no berço. Fingiu uma falsa alegria enquanto abotoava a blusa.

— Vamos tomar um chá?

Saímos do quarto.

Com biscoitos e chai, contei a Kanta e Manu sobre Shimla. Kanta bateu palmas. Manu me parabenizou. Respondi suas perguntas sobre o que eu ia fazer para o Hospital Lady Bradley e a clínica do dr. Kumar e eles reagiram com entusiasmo quanto ao meu futuro sucesso. Se não fosse por Kanta, eu lhes disse, eu nunca teria conhecido Shimla e me apaixonado por suas montanhas majestosas e seu povo hospitaleiro.

Depois de uma hora, pedi licença para contar a novidade a Radha. Tinha a sensação de que ela estava me evitando. Eu a encontrei no pátio dos fundos, pendurando fraldas no varal.

Quando lhe contei que Malik e eu íamos partir para Shimla em duas semanas e que Parvati Singh havia comprado a casa de Rajnagar, ela pareceu perplexa. Seus braços, que estavam levantados pendurando uma fralda molhada, ficaram paralisados no ar.

Sua reação me surpreendeu; achei que ela fosse ficar feliz por eu me mudar para tão longe.

— Você sabe que está na hora de eu sair de Jaipur — falei delicadamente. — Não posso mais ser uma artista de henna aqui e estou pronta para tentar algo diferente.

— Mas... eu nunca mais vou ver você?

Ocorreu-me de repente que, depois de tudo que havia acontecido, o afogamento de Pitaji, a morte de Maa e a traição de Ravi, ela poderia pensar que eu a estava abandonando também. Apertei seu braço e sorri.

— Você pode ir me ver sempre que quiser. Vou lhe mandar a passagem. Vá quando tiver vontade. Mas Malik vai estar ocupado na escola, então pode ser que você se sinta um pouco solitária.

Radha me olhou, cautelosa.

---

* *Nahee*: não.

— Malik? Na escola?

— Ele já perdeu tanto tempo, mas não vou mais deixá-lo escapar. Ele vai para a Escola Bishop Cotton para Meninos. — Baixei a voz em um sussurro brincalhão: — Ele já está treinando usar sapatos.

Pensei que ela fosse rir comigo, mas Radha estava perdida em pensamentos. Olhei para o cesto de fraldas lavadas e peguei uma.

— Deve ser difícil ver Niki todos os dias e saber que Kanta quer tanto sentir que é a mãe dele.

Havia uma sacola cheia de pregadores de roupa pendurada no varal. Peguei dois.

— Perder o bebê foi muito difícil para ela — falei. — Ela teve dois abortos espontâneos antes desse. Ela parece muito insegura. Bem diferente da Kanta tão alegre que costumava ser.

Pendurei a fralda no varal.

— Ela provavelmente tem receio de que Niki ame mais você. E você é tão boa com ele, tão natural. Se você não estivesse aqui... Bom, claro, você *está* aqui, mas... se não estivesse... será que o bebê se acostumaria a ficar apenas com Kanta?

Dei uma olhada para minha irmã. Ela estava mordendo o lábio inferior. Com Radha, eu só podia guiar e sugerir. Ela era determinada e seguia as próprias decisões. Isso era algo que eu havia aprendido.

Peguei outra fralda.

— Eu sei de uma excelente *ayah* que precisa de emprego. Ela trabalhava para outra família, mas não precisam mais dela. Lala é bondosa e ama crianças. Ela amaria Niki como se fosse seu filho. — Fiz uma pausa. — Isso, claro, se você decidir vir conosco para Shimla. — Toquei seu ombro. — A decisão é sua.

Ela olhou para mim e algo brilhou em seus olhos.

Continuei falando:

— Malik ia adorar, claro. Ele vai precisar de ajuda com a lição de casa. Se você estivesse estudando lá, poderia ajudá-lo. E o dr. Kumar sem dúvida também ia adorar. — Eu ri. — Ele sente falta de conversar com você sobre poesia.

Radha ficou em silêncio. Mas eu podia dizer, pelo jeito como ela torceu os lábios, que estava pensando na ideia.

Duas semanas depois, a casa de Rajnagar estava vazia. Os auxiliares da mudança haviam levado nossos pesados baús ao serviço de transporte para Shimla.

Malik tinha dado minha cama desgastada para um de seus amigos, cujo pai trabalhava com juta. Ficamos apenas com três sacolas de vinil, que levaríamos no trem.

No dia seguinte de manhã, Malik me pegaria em uma *tonga* para irmos à estação. Mas essa noite eu queria me despedir da minha casa. Acendi lamparinas junto às paredes para admirar o mosaico em meu piso pela última vez. Circulei pela sala, pensando nas horas que havia passado planejando o desenho. As flores de açafrão, para a ausência de filhos. O leão de Ashoka, a marca da ambição da Índia e da minha própria ambição. Meu nome em letra cursiva, escondido em uma cesta de ervas. E o nome da minha *saas*, por tudo que ela havia me ensinado.

Eu me senti mais animada. Deixaria o mapa da minha vida em Jaipur. Deixaria atrás de mim cem mil pinceladas de henna. Não chamaria mais a mim mesma de artista de henna, mas poderia dizer a todos que perguntassem: eu curei, eu aliviei, eu restaurei. Deixaria as desculpas inúteis pela minha desobediência. Deixaria o anseio de reescrever meu passado.

Minhas habilidades, minha avidez por aprender, meu desejo de uma vida que eu pudesse chamar de minha — essas eram coisas que eu levaria comigo. Eram parte de mim tanto quanto meu sangue, minha respiração e meus ossos.

Dei uma segunda, depois uma terceira volta na sala, movendo-me mais depressa. Ouvi o *kathak* soar em minha mente, *Dha-dhin... Dha-dha-dhin*, os antigos ritmos de uma dança que celebrava a morte do demônio Tripuraasur.

Dha-dha-dhin... Ta-tin... Dha-dha-dhin.

Dancei, unindo as mãos na forma de uma flor de lótus e ondulando os braços como peixes flutuando, como tinha visto Hazi e Nasreen fazerem em Agra. O que elas diriam se me vissem agora? Eu as imaginei, uma batendo palmas com entusiasmo, balançando os quadris roliços, a outra rindo. "Melhor deixar a dança para nós, dançarinas de *nautch*, Lakshmi!"

Eu ri.

Dha-dhin... Dha-dha-dhin.

Meus pés batiam no piso de mosaico, dançando ao som da *tabla** como se eu pudesse ouvi-la. Se não fosse pela minha *saas*, eu não teria como me virar sozinha, não teria nem podido arriscar a mudança para Agra, jamais teria construído minha casa.

---

* *Tabla*: instrumento de percussão, tocado com os dedos e a palma das mãos.

Dha-dhin... Dha-dha-dhin.

Uma sensação de flutuar no ar, de ver nuvens apressadas passando pelo céu infinito de Jaipur, cresceu dentro de mim. Girei mais depressa. Meu coração estava aos pulos.

Dha-dhin... Dha-dha-dhin.

Uma centena de vezes eu girei. Em direção a um fim e a um renascimento.

Dha-dhin... Dha-dha-dhin.

A porta se abriu de repente, deixando entrar uma lufada de ar frio.

Parei, sem fôlego, o peito subindo e descendo, o suor acumulado no pescoço.

Minha irmã estava na porta, com um embrulho aninhado nos braços. Era a colcha que eu tinha feito para Nikhil.

— Radha?

Ela levantou o embrulho para o ombro. Seus lábios tremeram.

— Eu sei que a Tia ama Niki. Eu sei disso. — Ela deu uma batidinha no embrulho. Sua respiração estava ofegante. — Mas eu não quero assim. Eu sei que ela é boa para ele, só que, toda vez que ela chega perto dele, eu tenho vontade de empurrá-la. Eu tenho vontade de gritar: "Ele é meu!" — Ela parou para respirar. Estava falando rápido demais.

— Radha...

— Eu sou grata por ela me manter perto do meu bebê. Mas... fico querendo impedir que ele a ame. Eu sei que isso parece horrível. Mas é verdade. Por que *ela* pode criar o meu bebê e eu sou proibida de fazer isso?

Eu sentia o sangue pulsando nas têmporas.

— O que você fez?

Ela estava balançando para a frente e para trás agora, apertando a colcha. Apertando forte demais.

— Eu a *odeio* por isso. Eu não quero, mas é como sinto. — Ela soltou um gemido de dor. — E eu quero que Niki a odeie também. Eu sei que isso parece horrível. Eu sei que sou egoísta. Mas não consigo evitar!

Seus braços amoleceram. O embrulho escorregou de suas mãos e foi para o chão.

— Não! — gritei e corri para pegá-lo.

A colcha se desenrolou. Um par de sapatinhos de bebê amarelos aterrissou aos meus pés.

O chocalho prateado de Nikhil deslizou pelo mármore e ricocheteou na parede.

O livro que Radha havia trazido com ela de Ajar, *Os contos de Krishna*, se abriu em dois quando atingiu o piso.

Mais nada.

Radha apertou os olhos com força.

— Jiji. — Era difícil para ela pronunciar as palavras. — Eu tenho que deixar o meu bebê. — Sua boca se abriu e ela soltou os soluços que vinha contendo.

Eu corri para ela. Minha irmã se agarrou em mim e eu senti toda a força das batidas de seu coração. Eu a embalei, como ela havia embalado seu bebê.

— Fui tão ingrata. Tudo que eu fiz foi causar problemas. — Ela soluçou. — As fofoqueiras estavam certas. Eu sempre vou ser a Menina do Mau Agouro.

Afastei a cabeça para olhar para ela. Levantei seu queixo.

— Não, Radha, não vai. Você nunca foi. E nunca será. Desculpe por eu ter dito isso. Você trouxe tanta sorte para a minha vida, para a nossa vida. Se não fosse por você, acha que eu estaria indo para Shimla? Criar meu próprio jardim de ervas? Trabalhar com o dr. Kumar? Como eu teria feito tudo isso sem você?

Ela piscou os cílios molhados.

— Durante anos eu servi mulheres que só precisavam de mim para fazê-las *se sentir* melhor. Em Shimla, vou atender pessoas que querem que eu as faça *ficar* melhor. Porque elas estão realmente sofrendo. São essas as pessoas com quem a *saas* me treinou para trabalhar. Elas *precisam* de mim. E eu *quero* estar com elas.

Afaguei seus cabelos.

— E olhe como você me ajudou a formar uma família. Malik. Kanta e Manu. Nikhil. E, claro, você. *Você*, Radha, a *gopi* sábia de Krishna.

Que milagre ela ter me encontrado, e eu a ela.

— Então, *Rundo Rani, burri sayani...* você vai para Shimla conosco?

Radha olhou para mim. Depois de um instante, confirmou com a cabeça.

Na pausa que se seguiu, ouvi um cachorro latir, uma *tonga* passar, corvos se alvoroçando nas árvores.

Quando, por fim, ela relaxou em nosso abraço, eu beijei o topo de sua cabeça.

— Vamos pegar suas coisas de manhã na casa de Kanta. — Enxuguei seu rosto com meu sári. — Venha. Eu tenho *aloo gobi subji* esperando. Não sei por que, mas ele fica muito mais gostoso à noite.

Na manhã seguinte, enquanto eu varria a casa de Rajnagar, Malik e Radha colocaram as sacolas na *tonga* que nos esperava. Íamos parar na casa de Kanta para nos despedir, a caminho da estação.

Dei uma última volta pela sala. Toquei as paredes. Passei os dedos pelo mosaico.

Minha vida como artista de henna estava encerrada. Eu nunca mais pintaria as mãos das senhoras de Jaipur.

Peguei o relógio de bolso em minha anágua, deslizei o polegar pelas pérolas brancas e lisas que formavam a inicial *L*.

Coloquei o relógio sobre a bancada, saí e fechei a porta.

Vinte e dois

Estação ferroviária de Jaipur
4 de novembro de 1956

As plataformas da estação ferroviária de Jaipur estavam repletas de passageiros, vendedores de amendoim condimentado, engraxates, mendigos desdentados e cachorros vadios farejando pedaços de comida descartados. Mesmo depois que um trem começava a se mover, as pessoas continuavam a embarcar, pedindo ajuda, sua bagagem puxada para dentro por passageiros prestativos que estavam eles próprios pendurados em corrimãos de ambos os lados dos vagões. Era um espanto que os trens conseguissem partir.

O nosso estava programado para sair em dez minutos. Com o dinheiro da venda da casa, esbanjei em uma cabine privada de primeira classe para nós. Dentro da cabine, Malik e Radha conversavam animadamente.

Fiquei no corredor na frente do nosso compartimento, junto a uma fileira de janelas que davam para a plataforma, onde carregadores enrolados em cachecóis levantavam malas para dentro e para fora dos trens. Maridos de aparência importante em coletes de lã, seguidos por esposas e filhos, gritavam para os carregadores serem cuidadosos. Famílias com passagens de primeira classe caminhavam para nossa parte do trem. A maioria seguia para os assentos de segunda classe. Os que não podiam pagar carregadores enfiavam suas sacolas descombinadas em vagões da terceira classe, gritando para todos abrirem espaço. Os chai-*wallas* passavam com seus carrinhos de um lado para o outro pela plataforma, vendendo copos de chá através das janelas dos vagões. De olho nos horários de partida, homens consumiam apressadamente *chapatti* e *subji* com curry em *tiffins* preparados por suas esposas, mães, irmãs, tias e amigas.

Pensei na primeira vez que pus os olhos em Jaipur, aos vinte anos. Minha primeira viagem de trem. Que empolgante tudo havia sido! A promessa de uma vida nova. A preocupação se ia dar certo. E dera certo. Eu tinha vindo para essa cidade sem nada além do talento para desenhar e as lições que minha sogra havia me ensinado. Eu havia ajudado mulheres a satisfazer seus desejos, fosse na busca de algo ou na busca de sua ausência, para que pudessem levar a vida adiante. Agora, Jay Kumar estava me dando uma chance de me reinventar, de usar meu conhecimento para curar velhos e jovens, doentes e indispostos, pobres e necessitados de alívio.

Tantas pessoas haviam me ajudado em minha jornada. Minha *saas*. Hazi e Nasreen. Samir. Kanta. As maranis Indira e Latika. A sra. Sharma. E até Parvati.

Eu não teria saudade de Jaipur; cada cidade tinha seu charme. Mas teria saudade de Samir?

Para ser sincera, eu ainda pensava nele.

O companheirismo com que havíamos tocado o nosso negócio, as vezes que rimos juntos, momentos em que nosso vínculo parecera sincero, forte, e aquela única noite de luxúria.

Havia coisas que eu não admirava mais nele como antes, mas ele tinha sido parte da minha vida por tanto tempo. Sufocar essas memórias seria como fingir que um terço da minha vida não existira.

Se eu não o tivesse conhecido, talvez ainda estivesse em Agra, trabalhando com as cortesãs, escondida em suas casas de prazer. Sem as conexões dele, quais seriam as chances de eu ter desenvolvido minha atividade como artista de henna? Se ele não houvesse me apresentado a Parvati, talvez eu nunca tivesse sido convidada para o palácio das maranis. Tido Sua Alteza me servindo chá.

Minha atenção foi atraída por uma agitação na plataforma, quando um mar de viajantes abriu espaço para um homem corpulento com uniforme do palácio.

Ele usava a faixa e o turbante vermelhos dos atendentes das maranis. Carregava um grande pacote embrulhado em cetim. Um pequeno tapete estava enrolado sob seu braço esquerdo. Ignorando os olhares e as vozes sussurradas das pessoas na plataforma, o homem consultava um papel e olhava para cada vagão por que passava.

Chamei Malik para a janela e apontei a plataforma com o queixo.

Ele esticou o pescoço pela abertura. Então sorriu e acenou.

— Chef!

O chef do palácio se virou na direção da voz de Malik. Seu rosto relaxou em um sorriso afetuoso. Malik correu para a porta do vagão para falar com ele. Eu os observei trocar cumprimentos, um *salaam* de Malik e um *namastê* do chef. O homem robusto entregou sua carga para Malik, assim como um envelope que estava no bolso de seu casaco. Eles conversaram por mais alguns minutos antes que o chef acenasse em despedida.

Carregado de pacotes, Malik se aproximou pelo corredor do nosso vagão, sorridente. Ele me deu um pesado envelope creme com meu nome. Rompi o selo do palácio, abri o papel e li em voz alta:

Minha querida sra. Shastri,

Seu jovem amigo roubou o coração de Madho Singh. Essa ave só fala de rabri *e Malik, Malik e* rabri. *Ele começou a perguntar por Red & Whites, o que me leva a crer que também deu para fumar. Isso eu não posso admitir. Além do mais, ele se recusa a aprender qualquer outra coisa de francês (*bonjour *e* bon voyage *são toda a extensão de seu repertório) e, como estou passando todo o meu tempo em Paris agora, isso representa um problema. Então, eu me vejo forçada a dizer* adieu *à minha bela ave e lhe perguntar se poderia fazer a gentileza de dá-la de presente a Malik. Tenho certeza de que Madho Singh será mais feliz com ele do que naquele túmulo que é a minha sala de estar no palácio.*

Eles dois fazem um par e tanto, não acha?

Sua amiga e admiradora,
Marani Indira Man Singh

P.S. Madho Singh adora esse tapete. Ele sentiria falta de casa se ficasse sem ele.

Dentro do nosso compartimento, Malik levantou a capa de cetim da gaiola. Madho Singh pulou de um lado para o outro em seu poleiro.

— *Namastê! Bonjour!* Bem-vindo! — ele exclamou e assobiou. Malik assobiou de volta. Radha, que estava vendo Madho Singh pela primeira vez, soltou um risinho de prazer.

Eu sorri para minha família.

O apito agudo do trem doeu em meus ouvidos, anunciando nossa partida. Dei uma última olhada pela janela. No meio da plataforma, onde as pessoas se apressavam para todos os lados como formigas, um homem estava parado, imóvel como uma estátua.

Seus olhos estavam em mim. Ele usava uma camisa branca impecável e um *dhoti*. Havia se barbeado e cortado o cabelo. Estava... bonito.

Eu tinha vivido com Hari por apenas dois anos, mas ele vivera em minha mente por metade da minha vida. Eu havia, alternadamente, tido medo dele, sido indiferente a ele, sentido desprezo, ódio ou pena. Nem uma única vez eu acreditara que ele seria capaz de mudar. Mas, se eu pude mudar, por que não ele?

Lentamente, a locomotiva começou a puxar sua pesada carga. As rodas resfolegaram e giraram, giraram e resfolegaram. Passageiros de último instante lançavam suas cargas e a si mesmos para dentro dos vagões. Chai-*wallas* recolhiam copos vazios.

Hari uniu as mãos em um *namastê* e as levantou na frente do rosto. Seu sorriso não continha nem reprovação, nem raiva. Pela primeira vez desde que eu o conhecera, ele parecia satisfeito.

Retribuí seu *namastê*.

O trem ganhou velocidade. Ele abriu a boca e moveu os lábios, mas não pude ouvi-lo com o rangido das rodas.

Epílogo

Shimla, contrafortes do Himalaia, Índia
5 de novembro de 1956

— Esse foi o último túnel, Tia Chefe! Malik estava acompanhando um mapa da ferrovia e contava cada um das centenas de túneis em que o trem panorâmico entrava. Havíamos pegado o trem normal de Jaipur a Kalka, depois o trem panorâmico até Shimla.

Ele apontou para nossa localização no mapa.

— Só mais uns minutos e vamos estar na estação ferroviária de Shimla! — E sorriu largamente. — Ouviu isso, Madho Singh? — No assento ao seu lado, o periquito estava resmungando sob a capa de cetim da gaiola.

Radha havia adormecido com a cabeça no meu colo, mas agora se sentou e esfregou os olhos. Olhou pela janela do trem, para os cedros-do-himalaia e os pinheiros nativos que pontilhavam as montanhas rochosas além do vale. As primeiras neves haviam caído, deixando o topo das árvores decorado com uma cobertura branco-azulada.

— Sempre tem neve aqui, Radha? — perguntou Malik. Ele nunca havia saído do deserto do Rajastão.

Ela sorriu.

— Só no inverno. Espere só mais um mês. O chão vai estar totalmente branco. Então vamos fazer um boneco de neve parecido com a sra. Iyengar!

Eles riram. Até *eu* achei engraçada a imagem de uma mulher de neve gorducha vestida em um sári. Disfarcei o sorriso atrás da carta que estava relendo.

O dr. Kumar vinha me mandando cartas a cada poucos dias desde que eu aceitara seu convite para trabalhar com ele. Esta havia chegado logo antes de partirmos para Shimla.

1º de novembro de 1956

Cara Lakshmi,

Encontrei uma casa de três quartos em Shimla para sua família. Radha e Malik terão cada um o próprio quarto! É perto do Lady Bradley, dá para ir a pé. Ou, se você preferir, posso arrumar um carro e um motorista.

Também tomei a liberdade de marcar algumas consultas para você assim que chegar aqui. Sinto que preciso pedir desculpas por jogá-la no trabalho tão depressa. Você já vai estar na correria assim que puser os pés fora do trem!

A sra. Sethi, diretora da escola Auckland House, está à espera para falar com você sobre a matrícula de Radha. Ficarei satisfeito em acompanhar você e Malik à Bishop Cotton, minha alma mater, para o primeiro dia dele. A menos, claro, que prefira reservar esse prazer só para você. (Meu antigo diretor ainda está lá, mas não acredite em nenhuma das histórias que ele contar a meu respeito!)

Samir Singh havia se oferecido para pagar pelos estudos de Radha. Sua mensagem foi uma surpresa para mim. Ele disse que esperava que minha irmã continuasse a estudar Shakespeare. Aceitei isso como uma tentativa de desculpas, embora Radha merecesse algo bem mais convincente. Pedi que ele pagasse as mensalidades anonimamente; não queria mais nenhum contato com ele. Também não queria que Radha tivesse nenhum motivo para se comunicar com os Singh.

Jay Kumar sabia sobre esse arranjo financeiro, mas não conhecia a história, e, quando lhe expliquei, ele não fez perguntas. Parecia focado apenas em nosso futuro compartilhado. Em suas cartas (que vinham com frequência), ele me disse que estava aprendendo sobre os povos da montanha e sua medicina tradicional.

Uma parte do arbusto de rododendro, segundo me disseram, é usada como cura para tornozelos inchados. Você já ouviu falar sobre isso? Ontem, uma velha senhora gaddi trouxe uma vasilha de sik *(feito da fruta seca da árvore* neem*) para uma de nossas faxineiras, que está grávida. Disse que isso garante um corpo saudável antes e depois do parto. Por curiosidade, eu provei. As duas acharam muito engraçado!*

A ideia de Jay Kumar comendo de uma vasilha de mingau feito para uma mulher grávida me fez sorrir.

Todo dia as pessoas me perguntam quando você vai chegar. Muitos se lembram de você da clínica. Você deixou uma ótima impressão, a julgar pelo modo como falam a seu respeito. Eles, e eu, estamos ansiosos para recebê-la de volta.

Até logo mais,
Jay

O apito do trem me trouxe de volta ao presente.
— Chegamos! — Malik já estava de pé antes mesmo de o trem parar.
Guardei a carta na bolsa. Radha e Malik recolheram nossas coisas. O trem reduziu a velocidade e, ao fazermos a curva da montanha, eu vi a estação de Shimla.
Jay Kumar era o homem mais alto na plataforma. Ele usava seu jaleco branco sobre um suéter verde de gola alta — provavelmente tinha vindo direto do hospital. O vento do Himalaia soprava seus cachos desordenadamente. Era engraçado como eu havia esquecido dos fios brancos em seu cabelo. Ou do jeito como ele inclinava a cabeça para o lado, como se estivesse tentando ouvir algo importante.
Quando ele me avistou na janela, seu olhar colou no meu e sua expressão mudou para um lento sorriso de reconhecimento. Notei também o cinza de seus olhos, e, pela primeira vez, ele não os desviou.
Enrubesci, o calor em meu pescoço como fogo.
Radha bateu no meu braço.
—Jiji, olhe!
Então eu notei o grupo de pessoas reunidas ao lado dele, com suas saias de lã vibrantes, *topas* bordados, blusas coloridas. Lá estava a mulher a quem eu havia recomendado melão-de-são-caetano e alho para uma séria indigestão na gravidez. Ela segurava seu bebê nos braços, orgulhosa.

À sua direita estava a avó que sofria de artrite, sorrindo com sua gengiva sem dentes, segurando as rédeas de uma mula.

E, mais adiante, o pastor de ovelhas! Jay havia me escrito que a dieta que eu sugerira tinha evitado que ele precisasse remover o bócio. Ele levantou a mão em um cumprimento, seus olhos apertados de satisfação.

A milhares de quilômetros da pequenina aldeia onde eu havia começado, estava finalmente em casa.

Atrás de nós, em sua gaiola, Madho Singh gritou outra vez:

— *Namastê! Bonjour!* Bem-vindo!

Agradecimentos

Eu escrevi este romance para minha mãe.

Sudha Latika Joshi fez um casamento arranjado aos dezoito anos e tinha três filhos aos vinte e dois. Nunca recebeu a oportunidade de escolher com quem se casar, quando se casar, ter ou não filhos, continuar ou não os estudos ou o que gostaria de fazer com sua vida. Mas me garantiu todas essas escolhas.

No romance, reimaginei sua existência como Lakshmi, a artista de henna que constrói uma vida para si. Todos os dias, agradeço à minha admirável mãe por seu amor firme, sua tenacidade e sua total devoção aos meus irmãos e a mim. Sem ela, este livro nunca poderia ter sido escrito.

Meu pai, Ramesh Chandra Joshi, cuja notável jornada de aldeão humilde para engenheiro internacional nunca deixa de me maravilhar, apoiou este romance com entusiasmo desde o início. Ele me contou sobre a Índia de sua juventude depois do Raj britânico e o papel que ele desempenhou na reconstrução da nova Índia. Suas lembranças me ajudaram a compreender melhor a empolgação pós-independência que incluí na história. Papai leu as versões preliminares do romance e pediu para amigos indianos revisarem os rascunhos e compartilharem as próprias experiências. Qualquer equívoco que exista na narrativa é meu.

Devo mil agradecimentos também a Emma Sweeney, da Emma Sweeney Literary Agency, que se apaixonou por este livro tantos anos atrás e permaneceu com ele até que estivesse pronto para ser trazido ao mundo. E outros mil agradecimentos à editora de aquisições sênior da MIRA Books, Kathy Sagan, e à equipe extraordinária da HarperCollins: Loriana Sacilotto, Nicole Brebner, Leo MacDonald, Heather Connor, Heather Foy, Margaret Marbury, Amy Jones, Randy Chan, Ashley MacDonald, Erin Craig, Karen Ma, Irina Pintea, Kaitlyn Vincent, Roxanne Jones e Laura Gianino. Vocês são demais!

A Anita Amirrezvani, a mentora cujos romances me inspiraram a escrever uma história ambientada em outro tempo, local e cultura, meus sinceros agradecimentos.

Leitores de versões preliminares que ajudaram a fazer este livro cantar são Tom Barbash, Janis Cooke Newman, Aimee Phan, Lanny Udell, Sandra Scofield, Robert Friedman, Samm Owens, Bonnie Ayers Namkung, Ritika Kumar, Shail Kumar, Grant Dukeshire, AJ Bunuan, Mary Severance e meus colegas participantes do workshop do programa de mestrado do CCA.

Meus irmãos, Madhup Joshi e Piyush Joshi, leram rascunhos do romance e me animaram a prosseguir. Minha mãe e eu viajamos várias vezes para Jaipur depois de 2008 e nos hospedamos no apartamento de Piyush. Em Jaipur, entrevistei famílias rajaputes, comerciantes da Cidade Rosa, mulheres da minha idade e suas filhas, professoras da Escola para Meninas da Marani Gayatri Devi, médicos aiurvédicos e, claro, artistas de henna. Falei em escolas e faculdades, dancei em casamentos gloriosos e bebi muitas xícaras de chai.

Também pesquisei plantas medicinais da Índia, remédios aiurvédicos e de aromaterapia e a história da henna, como ela é feita e por que é tão importante na cultura indiana. Estudei a história dos britânicos no Rajastão, a educação das meninas nessa época, o sistema de castas e como ele afetou a vida das pessoas que eram definidas por ele.

Como inspiração, li autores cujas obras lembram uma Índia de tempos passados e presentes: Kamala Markandaya, Ruth Prawer Jhabwala, R. K. Narayan, Anita Desai, V. S. Naipaul, Rohintin Mistry, Amitav Ghosh, Manil Suri, Chitra Banerjee Divakurani, Thrity Umrigar, Shobha Rao, Akhil Sharma e Madhuri Vijay. Também li obras pós-coloniais brilhantes de autores como Jamaica Kincaid, Chinua Achebe, Khaled Hosseini, Chimamanda Ngozi Adichie e Edwidge Danticat.

Por fim, e sempre, agradeço ao meu marido, Bradley Jay Owens, que me disse que eu me casei com um escritor porque, secretamente, também queria ser uma escritora. Se ele não tivesse me dado esse incentivo em 1997, talvez eu nunca tivesse feito um workshop de escrita criativa, nunca tivesse obtido meu mestrado, nunca tivesse a chance de imortalizar minha mãe da maneira como ela merecia. Você tem meu coração, meu amor.

Adoro ouvir os comentários dos leitores. Então, se você quiser entrar em contato, pode me encontrar em www.thehennaartist.com ou me visitar no Facebook (alkajoshi2019) e no Instagram (@thealkajoshi).

A história da henna

Há mais de cinco mil anos, a henna (ou *mehendi*) tem sido usada para adornar corpos. Nos climas quentes da Índia, Paquistão, China, Oriente Médio e norte da África, a espécie *Lawsonia inermis* é abundante e chega a um metro e meio de altura. A planta, cujas flores, folhas e talos são triturados para fazer o pó de henna, é fácil de encontrar e barata.

Quando misturado com água, açúcar, óleo, limão ou outros ingredientes, a cor do pó é intensificada e suas propriedades curativas e medicinais são acentuadas. A henna refresca o corpo no clima quente e protege a pele do ressecamento. Na Índia, homens e mulheres aplicam henna, em vez de corantes químicos, nos cabelos grisalhos, nos quais ela exerce um efeito igualmente calmante. É comum em algumas culturas mergulhar mãos e pés inteiros em henna para se refrescar.

Habitualmente associada a casamentos e à preparação nupcial, a henna também é usada em outras ocasiões importantes: noivados, nascimentos, feriados, comemorações religiosas, cerimônias de nome de bebês, entre outras. Os egípcios antigos aplicavam henna no corpo antes da mumificação. No sul da China, a henna foi usada em rituais eróticos por três mil anos.

Artistas de henna atuais continuam a criar desenhos cada vez mais elaborados, intricados e exclusivos, mesmo na ausência de uma ocasião especial. A habilidade de um artista de personalizar o desenho de acordo com o cliente, qualquer que seja sua localização geográfica, permite que a arte da henna transcenda culturas, crenças religiosas ou etnias.

A receita de Radha para a pasta de henna

As folhas, flores e talos da planta de henna são primeiro secos, depois triturados para formar um pó. As partes duras — as nervuras, por exemplo — são removidas. A ação de triturar libera o agente ligante, de modo que, quando o pó é misturado com água quente, a pasta resultante gruda na pele por um tempo considerável e a fragrância herbal e refrescante permanece na pessoa.

Quanto mais escura a cor da henna, mais tempo o desenho se manterá na pele. Elementos ácidos, como suco de limão, vinagre ou chá-preto forte, ajudam a intensificar a cor da henna de âmbar para marrom-escuro. O mesmo acontece com os óleos de melaleuca, eucalipto, gerânio, cravo ou lavanda, que têm a propriedade de ligar o corante à pele mais fortemente. A sola dos pés e a palma das mãos, as áreas mais espessas da pele, são as que absorvem melhor a tintura de henna.

Depois de misturar a pasta, deixe-a repousar por seis a doze horas em um lugar fresco e escuro antes de aplicá-la.

Para impedir que a henna seque ou se solte da pele antes que o corante tenha tempo de se fixar, borrife o desenho úmido, cuidadosamente, com uma mistura de limão e açúcar (ou acrescente açúcar à própria pasta antes da aplicação). Use apenas açúcares naturais, como sucos de frutas não ácidas, por exemplo manga e goiaba, que também aumentam a cor e a intensidade do corante. Quanto mais suco de fruta você acrescentar, menos água deve misturar à pasta.

A pessoa que recebe a aplicação de henna não deve lavar a pele logo depois que a pasta esfarela. O calor ajudará a fixar melhor o desenho, então massageie a pele logo em seguida com óleo de cravo ou lavanda. Em poucos dias, a cor escurecerá de um laranja claro para um marrom avermelhado. (Por essa razão, a pessoa deve fazer sua pintura de henna alguns dias antes do evento, para que o desenho tenha tempo de ficar em seu melhor aspecto.)

O sistema de castas

O sistema de castas da Índia é complicado e difícil de explicar. Iniciado mil anos antes de Cristo como uma maneira de separar a sociedade em quatro diferentes categorias de ocupações, o sistema hoje identifica mais de três mil castas e vinte e cinco mil subcastas.

Alguns acreditam que as quatro castas originais tenham sido criadas do corpo de Brahma, o Deus da Criação. De sua cabeça vieram os brâmanes, que receberam as funções de sacerdotes, educadores e intelectuais. De seus braços vieram os xátrias, os guerreiros e governantes, responsáveis por proteger o povo. Os vaixás, ou comerciantes, que administravam negócios e emprestavam dinheiro, vieram de suas coxas. A quarta casta, os sudras, eram trabalhadores nos campos e servos nas casas; eles vieram dos pés de Brahma.

Aos *dalits*, ou intocáveis, era negada qualquer função no sistema de castas. Eles trabalhavam como açougueiros, limpadores de latrinas e ruas e curtidores de couro, e também cuidavam dos mortos.

Os filhos herdavam a casta dos pais.

Os mongóis, que governaram a Índia pela maior parte dos séculos XVI e XVII, mantiveram o sistema de castas indiano. Mais tarde, os britânicos usaram a tradição das castas como uma maneira conveniente de organizar seu domínio colonial.

Com a independência da Índia, em 1947, veio uma nova constituição, que baniu a discriminação com base em castas, reconhecendo que o sistema havia dado privilégios injustos a alguns enquanto impedia a ascensão de outros.

Infelizmente, várias décadas se passaram, com repetidas manifestações de *dalits*, até que a Índia oferecesse "cotas" em quantidade expressiva para permitir que os *dalits* fossem admitidos em universidades e tivessem empregos no setor público.

As castas continuam a desempenhar um papel importante em casamentos arranjados, na preparação de alimentos e nos cultos religiosos. O casamento entre castas pode manchar a reputação de ambas as famílias envolvidas e com frequência leva o casal a ser marginalizado. Algumas castas se recusam a comer carne, outras não. Os indianos são tolerantes com práticas religiosas diferentes das suas, mas cada casta continua a praticar seus próprios rituais religiosos.

Como o sistema de castas está profundamente entranhado na cultura da Índia há milhares de anos, levará tempo para que as pessoas deixem de lado crenças tão antigas em relação ao poder, aos privilégios e às restrições das castas. As redes sociais aumentaram a exposição e a comunicação da população com o mundo sem castas do Ocidente, o que vem mudando algumas dessas crenças. Similarmente, mais educação e oportunidades de carreira para mulheres e pessoas das castas mais baixas fizeram muitos desses tabus serem questionados. Mesmo assim, o sistema de castas sobrevive não só na Índia, mas também no Sri Lanka, Nepal, Japão, Coreia, Iêmen, Indonésia, China e alguns países da África.

Bolas de baati
(receita de Malik)

O *dal baati churma*, uma autêntica refeição rajastani, é um prato substancioso, salgado e doce, servido em casamentos e em muitas outras cerimônias. *Dal* é um prato de curry simples que pode ser feito com lentilhas verdes, amarelas ou pretas ou com grão-de-bico seco e temperado com cominho, cúrcuma, coentro, pimenta-verde, cebola, alho e sal. Há tantas receitas para *dal* como há para *chapatti*.

O *baati*, farinha de trigo integral enrolada em formato de bola e assada no forno convencional ou a carvão, acompanha o *dal*. Pode ser servido inteiro, mergulhado em *dal*, ou esmagado e misturado com açúcar branco ou mascavo para fazer a sobremesa *churma*.

Veja a seguir uma receita para as bolas de *baati*, que Malik frita no *ghee*, mas que podem ser assadas no forno para que o prato fique mais saudável.

Ingredientes:
2 xícaras (chá) de farinha de trigo integral
2 colheres (chá) de sementes de funcho
2 colheres (chá) de sal

4 colheres (sopa) de *ghee* derretido (ou óleo de canola) (mais se for fritar o *baati*)

1/4 de xícara (chá) de iogurte integral (não use iogurte com baixo teor de gordura ou desnatado)

2 colheres (sopa) de água morna

Modo de preparo:

Preaqueça o forno a 180 graus. Acrescente as sementes de funcho, o sal e o *ghee* ou óleo à farinha de trigo e misture bem. Adicione a água no iogurte até ficar uniforme. Acrescente à mistura de farinha.

Sove até toda a massa estar bem uniforme. Ela deve ficar firme, como massa de biscoito, não como massa de bolo. Enrole a massa na palma das mãos para fazer bolas de 4 centímetros.

Coloque as bolas de *baati* em uma assadeira, com 5 centímetros de distância entre elas, e asse por 15 minutos. As bolas devem ficar douradas na base. Vire-as e asse por mais 15 minutos para dourar o outro lado.

Para testar, abra uma bola e confira se está assada por inteiro. Sirva com *dal*.

Rende 4 porções.

Rabri real
(receita do palácio)

Sobremesa fácil de fazer, o *rabri* é cremoso e saudável. É uma receita demorada, mas definitivamente vale o esforço. Leia um livro enquanto mexe — talvez até este mesmo!

Ingredientes:
10 xícaras (chá) de leite integral
2 xícaras (chá) de creme de leite fresco
4/5 de xícara (chá) de açúcar
1 colher (chá) de sementes de cardamomo esmagadas
2 colheres (sopa) de amêndoas laminadas torradas
6 fios de açafrão
1 colher (chá) de essência de rosas ou *kewra* (opcional)

Modo de preparo:
Junte o leite e o creme de leite em uma panela funda. Deixe ferver por 2 horas em fogo baixo, mexendo continuamente. Raspe o creme que gruda nas laterais da panela, acrescentando-o de volta à mistura. Não deixe o leite queimar.

Separe 2 colheres (sopa) da mistura de leite quente em uma vasilha e mergulhe nela os fios de açafrão.

Acrescente o açúcar à panela. Quando a mistura estiver cremosa e reduzida à metade do volume, retire a panela do fogo. Deixe esfriar.

Adicione o leite com açafrão, as sementes de cardamomo, as amêndoas e a essência de rosas (ou *kewra*) à mistura. Refrigere por 4 horas.

Rende 10 porções.

Impresso no Brasil pelo Sistema Cameron da Divisão Gráfica da
DISTRIBUIDORA RECORD DE SERVIÇOS DE IMPRENSA S.A.